Der Einzeller

ABERA

Masuda Mizuko

Der Einzeller

Aus dem Japanischen übersetzt
von
Heike Patzschke

ABERA

Original title: SHINGURU SERU
Copyright © M.Masuda 1986

Originally published in Japan by Fukutake Shoten. Tokyo.
German translation Copyright © Heike Patzschke 2013
All rights reserved.

This book has been selected by the Japanese Literature Publishing Project (JLPP)
an initiative of the Agency for Cultural Affairs of Japan.
Dieses Werk erscheint im Rahmen des Projekts zur Veröffentlichung japanischer Literatur
(JLPP), im Auftrag des japanischen Amts für kulturelle Angelegenheiten.

German-language editorial advisor: Eduard Klopfenstein
Herausgeber für den deutschen Sprachraum: Eduard Klopfenstein

*In diesem Werk werden alle Namen in ihrer ursprünglichen japanischen Gestalt belassen. Hierbei
steht in der Regel der Familienname voran, gefolgt von dem persönlichen Namen oder einem
Schriftstellernamen.*

Bibliografische Information der Deutschen Bibliothek
Die Deutsche Bibliothek verzeichnet diese Publikation in der Deutschen
Nationalbibliografie; detaillierte bibliografische Daten sind im Internet über
http://dnb.ddb.de abrufbar.

© 2013 Abera Verlag Markus Voss

Satz und Layout: Abera Verlag.
Printed in the European Union.

ISBN 978-3-939876-00-7

1

In den Bergen war die Zeit der leuchtenden Herbstfarben bereits vorüber, und das Laub hatte zu welken begonnen. Die zarten und schwachen Blätter waren schon gefallen, und im lichter gewordenen Laubwerk ließen sich nirgends mehr die satten Farben des Sommers blicken. Die von Anhöhe zu Anhöhe dem Auf und Ab der Berge folgende, an die mächtigen Wellen der Erde geschmiegte, tief atmende Schar der Pflanzen schien immer dunklere und mattere Farbschattierungen anzunehmen und Tag für Tag mehr in sich zu versinken. Doch sobald die Sonne schien, glänzte die ganze Bergseite auf und sandte von innen her mit stiller Kraft ein Licht aus, das sie nur aus den Tiefen der Erde gesaugt haben konnte, gleichsam als wollte sie sagen, sie habe nur geschlafen und keineswegs krank darniedergelegen. Die ganze Atmosphäre füllte sich dann mit Licht, und jedes einzelne schon halb verwelkte Blatt, jeder einzelne Zweig leuchtete auf. Myriaden von Lichtpartikeln schwebten zerstäubt in der Luft und strahlten unaufhörlich. Anders als das Sommerlicht blendete dieses Licht überhaupt nicht, und doch war es so hell, dass man sich verwundert fragte, warum es denn nicht heiß sei. Es war von einer bis in unendliche Weiten transparenten und geradezu beunruhigenden Helligkeit.

Shiiba Mikio schaute aus dem Fenster im ersten Stock des auf allen vier Seiten von Bergen umgebenen kleinen Gasthofs »Haus zur Kiefer«. Bereits seit vier Tagen betrachtete er ständig dieselbe Landschaft. Als so überwältigend, dass man sich selbstvergessen in sie hätte versenken können, ließ sich die Aussicht zwar nicht bezeichnen, doch da Mikio zum ersten Mal in seinem Leben längere Zeit in einem Gasthof wohnte und richtig viel Geld dafür ausgab, wollte er in den Bergen, die sich ringsumher erstreckten, so weit das Auge reichte, auch etwas so Wunderbares entdecken, das diesem Luxus entsprach.

Berge – so nah, dass er meinte, sie mit den Händen berühren zu können. Berge – in so weiter Ferne, dass er sie mit seinen Blicken nicht mehr zu erfassen vermochte. Am vierten Tag erfüllte ihn schließlich das Gefühl, es sei ihm gelungen, sich selbst davon zu überzeugen, dass es jenseits der Berge nichts mehr gab. Sowohl die Straßen als auch die Stadt und die Menschen waren verschwunden, so dass kein Weg mehr zurück in seine lärmerfüllte Wohnung führte. Selbst diese existierte nun nirgends mehr.

Aber dafür gehören mir jetzt all die Berge, so weit ich blicken kann, dachte er.

Mikio, der an diesen ihm fremden Ort gekommen war, hier seit vier Tagen ein ihm ungewohntes Leben führte und nun so schnell das Gefühl für die Wirkungen und Rhythmen jenes Lebens verlor, das er bis vor vier Tagen geführt hatte, verspürte eine ziellose Gelassenheit in sich selbst. Meine Nerven haben sich zurückgezogen und kommen endlich zur Ruhe, sann er darüber nach. Diese Landschaft füllt mich aus. Er nickte, und die Seltsamkeit dieser Mischung von Theatralik und wahrem Gefühl schenkte ihm unsagbar wundersame Genugtuung.

Er spürte, wie sein Körper und sogar sein Hemd in der Sonne leuchteten. Es schien ihm, als verlöre er allmählich die Eigenschaften, die ihn zu einem Menschen machten. Er stand kurz vor der Illusion, seine Haut überziehe sich mit grüner Farbe und er atme Kohlendioxid ein- und Sauerstoff aus.

Im Gegenzug schienen die Berge nicht mehr nur Anhäufungen von Erde und Felsgestein zu sein, sondern immer dann, wenn sie Licht in sich aufnahmen, Sauerstoff einzuatmen und auch einen animalischen Geruch von sich zu geben, bald anzuschwellen und bald wieder in sich zusammenzusinken.

Die Pflanzenwelt kam zur Ruhe und erstarrte, und wie sie nun, einen mineralischen Glanz auf der Oberfläche der Blätter und der Rinde der Baumstämme zurückbehaltend, still und reglos verharrte, wirkte sie ganz und gar wie Metall.

Den lieben langen Tag verbrachte Mikio damit, alles und jedes, das sein Auge erfasste, zu betrachten, gleichsam als teste er, bis wann er es wohl schaffen würde, die selbst erschaffenen Illusionen aufrecht zu erhalten, ohne zu erwachen.

In seinem Zimmer lebte eine Ameise. Es ging nun nicht an, geringschätzig von nur einer Ameise zu sprechen. Denn wenn sämtliche Lebewesen der Erde ausgestorben und er selbst und diese eine Ameise die einzigen Überlebenden wären, könnte niemand mehr die Ameise ignorieren.

Wenn er nicht gerade auf die Landschaft schaute, verfolgte er mit seinen Blicken die Ameise, ganz verwundert darüber, dass er bisher noch nie eine Ameise so genau beobachtet hatte.

Bislang hatte er lediglich gewusst, dass es auf der Erde kleine Insekten namens Ameisen gab und diese manchmal in langen Schlangen hintereinander her liefen und sich auf süßen Dingen zusammenscharten. Gleichwohl waren Ameisen die gewöhnlichsten Insekten dieser Welt überhaupt, und es gab sie überall. Nicht einmal er als Student der Agrarwissenschaftlichen Fakultät hatte über Ameisen, deren Prozessionen er als Kind beobachtet hatte, irgendetwas dazu gelernt.

Mit derselben Hingabe, mit der er die Berge betrachtete, verfolgte er mit seinen Blicken die Ameise.

Überhaupt wussten Ameisen wahrscheinlich nicht einmal, dass sie Ameisen genannt wurden. Auch von kleinen Insekten zu sprechen, war aus ihrer Sicht sicher unpassend. Ameisen waren nicht klein. Als Ameisen hatten sie genau die richtige Größe. Selbst wenn die Menschen über sie gar nichts wüssten, lebten sie doch ihr Leben. Während die Menschen Neugier zeigten, die Ameisen kennen zu lernen suchten und sich damit die Zeit vertrieben, waren die Ameisen völlig in ihr eigenes Leben vertieft und widmeten sich keinerlei unnützen Dingen.

Er als Mensch betrachtete die Berge, beobachtete die Ameise und vergaß darüber die Zeit, und nicht nur das, in diesem leeren Leben fand er auch noch Erfüllung, zugleich aber sehnte er sich auch nach einem solch reinen Leben wie dem der Pflanzen und der Ameisen.

Jemand, der die Berge, die Bäume und die Insekten liebte, galt als tugendhaft.

Es war hingegen kaum anzunehmen, dass in der Welt der Ameisen und Pflanzen diejenigen, die die Menschen liebten, sich unter ihresgleichen eines guten Rufs erfreuten.

Solcherart Gedanken hatte sich Shiiba Mikio bislang noch nicht einmal ansatzweise hingegeben, doch seit er in die Berge gekommen war, hing er ihnen den ganzen Tag lang nach. Während seine Blicke den dahin schwebenden Wolken, dem An- und Abschwellen des Windes, dem Flimmern der Luft in der Sonne, der Gestalt der emsig und ohne Unterlass dahin krabbelnden Ameise sowie den sich hin und her wiegenden Blättern folgten, ergriff die sich unaufhörlich bewegende Natur auch von seinem Körper Besitz. Auch wenn dieser sich selbst nicht bewegte, so war er doch ganz von dem Gefühl des Dahinströmens der Gedanken in seinem Kopf durchdrungen. So völlig zusammenhanglos vor sich hin zu träumen, tat einfach gut.

Wahrscheinlich hatte er auch aus diesem Grund keine Lust, der

Hausherrin, die in der Herberge für ihn sorgte, zu begegnen und sich mit ihr zu unterhalten. Sie schien es wohl auch selbst irgendwie zu spüren, denn sie sprach ihn nur an, um ihm Bescheid zu geben, dass das Bad bereitet sei, oder um ihn zum Essen zu rufen, während sie sonst so tat, als nähme sie ihn gar nicht wahr.

Als sie am Nachmittag des zweiten Tages zum Saubermachen in den ersten Stock gekommen war, hatte er sie nicht ins Zimmer gelassen. Seitdem war sie leicht verstimmt und verlor kaum noch ein Wort.

Es war eine kleine alte Herberge mit nur wenigen Zimmern, aber da er der einzige Gast war, fühlte er sich irgendwie nicht recht wohl in seiner Haut, weshalb er sich meist in sein Zimmer zurückzog. Doch obgleich er dieses nicht verließ und auch keine Spaziergänge unternahm, fühlte er sich nicht im geringsten eingeengt, da er von seinem Fenster aus jene unendliche Weite genießen konnte, keine menschlichen Stimmen vernahm, alles, was er sah, sich in ständiger Bewegung befand und ihm deshalb auch überhaupt nicht langweilig war.

Dafür, dass er der Hausherrin den Zutritt zu seinem Zimmer verwehrte, gab es vier konkrete Gründe.

Erstens wollte er sich das Gefühl bewahren, dieses Zimmer sei seine eigene Festung oder aber ein geheimer Raum inmitten der Natur. Da konnte die Wirtin zehnmal die Hausherrin der Herberge sein, er empfand unbefugtes Betreten eben als Belästigung. Allerdings war das wohl eher nur ein Vorwand.

Zweitens war er zwar mit der Ankündigung hier eingezogen, seine Masterarbeit schreiben zu wollen, doch befanden sich seine Unterlagen und sein Arbeitsblock nach wie vor in seiner Tasche, und er hatte noch keine einzige Zeile geschrieben. Daher fühlte er sich unwillkürlich in Bedrängnis, und seine innere Unruhe und ängstliche Sorge, bloß niemanden in sein Zimmer zu lassen, gewannen jedes Mal die Oberhand, worauf dann auch sein Tonfall, mit dem er den Zutritt verweigerte, geradezu bissig wurde. Auch ansonsten wollte er auf gar keinen Fall, dass die Wirtin sein offen liegen gelassenes Bettzeug sah. Lebte er doch schon sehr lange allein und konnte sich gar nicht mehr daran erinnern, in den letzten Jahren jemals jemanden in sein Zimmer eingeladen zu haben.

Drittens, und das war der unmittelbarste Grund, schien die Wirtin es sich zur Gewohnheit gemacht zu haben, Ameisen, die ins Innere des Hauses gelangt waren, sobald sie diese entdeckt hatte, mit der flachen Hand zu erschlagen oder mit den Fingerspitzen zu zerquetschen. Das hatte er bereits zweimal mit seinen eigenen Augen gesehen, als er im Erdgeschoss beim Essen saß. Er brachte es einfach nicht übers Herz, das Schicksal der Ameise, die seit einiger Zeit in seinem Zimmer lebte, und wenn es auch nur für die Zeit seines Aufenthalts sein sollte, den Händen der Herbergswirtin zu überlassen.

Und schließlich hegte er überhaupt älteren Frauen gegenüber einen schier unsäglichen Groll. Wenn er noch ehrlicher war, wollte er es sogar wenn irgend möglich vermeiden, ihnen auch nur ins Gesicht zu blicken oder ihnen zuzuhören.

Freilich war das auf seine persönlichen Umstände zurückzuführen und stand mit der Herbergswirtin selbst in keinerlei Zusammenhang. Auch wenn sie sich nun unangenehm berührt fühlte, hätte er es jedoch als heuchlerisch und aufgesetzt empfunden, wenn er sich gezwungen hätte, freundlich zu sein.

Eigentlich war er ja vielleicht gerade, weil er auf der Flucht vor den Frauen war, in diesen abgelegenen Gebirgsort gekommen. Zumindest war es eines der Ziele dieser kurz entschlossen angetretenen Reise, zumindest etwas Abstand zu den Frauen mit ihren schrillen Stimmen zu gewinnen. Daher stand ihm der Sinn weder nach einem lächelnden Gesicht noch nach gutem Service. Er wollte das unnütze Geschwätz von Frauen einfach nicht mehr hören. Allerdings verfügte die Herbergswirtin, wie man es von einer Person ihres Berufs auch gar nicht anders erwarten konnte, im Vergleich zu jenen Frauen, mit denen es Mikio bisher zu tun gehabt hatte, über eine weitaus höhere Sensibilität beim Erfassen einer Situation. Außerdem war sie zwar die Herrin des Gasthofes, kümmerte sich zugleich aber auch um die Zimmer und den Empfang und wirkte zudem, vielleicht auch, weil er der einzige Gast war, erfreulicherweise in ihrem Äußeren und ihren Gesichtszügen eher wie eine Bauersfrau. Es machte ihr gar nichts aus, mit einem Gesicht herum zu laufen, als sei sie soeben erst aufgestanden, und sie nannte sich selbst gar Tantchen. Man konnte sie sogar fast unleutselig nennen, doch schien sie trotz alledem die subtile Kunst des Umgangs mit Gästen verinnerlicht zu haben, jene Kunst, nichts zu tun oder zu sagen, worüber der Gast die Stirn runzeln könnte, weshalb sie ihm eigentlich auch nicht unsympathisch war.

Seine eigene Unfreundlichkeit war im Preis inbegriffen. Da er nun einmal hierher gekommen war und schließlich auch bezahlte, hätte er es nicht ertragen, die aufdringliche, stichelnde und nicht enden wollende überschwängliche Bewirtung durch eine Frau in mittleren Jahren über sich ergehen zu lassen, weshalb er zunächst ständig auf der Hut gewesen war. Dieses Gefühl hatte zwar allmählich nachgelassen, doch gerade dadurch begriff er nur allzu klar, wie sehr er Frauen immer als etwas Widernatürliches empfunden und sich von ihnen abgestoßen gefühlt hatte und dass es sein sehnlichster Wunsch gewesen war, vor ihnen davonzulaufen. Diese Erkenntnis überkam ihn nun mit einer solch klaren Schärfe, dass sich ihm ein bitteres Lächeln entringen wollte.

Um diese Zeit etwa dürften sie sich in Tokyo ihrem Groll über sein Verhalten hingeben. Das beruht wohl auf Gegenseitigkeit, murmelte er vor sich hin und versuchte alles zu vergessen, was sich jedoch als vergeblich herausstellte. Diese Frauen waren, wenn man versuchte, es in einem Wort zusammenzufassen, in den vergangenen Jahren seine Brotgeber, seine Arbeitgeber gewesen.

Während er sich in diesem Berggasthof dem Gefühl hingegeben hatte, einmal für kurze Zeit Atem zu schöpfen und wieder zu sich zu kommen, war er etwas sentimental geworden. Es spielten auch sonst noch verschiedene Umstände eine Rolle, die ebenfalls dazu geführt hatten, dass ihm gegenwärtig der Weg in die Zukunft versperrt schien und er sich von einem inneren Drang getrieben fühlte, auf die Vergangenheit zurückzublicken. Er war zwar gerade mal fünfundzwanzig, doch zutiefst davon überzeugt, dass seine Zukunft einem Vakuum glich und er nur und überreichlich Vergangenheit, ja davon sogar das Mehrfache anderer Menschen mit sich herumschleppte. Da er seine Eltern früh verloren hatte, hatte er es von Kindesbeinen an als seine vorrangige Aufgabe betrachtet, aus eigener Kraft zu überleben. Sich dieser Verantwortung bewusst, hatte er seinen Alltag als Arbeit angesehen und gemeistert.

Ich hab doch alles richtig gemacht, schoss es ihm manchmal durch den Kopf. Sich innerlich leicht angespannt dieserart rückzuversichern, sich sozusagen selbst zu kontrollieren, auch das war ihm zur Gewohnheit geworden. Doch dieser Gedanke, alles richtig gemacht zu haben, schloss zugleich auch seinen Mangel an Selbstvertrauen mit ein, dessen wahre Gestalt einem Schatten gleich ohne deutliche Konturen blieb. Das hatte er wohl zum großen Teil jenen Frauen zu verdanken. Hatten sie ihn nicht eigentlich ernährt?

Natürlich gab es in Wirklichkeit nichts, worüber er sich solch komplizierte Gedanken hätte machen müssen. Wie jeder normale Student hatte er lediglich als Nachhilfelehrer gearbeitet. Selbst wenn er etwas mehr und etwas länger als andere und eher für seinen Lebensunterhalt gearbeitet hatte, als um sich etwas dazu zu verdienen, gab es ansonsten nichts, was ihn auffällig von den anderen unterschied.

Studenten, die wie er mit Nebenjobs ihr eigenes Brot verdienten, gab es jede Menge.

Wahrscheinlich lag es daran, dass er aufgewachsen war, ohne seine eigene Mutter kennen zu lernen, wenn aus seiner Sicht seiner Arbeit als Nachhilfelehrer irgendwie der Ruch von Betrug anhaftete. Allerdings war nicht der Lehrer der Haupttäter, sondern die jeweilige Mutter.

In den vergangenen Jahren hatte er im Normalfall sieben, manchmal sogar bis zu neun Schüler gehabt. Jeden unterrichtete er ein bis zwei Mal pro Woche, je zwei Stunden lang. Um alle zu versorgen, gab er täglich Unterricht, jeweils einem oder zwei Schülern pro Tag. Im Schnitt reichte es aus, wenn er vier Stunden am Tag arbeitete, er verdiente dann insgesamt ungefähr so viel wie ein normaler Angestellter. Dazu kamen noch Geschenke zum *Obon*-Fest[1] und zum Jahreswechsel sowie das tägliche Abendessen.

Als Student des Graduiertenkurses unterrichtete er fast nur Schüler der zweiten oder dritten Klasse der Oberschule[2], die sich auf die Aufnahmeprüfung für die Universität vorbereiteten. Da die Eltern freigiebig Honorar zahlten und die Schüler auch gut lernten, boten sich ihm hervorragende Bedingungen. Für ihn galt es lediglich herauszufinden, wie er den Schülern am besten beibringen konnte, ihre Leistungen rationell und effektiv zu steigern und sich eine gute Prüfungstechnik anzueignen.

Doch eigentlich lernten seine Schüler fleißig für die Aufnahmeprüfungen und beherrschten sogar die Tricks, so dass sie im Grunde genommen gar keinen Nachhilfelehrer brauchten. Auch ihre Leistungen waren ganz ordentlich, jedenfalls gaben sie sich größte Mühe und brachten es zu ihren Fähigkeiten entsprechenden oder darüber hinaus gehenden Ergebnissen.

Daher bestand seine Aufgabe als Nachhilfelehrer nur darin, dafür zu sorgen, dass sie ihr Selbstvertrauen nicht verloren und sich Ausdauer und Hartnäckigkeit aneigneten, sowie Vermutungen darüber anzustellen, welche Fragen zur Prüfung gestellt werden könnten. Dann galt es, insbesondere bei den Müttern das Gefühl zu erwecken, froh darüber zu sein, einen fähigen Nachhilfelehrer eingestellt zu haben. Unter keinen Umständen durften sie auf den Gedanken kommen, dass sie eigentlich gar keinen Nachhilfelehrer benötigten oder dass er ein schlechter oder gar unfähiger Nachhilfelehrer sein könnte, oder gar den Eindruck gewinnen, dass es keinen Job gab, bei dem man so leicht Geld verdiente wie als Nachhilfelehrer.

Wenn die Mütter einen nicht mochten und einem nicht vertrauten, kam dieses Geschäft gar nicht erst zustande. Auch mit den Prüflingen, ihren Söhnen, musste man sich gut stellen.

Nichtsdestotrotz war dies nur allzu augenscheinlich ein Job, bei dem den Studenten öffentlich Privilegien zuerkannt wurden, und es war eine allgemein bekannte Tatsache, dass die Schwächen der Prüfungskandidaten und ihrer Mütter mehr oder weniger ausgenutzt wurden und beide Seiten aufeinander angewiesen waren, weshalb sich auch keiner dem anderen gegenüber etwas herausnehmen konnte. Ihn ließ der Verdacht nicht los, dass es allen irgendwo nur um ein Werk der Wohltätigkeit ging, der Mutter für den Sohn, dem Sohn zum Teil für die Eltern, zum Teil für sich selbst und zum Teil für den Nachhilfelehrer. Um das zu verbergen, legten alle großen Eifer an den Tag. Typisch dafür war das Verhalten der Mütter, die scharf aufpassten, wie der Unterricht von Hauslehrer und Sohn vonstatten ging, und die immerzu alles wissen, mit dabei sein und behilflich sein wollten.

Den größten Schaden nahmen wahrscheinlich die Väter, die das Geld zahlten, doch war es völlig normal, dass sie sich warum auch immer nur selten blicken ließen, niemals verhandelten und auch nicht versuchten, einen Nachhilfelehrer auch nur kennen zu lernen. Tatsächlich aber wurden wahrscheinlich die Mütter am meisten getäuscht und an der Nase herumgeführt. Darin lag die Quelle der Fragwürdigkeit des Zustandekommens eines Jobs wie jenes des Nachhilfelehrers. Den Nutzen zogen ohne jeden Zweifel die Nachhilfelehrer und die Schüler.

Die Charaktere und tatsächlichen Fähigkeiten der Schüler waren jeweils sehr unterschiedlich, doch die Verhaltensweisen der Mütter ähnelten sich erschreckend.

Mikio unterrichtete jeden Tag und jedes Jahr andere Schüler. In den vergangenen etwa sechs Jahren kam er zusammengerechnet auf fünfzig Schüler. Nicht ein einziges Mal hatte er einen mit einem anderen verwechselt oder vertauscht, und selbst jetzt noch konnte er zu jedem einzelnen Gesicht den Namen, den Charakter, die Leistungen, den Namen der Schule, die Universität und die Fakultät, an die er gegangen war, die Lieblingsspeisen, die Namen der Freunde, die Wunschuniversität, deren Aufnahmeprüfungen jedoch nicht bestanden worden waren, und andere Dinge, so wie sie ihm in den Sinn kamen, aufzählen. Doch wenn es um die Mütter ging, gerieten Gesichter und Stimmen durcheinander und verschmolzen ineinander, so dass ihm nicht mehr einfiel, wer denn nun wer war. War nicht die

Ähnlichkeit einander völlig fremder Mütter allein schon dadurch, dass sie Mütter waren, viel größer als die Ähnlichkeit von Mutter und Kind auf Grund der Vererbung? So war es schließlich ganz natürlich, dass auch er jeder Mutter dieselben Antworten gab, und da diese auch auf dieselbe Art und Weise reagierten, verfolgte ihn stets das Gefühl, immer und immer wieder dasselbe Gespräch zu wiederholen, verspürte er auch niemals den Wunsch, mit einer Mutter von Anfang an ernsthaft zu reden, fügte er seine Worte so aneinander, wie es ihm gerade in den Sinn kam, und kümmerte er sich um nichts anderes, als sie auf jeden Fall bei guter Laune zu halten.

Allerdings liefen die Wünsche der Mütter kurz gesagt jeweils auf den einzigen Punkt hinaus, dass ihr Sohn die Aufnahmeprüfung für die gewünschte Universität bestand. In diesem Sinne waren ihre Anforderungen an den Nachhilfelehrer auch ganz einfach. Daher gab es für ihn von vornherein nicht die geringste Veranlassung, sich persönlich mit ihnen zu unterhalten.

Nachhilfelehrer zu engagieren, schien eine Art überzogene Schutzmaßnahme zu sein, und ihr Zweck bestand darin, das Gefühl, sich keine Sorgen mehr machen zu brauchen, käuflich zu erwerben, weshalb es sich, was die Mütter anbetraf, hierbei um ein Geschäft handelte, bei dem sie sich etwas vormachten.

Trotzdem hatte Mikio das Gefühl, sich niemals an den Umgang mit ihnen gewöhnen zu können, wahrscheinlich weil er nie die Erfahrung gemacht hatte, von einer Mutter verwöhnt zu werden oder sich ihre Güte zunutze zu machen. Er verspürte eine innere Unruhe, die Existenz eines Wesens namens Mutter gefühlsmäßig nicht erfassen zu können, eines Wesens, das unaufhörlich lächelte, das, wenn man mit ihm zusammen war, immer sofort reagierte oder etwas erzählte, das Essen kochte, sich hübsch anzog und schminkte.

Kompliziert wurde es für ihn, wenn einer Mutter irgend etwas nicht zu gefallen schien und sie dann, ohne klipp und klar zu sagen, um was es genau ging, stichelnd und durch die Blume ironische Bemerkungen machte, ernsthaft schmollte oder maß- und sinnlos eine geradezu verletzende übertriebene Höflichkeit an den Tag legte. Obwohl das allein seine Arbeit eigentlich nicht hätte behindern dürfen, fühlte er sich, sobald er sich mit einem solchen Verhalten konfrontiert sah, seltsam deprimiert, es belastete ihn und eine sinnlose Wut breitete sich in seinem Bauch aus. Zwar hatte er auch Angst um seine Stelle, doch wenn ein Schmerz, der nicht allein daher rühren konnte, sich in seiner unschuldigen Brust breit machte, stürzte ihn das in größte Verwirrung.

Sprach die Mutter, kaum dass sie wieder gut gelaunt war, ihn auf einmal, als sei nichts geschehen, mit einem Gesicht an, als sei sie ernsthaft besorgt, »Sie sind ja heute so niedergeschlagen«, versetzte ihn das in noch größere Verlegenheit. Jedenfalls hatte er, wenn auch mit Mühe und Not, so viel begriffen, dass Frauen von ihren Gemütsbewegungen beherrscht wurden und ihre Gefühle sich wechselweise krampfhaft zusammenzogen oder entspannten. Aber alles, was darüber hinaus ging, blieb ihm ein Rätsel, und da er es sicherer fand, Frauen wenn irgend möglich nicht näher zu kommen, befand er sich in ständiger Habachtstellung, stets bereit zur Flucht. Manchmal dachte er auch, dass er zu oft mit diesen Frauen zusammen war, die es nicht verziehen, wenn die Menschen in ihrem Umkreis nicht auch fröhlich waren, wenn sie selbst vergnügt und guter Dinge waren, und die, wenn ihnen selbst eine Laus über die Leber gekrochen war, nicht anders konnten, als auch ihrer Umgebung die Freude zu verderben. Der Alltag von Müttern mit Söhnen, die sich auf eine Aufnahmeprüfung vorbereiten mussten, dürfte wohl auch kaum ein Vergnügen sein. Nichtsdestotrotz fielen ihm, wenn es um Frauen ging, immer diese Mütter ein.

Dunkel spürte er auch Erleichterung darüber, selbst keine Mutter gehabt zu haben.

Dass er sich entschloss, keine Mädchen zu unterrichten, war ebenfalls eine Folge davon. Da er sein Geld ohne große Mühen verdienen wollte und deshalb den Schwerpunkt seiner Jobs auf seine Arbeit als Nachhilfelehrer legte, schien es ihm nicht lohnenswert, sich dafür mit Mädchen und ihren Müttern abzugeben, selbst wenn es ihm viel Geld hätte einbringen können.

Aus diesem Grunde gefiel ihm die in der Gesellschaft übliche Praxis, dass sowohl im Gaststätten- als auch im Hotelgewerbe Frauen tätig waren, ganz und gar nicht. Ob er zum Essen in ein Lokal ging, seine täglichen Einkäufe erledigte oder in einer Herberge übernachtete, stets kümmerten sich nur Frauen um ihn. Aß er täglich im selben Lokal zu Mittag, kam es vor, dass sie ihn kichernd mit den Worten ansprachen, er bestelle ja jeden Tag das gleiche. An manchen Tagen gaben sie vor, seine Bestellung nicht gehört zu haben, und an anderen wiederum übernahmen sie einfach mit den Worten »Wie immer, nicht wahr?« selbst die Bestellung, auch wenn er noch gar nichts gesagt hatte. Es widersprach jeglicher Vernunft, dass er diesen Frauen, die offenbar auf einer ihm unverständlichen Wellenlänge lebten, in alltäglichen Angelegenheiten wie Essen und Wohnen, bei denen es sich um nicht mehr als um monotone, automatische Wiederholungen handelte, immer wieder begegnen musste. Und was ihm noch weniger schmeckte, war, dass er, noch ehe er es selbst bemerkte, offenbar alles daran setzte, diese Frauen bei guter Laune zu halten.

Jedenfalls war es aus diesen Gründen zwar ärgerlich, dass die Wirtin des »Hauses zur Kiefer« eine Frau war, doch hatte er das große Glück, dass es sich bei ihr um einen Profi des Gaststättengewerbes handelte, der zumindest seine Gefühlsregungen nicht an die Oberfläche gelangen ließ. Sobald Mikio sich in den ersten Stock zurückgezogen hatte, war kaum noch ein Laut von unten zu vernehmen, und es war nicht einmal mehr zu spüren, dass unter demselben Dach noch andere Menschen lebten.

Das Gefühl, in diesem geradezu in der Luft schwebenden Zimmer tief in den Bergen verborgen zu sein, konnte er daher so richtig genießen. In solchen Momenten empfand er die Ameise, die mit ihm das Zimmer teilte, wie einen vertrauten Freund.

»He, wo bist du?«

Als sie sich nicht blicken ließ, ging er auf alle viere nieder und suchte ernsthaft nach ihr. Kaum hatte er sie entdeckt, hellte sich sein Gesicht auf.

Es war eine Holzameise, in der Länge fehlte nicht viel an einem Zentimeter. Meist hielt sie sich nicht allzu weit entfernt von ihm auf. Sie hat wohl begriffen, dass ich ein Lebewesen bin, von dem keine Gefahr ausgeht, dachte er. Zudem schien er wohl für die Ameise so etwas wie ein goldene Eier legendes Huhn zu sein, denn lauerte sie nicht nur darauf, dass er irgend etwas fallen ließ, das als Beute gut zu gebrauchen war?

Momentan schleppte sie gerade ein Haar ab, das ganz sicher von seinem Kopf stammte. Besser gesagt, versuchte sie es abzuschleppen, wobei sie sich jedoch verzweifelt abmühte. Sie transportierte ständig Staubklümpchen oder losgelöste Fetzchen der alten Tatami oder winzige Speisereste, die offenbar an seiner Hose haftengeblieben waren und die er aus dem unteren Geschoss mit in sein Zimmer gebracht hatte. Er wusste nicht, wozu Haare und Staub gut sein sollten, doch obgleich die Ameise sich vor Schmerz krümmte, ließ sie nicht von ihrer Beute ab. Es entzog sich auch seiner Kenntnis, wohin sie das alles schleppte. Wann immer er nach ihr schaute, bewegte sie sich in eine andere Richtung, und es wollte ihm einfach nicht gelingen herauszufinden, wohin sie das alles brachte. Auf Grund ihres Instinkts, ihr Nest zu verstecken, beförderte sie wohl ihre Beute so dorthin, dass er es nicht bemerkte, doch obgleich die Beutestücke meist nur wertloses Zeug zu sein schienen, waren sie doch so groß, dass sie die Kräfte der Ameise zu übersteigen drohten, so dass sie damit kaum vorwärts kam. Sie dabei zu beobachten, war zwar interessant, aber es dauerte einfach zu lange. Wenn sie in einer Stunde dreißig Zentimeter vorankam, war das viel.

Das Haar zum Beispiel, das sie gerade jetzt schleppte, hatte eine Länge von vier, fünf Zentimetern. Sie hielt es etwa in der Mitte mit ihren Kiefern gepackt und zerrte es, dabei mit dem Hinterteil auf dem Boden vorwärtsrutschend, mit sich fort. So glich ihre Gestalt ganz und gar dem Lastenträger Yajirobee[3]. Die Haarenden blieben in den ausgefransten rotbräunlich verfärbten Tatami hängen, nach rechts und links taumelnd war die Ameise völlig der Spannkraft des Haares preisgegeben, und kaum hatte sie dieses rechts befreit, blieb es links hängen. Es wollte ihr einfach nicht gelingen, es im Gleichgewicht zu halten. Wie sie so vorwärts wankte, war ihr Anblick einfach Mitleid erweckend, und lautes Lachen verbot sich von selbst. Vor allen Dingen vermochte sie es nicht, geradeaus zu laufen. War sie einen Zentimeter nach rechts vorgerückt, ging es anschließend einen Zentimeter nach links, und als sie auf diese Weise im Zickzack-Kurs unter unerbittlichen Mühen schließlich wieder am Ausgangspunkt ihres Weges anlangte, empfand er es als Qual, noch länger zuzuschauen und wandte seinen Blick ab. Wie gern hätte er an ihrer Stelle den Transport übernommen, doch wusste er nicht, wohin er das Haar bringen sollte, und was noch wichtiger war: die Ameise wäre gewiss völlig außer sich, würde er von oben das Haar mit den Fingerspitzen packen und anheben.

Zwischen Ameisen und Menschen war eben keine Verständigung möglich.

»Du weißt das wahrscheinlich nicht, doch das ist ein Haar, und es war früher meins. Aber jetzt gehört es natürlich dir. Denn auch wenn es meins war, ist es schließlich, ohne mich zu fragen, gewachsen und dann auch ausgefallen.«

Wenn er sich mit Worten hätte verständlich machen können, hätte er der Ameise gern erklärt, dass er ein Student der Agrarwissenschaftlichen Fakultät sei und daher über mehr Gespür und Mitgefühl als normale Leute für das tägliche Weben und Wirken des Lebens verfüge. Er bildete sich ein, selbst der sinnlos scheinenden schweren körperlichen Arbeit der Ameise Verständnis entgegenzubringen.

In einer Großstadt fände sie, auf welchem Weg auch immer, zumindest ein paar Gebäckkrümel. Das Elend dieser Ameise, die es aus irgendwelchen Gründen zufällig in die Berge verschlagen hatte, die nicht gerade mit Futter gesegnet waren, und dann auch noch in diesen alten Gasthof, der kaum einen Gast beherbergte, war nur so zu beschreiben, dass es das Schicksal recht stiefmütterlich mit ihr meinte.

Vermutlich bildete sein Zimmer in seinen Ausmaßen ein Terrain, in dem eine Ameise gerade noch so überleben konnte, ohne zu verhungern. Auf den Menschen übertragen, mochte seine Größe in etwa jener des Kôrakuen-Stadions in Tokyo entsprechen. Es war unfruchtbares Gebiet.

Von der Ameise dazu verführt, stand er soeben im Begriff, sich an sein eigenes Unglück zu erinnern. Eine Zeit lang hatte er die Berge betrachtet und den Wunsch verspürt, in ihre Schönheit einzutauchen, doch an diesem Tag waren die Berge, die er sah, weder sonderlich schön noch sonstwie aufregend, und zwischen den gelichteten kahlen Bäumen kam die rote Haut der Erde zum Vorschein, so dass die Berge einfach nur bunt gescheckt wirkten.

Er stand auf, überzeugte sich davon, dass die Ameise immer noch dabei war, ihren mühevollen Weg fortzusetzen, und stieg dann die Treppe hinunter. Er wusste zwar selbst nicht, warum er das tat, doch als er die Wirtin erblickte, die im Erdgeschoss in jenem Zimmer mit dem Dielenboden saß und die Zeitung las, kam ihm ein Gedanke.

»Entschuldigung, könnte ich bitte einen Kaffee bekommen?«

»Kaffee?«

»Ja, ich hab irgendwie plötzlich Appetit darauf bekommen, und hier in dieser Gegend gibt's doch kein Café, oder?«

»Darf es denn auch Instant-Kaffee sein?«

»Ja, gerne.«

Da hatte ich doch mal eine gute Idee, lächelte er. Als die Wirtin, die sich kurz in den hinteren Teil des Hauses zurückgezogen hatte, mit einem Tablett, auf das sie ein Gläschen mit Instant-Kaffee und eine Tasse gestellt hatte, wieder auftauchte, schwanden auch die wenigen noch verbliebenen Bedenken. Neben der Tasse lag ein Tütchen Zucker. Er hatte schon befürchtet, die Wirtin könnte vielleicht eine große Zuckerdose mitbringen. Dann wäre es schwierig gewesen, den Zucker mit auf das Zimmer zu nehmen. Ohne ihn zu beachten, wandte die Wirtin sich dem Herd zu und goss heißes Wasser aus einem eisernen

Topf, über dem Dampf aufstieg.

»Vielen Dank! Ich hatte schon die ganze Zeit Appetit darauf.«

»Trinken Sie nur! Nach Kaffee können Sie immer fragen.«

»Darf ich ihn mit auf mein Zimmer nehmen?«

»Ganz wie Sie wollen! Meine Tochter hat, als sie für die Aufnahmeprüfungen gelernt hat, auch andauernd Kaffee getrunken. Nun ist sie nach Tokyo gegangen, um dort die Schule zu besuchen, doch der Kaffee steht hier immer noch rum. Ich selbst trink ja kaum welchen. Da können Sie ihn trinken!«

»Die Schule? In Tokyo? … eine Universität?«

»Ja.«

»Da sind Sie sicher einsam.«

»Kein bisschen. Es ist schön ruhig jetzt, das gefällt mir.«

»… also, dann bin ich mal so frei.«

Sie war wohl überrascht, dass er sie von sich aus um etwas gebeten hatte, denn es war das erste Mal, dass sie von ihrer Tochter erzählte. Da sie den Kaffee für ihn zubereitet hatte, fühlte er sich zwar bemüßigt, sich nun noch ein wenig mit ihr zu unterhalten, doch aus Sorge, das Gespräch könnte sich in die Länge ziehen, brach er es schnell ab. Wenn Eltern erst einmal anfingen, von ihren Kindern zu erzählen, redeten sie nach Herzenslust immer weiter. Besonders bei Müttern war das so.

Er konnte den Kaffee nicht vor den Augen der Wirtin trinken. Denn eigentlich hatte er ja nur darum gebeten, weil er den Zucker mit auf sein Zimmer nehmen wollte. Ohnehin trank er Kaffee am liebsten schwarz. Genauer gesagt, war es ihm einfach immer nur zu aufwändig gewesen, Milch und Zucker zu kaufen, weshalb er die Bitterkeit als ein notwendiges Übel hingenommen und sich schließlich daran gewöhnt hatte.

»Komm! Komm! Ich hab dir was Feines mitgebracht!«

Mit leiser Stimme rief er, sobald er in sein Zimmer zurückgekehrt war, nach der Ameise, so als riefe er einen Hund. Selbstredend traf die Ameise keinerlei Anstalten zu ihm zu kommen. Da ließ er den Zucker von oben auf das von der Ameise immer noch hartnäckig umklammerte Haar niederprasseln.

Doch als sei sie plötzlich mit Insektiziden überschüttet worden, ließ die Ameise mit einem Mal demonstrativ von dem Haar ab und ergriff fassungs- und orientierungslos die Flucht.

»Das ist ein Leckerbissen, wie du ihn noch nie in deinem Leben gesehen hast! Hab doch nicht solche Angst! Das ist ja peinlich.«

Zufrieden mit seinem Einfall, fuhr er fort, aus dem Tütchen Zucker vor die fliehende Ameise zu streuen.

Die Ameise lief entweder daran vorbei, ohne den Wert des Zuckers überhaupt zur Kenntnis zu nehmen, oder sie wich ihm aus, indem sie einen Riesenbogen um ihn schlug, so als ginge sie etwas Schmutzigem aus dem Wege, auf jeden Fall aber machte sie nicht einmal Anstalten, sich dem Zucker zu nähern.

»He du, noch nie was davon gehört, dass man auch mal probieren kann?«

»Ein gut gemeintes Angebot hat man gefälligst auch anzunehmen!«

»Oder nimmst du etwa keine Almosen?«

»Ach mach doch, was du willst!«

Die Ameise hielt sich auch weiterhin vom Zucker fern und gleichsam, als würde sie von ihm verfolgt und wüsste sich keinen anderen Weg mehr, schlüpfte sie plötzlich in eine Tatamiritze und verschwand. Enttäuscht wandte er der Ritze, in der die Ameise sich verbarg, den Rücken zu. Der Kaffee war kalt geworden und stand unbeachtet da. Mikio verspürte auch keine Lust mehr, ihn zu trinken. Am nächsten Morgen wusste er nicht, wohin damit, und kippte ihn schließlich aus dem Fenster. An diesem Vormittag ließ sich die Ameise nicht mehr blicken. Auch am Nachmittag und am Abend nicht. Bevor Mikio sich schlafen legte, fegte er den Zucker, der leicht zu kleben angefangen hatte, von den Tatami. Wie um sich vor sich selbst oder vor der geflohenen Ameise dafür zu rechtfertigen, dass es ihm nicht gelungen war, jene Krümel zu erwischen, die zwischen die Binsenfäden geraten waren, brummte er vor sich hin:

»Das kommt davon, dass die so was Stures an sich haben, diese Lebewesen! Als wären sie selbst dann, wenn es um Leben oder Tod geht, noch imstande, demjenigen, der ihnen zu helfen versucht, trotzig entgegen zu schleudern, sie bräuchten seine Hilfe nicht.

Ameisen leben nun aber schon seit einer Zeit auf der Erde, in der es noch gar keinen Zucker gab. Und dass alle von Geburt an Zucker mögen, ist ja auch nicht gesagt.«

Selbst die Menschen sprachen ja neuerdings von Diabetes und anderen Krankheiten und aßen keinen Zucker mehr.

»Es heißt ja, Zucker sei ganz ungesund. Darum ist es jetzt auch Mode, mehr naturbelassene und einfache Kost zu essen.«

Plötzlich beschäftigte ihn die Frage, ob die soeben verschwundene Ameise dünner war als ihre Artgenossen in der Großstadt. Wenn er sich recht entsann, schien der Unterschied nicht groß zu sein. Doch konnte er sich nicht einmal bei den Müttern seiner Nachhilfeschüler daran erinnern, ob sie dick oder schlank waren. Auf seine Erinnerung war einfach kein Verlass.

2

Verwirrt schüttelte er, nachdem er zu Bett gegangen war, die aufgetauchten Erinnerungen an das Aussehen der Mütter ab und wurde – ob wohl aus diesem Grunde? – auch noch etwas sentimental.

Mütter zu hassen, die sich den Kopf über die Zukunft ihrer Kinder zerbrachen, und eine einsame, in den Bergen aufgewachsene Ameise als etwas Besonderes zu empfinden, zeugte nicht gerade von Unvoreingenommenheit.

Eigentlich hatte er schon immer dazu geneigt, auf die Menschen herabzusehen, alle anderen Lebewesen aber zu idealisieren. Das hing sicher damit zusammen, dass für einen Studenten der Agrarwissenschaftlichen Fakultät Hochachtung vor dem Leben unabdingbar war, andererseits hatten ihn aber auch die Umstände geprägt, allein in der Welt der Menschen leben zu müssen.

Vor allem aber war es wohl auf den Einfluss von Professor T zurückzuführen.

Er war der leitende Professor der Agrarwissenschaftlichen Fakultät und ein Lehrer, dem Mikio viel verdankte. Und jetzt bildete er mehr noch als die Mütter seiner Nachhilfeschüler den Anlass seiner Sorgen.

Vor kurzem hatte Professor T, den Mikio über alle Maßen verehrte, ihn hinsichtlich seiner Fähigkeiten als Wissenschaftler als einen hoffnungslosen Fall aufgegeben.

Aus Sicht des hochintelligenten Professors wirkten seine Forschungen wahrscheinlich gerade so wie die Bemühungen dieser unwissenden Ameise, die unnützen Kram mit sich herum schleppte und dem Zucker auf ihrem Weg auswich.

Übrigens, wann und wie würde denn nun die Ameise den Wert des Zuckers erkennen? Traten Wissenschaftler eigentlich mit ihren angeborenen Talenten in Wettstreit oder häuften sie redlich und emsig unbedeutende Dinge an, um schließlich ein herausragendes Werk zu schaffen?

Mikio bevorzugte mittlerweile eine Haltung, mehr aus der Sicht der Insekten und Pflanzen als aus der der Menschen über alles nachzudenken, weil das die Mindestbedingung dafür war, von Professor T anerkannt zu werden. Das galt als stillschweigende Regel für alle Institutsmitarbeiter.

Es gab Worte, die man vor den Ohren von Professor T nicht

aussprechen durfte.

Elender Wurm. Pflanzenmensch. Still und unauffällig wie eine Pflanze. Bestie. Und andere.

Schließlich entbehrte eine etwaige charakterliche Minderwertigkeit von Würmern und Bestien jeglicher Grundlage, und Pflanzen waren bei weitem keine stillen Lebewesen.

Bei einer metaphorischen Verwendung von Tieren oder Pflanzen menschliche Maßstäbe als Kriterium anzusetzen, galt als Tabu. Kam etwas versehentlich Ausgesprochenes dem Professor zu Gehör, stellte dieser allein auf Grund dessen grundlegende wissenschaftliche Fähigkeiten des Sprechers in Frage und gab ihn auf. So wurde es unter den Studenten von Generation zu Generation weitergegeben.

Professor T selbst hatten sie insgeheim den Spitznamen »Pflanzenmensch« verpasst. Das bedeutete genau das Gegenteil von dem, was man landläufig darunter verstand. Solch ein Spitzname wurde wahrscheinlich nur an einem Ort wie der Agrarwissenschaftlichen Fakultät verstanden. Gemeint war aber, dass man sich nicht von der äußerlichen Sanftmut und Ruhe des Professors täuschen lasse sollte.

Die Irrtümer der Menschen hinsichtlich der Pflanzen waren immens. Pflanzen waren gar nicht so still, wie man gemeinhin annahm. Sie waren auch weder ruhig noch bescheiden. Selbstredend tobten sie nicht so unsinnig wie die Menschen herum, wenn sie einmal außer Rand und Band gerieten. Doch in ihrer Lebensweise erwiesen sie sich eher noch wilder und unersättlicher als die Tiere, insbesondere unter der Erde kämpften sie ihr ganzes Leben lang um ihre Einflussgebiete.

Es war eine Schwäche der Menschen, beim Anblick der Pflanzen sanft und friedlich zu werden. Unbestritten waren die Pflanzen die herrschende Klasse in der Welt der Lebewesen. Instinktiv wussten die Menschen das, und irgendein Mechanismus sorgte dafür, dass sie Pflanzen gegenüber nie feindselige Gefühle hegten. Wenn es den Menschen doch einmal in den Sinn kommen sollte, sämtliche Pflanzen zu vernichten, dann wäre das der Zeitpunkt des Untergangs aller Tiere einschließlich der Menschen.

Von Professor T hieß es, dass es aus irgendeinem Grunde niemanden gab, der ihn nicht mochte, nicht einmal unter den etwas abgedrehten oder launischen Studenten. Was sein Aussehen, sein Fachwissen und seinen Charakter anbetraf, konnte man gar nicht anders, als ihn zu bewundern und zu verehren. Man wurde nachgerade von erhabenen Gefühlen erfasst, gleichsam als sähe man eine wunderschöne Pflanze vor sich.

Ganz im Gegensatz dazu aber war Professor T von einer Strenge, die es nicht erlaubte, auch nur ein einziges Blatt abzureißen. Darüber hinaus widmete er sich geradezu unersättlich der Wissenschaft, und ganz wie es in seiner eigenen These hieß, nämlich dass Tiere einer Gattung sich oft innerhalb der Gruppe helfen und für ihre Kinder und Partner sorgen, während Pflanzen ohne Rücksicht auf Eltern oder Kinder nur ihr eigenes individuelles Wachsen und Gedeihen verfolgen, so war auch er in seinem Innern ein kalter Mensch. Obgleich man diese Kälte dunkel erahnte, verspürte man doch den Wunsch, ihm Wasser zu geben und ihn zu lieben. Unwillkürlich hoffte man, von Professor T anerkannt zu werden.

So war es auch Shiiba Mikio ergangen. Schließlich hielt jedermann Professor T aufgrund seiner herausragenden Denkfähigkeiten, seiner Forschungsleistungen und seiner Popularität für die Nummer Eins an der Universität, und je mehr man sich ihm näherte, desto stärker entfaltete sich seine hypnotische Wirkung, so dass es viele gab, die in zunehmendem Maße an ihn glaubten und ihn verehrten.

Man brauchte lediglich zu sagen, man sei im Seminar bei Professor T, schon galt man als Elitestudent.

Da Mikios Wunsch, auch in Zukunft an der Universität zu bleiben, sehr ausgeprägt war, wollte er unbedingt in das Institut, das von Professor T geleitet wurde. Daher teilte er sich im dritten Studienjahr seine Nebenjobs geschickt ein und ließ sich so oft wie möglich im Institut blicken. Ebenso besuchte er sämtliche Vorlesungen. Auch für Prüfungen und Referate lernte er stets mit dem Fokus auf Professor T. Glücklicherweise zahlten sich seine Anstrengungen aus, und sein Wunsch ging in Erfüllung.

Am Tag der Entscheidung über den Institutseintritt führte Professor T Vorstellungsgespräche. Diese waren allerdings eher locker und schienen eine Kombination von Vorstellung und Charakterprüfung zu sein. Es ging darum, welche Art Forschung dem jeweiligen Studenten lag und was für Zukunftswünsche er hegte, und so wurde für jeden Einzelnen die Richtung festgelegt.

Im Gespräch mit Mikio interessierte sich Professor T weniger für seinen Charakter als für andere Dinge. Mikio entsprach offenbar seinen Vorstellungen. Zum einen befand er, dass der Name Shiiba Mikio ausgesprochen passend für einen Studenten der Agrarwissenschaftlichen Fakultät war.[4] Zum anderen galt sein Interesse Mikios Lebensverhältnissen, der Tatsache, dass dieser seit der Oberschulzeit auf eigenen Füßen stand und Universitätsgebühren wie auch Lebenshaltungskosten selbst bestritt, indem er arbeiten ging.

Mikio hatte vorsichtig davon erzählt, um damit schon im Voraus anzudeuten, dass der Professor ihm manches nachsehen möge, da er sein Studentenleben nicht weiterführen könnte, wenn er nicht seinen Jobs den Vorrang gegenüber den Forschungen gab. Schließlich hatte er dem Professor ebenso behutsam hinzufügend eröffnet, dass es sein Wunsch sei, auch nach dem Studium an der Universität zu bleiben. Es war notwendig, seinen Ehrgeiz ins rechte Licht zu rücken.

Professor T lachte: »Ich habe schon von Ihnen gehört. Selbst in der Fakultätssitzung erzählt man sich, wie gut Sie alles schaffen.« Außerdem, so fügte er mit leiser Stimme hinzu, habe er früher selbst gearbeitet, um sein Studium zu finanzieren und verstehe ihn daher gut.

»Wenn man sich um sein tägliches Essen sorgen muss, erwächst einem ganz von selbst eine Lebensanschauung.«

Das hörte Mikio zum ersten Mal, denn an der Universität war allgemein bekannt, dass Professor T der Sohn eines reichen Mannes aus der Provinz und sein älterer Bruder ebenfalls vermögend war, doch aus irgendeinem Grunde glaubte er dem Professor sofort. Seitdem fand er ihn noch sympathischer als vorher, und wann immer er es ermöglichen konnte, nahm er sich die Zeit, um ins Institut zu gehen.

Lebensanschauung. Da er selbst noch nie darüber nachgedacht hatte, übernahm er nur allzu schnell und unkritisch die Lebensanschauung von Professor T und vertrat sie auch vor den anderen.

Für ein umfassendes Studium fehlte ihm die Zeit. Denn den größten Teil seiner Zeit und Energie verbrauchte er für seine Jobs und die Institutsbesuche. Bei letzteren lag zudem sein Hauptaugenmerk darauf, herauszufinden, was der Professor dachte.

Unversehens hatte dieser einen Narren an Mikio gefressen. In der Tat war der Professor, wenn er mit ihm sprach, stets gut gelaunt, und er verbarg auch nicht, dass er Mikio wohlwollend gesonnen war. Auch dessen jüngere Kommilitonen sahen ihn jetzt mit ganz anderen Augen, immer mehr kamen zu ihm ohne besonderen Anlass oder aber um sich bei ihm einen Rat zu holen.

Er fühlte sich rundum wohl. Sein Leben, seine Fähigkeiten und seine Kräfte liefen auf Hochtouren.

Auch als es um die Übernahme in den Masterkurs ging, setzte sich Professor T persönlich für ihn ein. Es verstand sich von selbst, dass ihn das bestärkte und er sich umso eifriger seinem Studium widmete.

Bald redete niemand mehr spöttisch hinter seinem Rücken davon, dass er der Liebling von Professor T sei, und man betrachtete ihn als einen über jeden Zweifel erhabenen leistungsfähigen Nachwuchsforscher.

Mehr noch als seine Umgebung glaubte wahrscheinlich er selbst daran. Auch Professor Ts Verhalten ihm gegenüber hatte sich nicht geändert.

In Wirklichkeit dachte Mikio jedoch fast gar nicht darüber nach. Jeden Tag war er rund um die Uhr beschäftigt, weshalb er sich wohl und zufrieden fühlte. Aber das war auch schon alles. Über seine Fähigkeiten als Wissenschaftler oder die Ansichten von Professor T grübelte er nicht weiter nach.

Im Grunde genommen war er ein Mensch, der nicht über überflüssige Dinge, die ihn nicht satt machten, nachzudenken vermochte. Auch war er es nicht gewohnt, über irgendetwas nachzusinnen. In seinem realen Leben häuften sich die Probleme, die eins nach dem anderen gelöst werden mussten, und er war vollauf zufrieden, wenn er all seine Angelegenheiten ohne Zeitverlust erledigen konnte, wobei er aber die Bedeutung der Worte »voll im Einsatz« völlig missverstand.

Was er getan hatte, war lediglich sein Leben zu meistern.

Er verstand jetzt, dass der Professor Gefallen an dem ernsthaften und ehrgeizigen Studenten, der seinen Lebensunterhalt selbst verdiente, gefunden hatte, seine Fähigkeiten als Wissenschaftler aber nicht besonders schätzte. Da machte der Professor einen klaren Unterschied.

Sein Urteil hatte er an jenem Tag gefällt, als Mikio ihn schließlich vor etwa einem Monat in seinem Büro aufgesucht hatte, um mit ihm seine Masterarbeit zu beraten und zugleich auch die Möglichkeiten für eine weitere Beförderung zu sondieren.

Professor T war bekannt für seine Strenge in der Vorprüfung für den Doktorandenkurs. An anderen Universitäten waren die Aufnahmeprüfungen für den Doktorandenkurs viel leichter. Der Grund hierfür lag darin, dass Professor T nur Forscherkandidaten an der Uni lassen wollte, die seine rechte Hand werden und auch in Zukunft ihre Forschungen fortsetzen würden. Dafür konnte derjenige, dem es gelungen war, in seinen Doktorandenkurs zu gelangen, mit großer Sicherheit davon ausgehen, dass für ihn die wissenschaftliche Laufbahn offen stand.

Auch von den bisherigen Absolventen – jedes Jahr einer oder maximal zwei – erbrachten alle, auch wenn sie nicht an ihrer Alma mater hatten bleiben können, an den verschiedenen Universitäten oder Forschungsinstituten herausragende Leistungen.

Fand man hingegen keine Anerkennung durch Professor T, dann war es besser aufzugeben. Denn er siebte die Bewerber nicht etwa auf Grund seiner Vorlieben oder Launen aus, sondern verfügte über den notwendigen Scharfblick, um ihre wahren Begabungen zu erkennen. Für einen Professor, der vorgab, keine allzu hohe Meinung von den Fähigkeiten der Menschen zu hegen, war dieses Auswahlverfahren ausgesprochen streng und gerecht, weshalb es schließlich auch Mikio, obgleich er sich schon irgendwie befremdet fühlte, an der nötigen Sicherheit mangelte zu behaupten, dass der Professor sich ausgerechnet bei ihm geirrt habe.

Wenn ihm jemand sagte, er eigne sich nicht für die wissenschaftliche Laufbahn, könnte er sich den Grund schon denken. Aber was für ein Typ musste ein Wissenschaftler denn sein? Professor T war schließlich auch kein Allroundwissenschaftler.

So tief wie jetzt war ich lange nicht in meinen Gedanken versunken, ging es Shiiba Mikio durch den Kopf. Ich hätte schon viel früher einmal nachdenken sollen. Immer habe ich nur Dinge getan, die kein Überlegen erfordern. Mit den daraus resultierenden Schwierigkeiten habe ich nun zu kämpfen.

Als er vor neun Jahren seinen Vater verlor, war er erst sechzehn und noch Oberschüler. Damals hatte er, soweit er sich entsann, aufgehört nachzudenken. Besonders über seine Fähigkeiten und die Zukunft.

Er hatte sich damals sehr viele Gedanken gemacht, sich schließlich alles noch einmal gründlich durch den Kopf gehen lassen und dann beschlossen, nie mehr nachzudenken.

Jene Ameise, die den Zucker verweigert und das einzelne Haar wie etwas Überlebenswichtiges bewahrt und nicht davon abgelassen hatte, war nicht unglücklich, denn sie verfügte ja nicht über das nötige Denkvermögen, um den Wert des Haars und des Zuckers gegeneinander abzuwägen. Wenn es ihr gelungen wäre, das Haar, auf das sie es abgesehen hatte, zu ihrem Zielort zu transportieren, dann wäre es bestimmt auch von Nutzen für sie gewesen. Es war also höchst unwahrscheinlich, dass die Ameise sich um ihre Umgebung, in der sie lediglich wertlose Beute zu finden vermochte, Sorgen machte.

Jedes zweite Wort von Professor T lautete, es gebe keinen einzigen Grund dafür, sich als Mensch den Insekten und Pflanzen überlegen zu dünken, aber er hatte auch keine klaren Anhaltspunkte dafür geäußert, dass Insekten oder Pflanzen etwas Besseres als die Menschen sein könnten. Professor T siebte die Menschen nach ihren Fähigkeiten aus. Er hatte auch niemals behauptet, dass die Menschen alle gleich seien. Jedenfalls war seine Einstellung zu allen Lebewesen aber doch durch einen starken Hang zum Klassifizieren geprägt, und die in der Botanik häufig anzutreffende Systematisierungsmanie hatte er keineswegs abgelegt.

Dass Mikio nichts Besonderes war, das wusste er selbst schon längst, das musste man ihm nicht erst sagen. Er hatte sich seit seiner ersten Begegnung mit Professor T zu diesem hingezogen gefühlt, weil dieser ihn glauben ließ, ein wichtiger Mensch zu sein und nicht jemand, der sich selbst erniedrigen muss. Allein der Gedanke, dass Professor T, der von allen geachtet und verehrt wurde, offenbar nicht an einem anderen, sondern an ihm Gefallen gefunden hatte, hatte in ihm das Gefühl bewirkt, endlich ein Mensch geworden zu sein, den man ernst nahm. Weil er zufällig im Geflecht des Siebes hängengeblieben war.

Aber was bedeutete das Wort Mensch? Nach den Worten des Professors wäre es auf dieser Welt etwas ruhiger und ordentlicher, wenn der Mensch sich in seinem Allzu-menschlich-sein mehr mäßigte. Letzteres sah er als Synonym für Trunkenheit, Verbrechen, Belästigungen, Verhöhnung, Selbstmord, Hass, Betrug, Rechtfertigung und anderes mehr. Menschen mit schlechtem Charakter, gutgläubige Menschen, unmenschliche Menschen, Unmenschen, Humanismus.

Es gab einmal eine Zeit, da wollte Mikio so wie Professor T werden. Damals, und das lag schon sehr lange zurück, hatte er unablässig darüber nachgedacht, wie er leben könnte, ohne nachzudenken.

Eigentlich war er auch in die Berge gekommen, weil er sich über nichts mehr den Kopf zerbrechen wollte. Wenn er das Gesicht von Professor T sah, schien er irgendwie gar nicht anders zu können, als sich Gedanken zu machen. Und wenn es nicht Professor T war, dann waren es die Mütter seiner Schüler, deren bald frohe bald traurige Gesichter angesichts von Problemen beim Übergang an die Universität er nicht mehr ertragen konnte. Er spürte, wie er allmählich immer wütender wurde. Tag für Tag unterdrückte er in sich den Wunsch, die Mütter anzuschreien, sie sollten doch nicht so viel Aufhebens machen, es ginge doch nur um die Aufnahme an die Universität. Aber wenn er daran dachte, dass Professor T ihn selbst, der völlig deprimiert war, obgleich es doch eigentlich nur um die Aufnahme in den Doktorandenkurs ging, wahrscheinlich links liegen lassen würde, brach in seinem Kopf Chaos aus.

Die Ameisen haben sich zusammengeschart. Sie halten eine Versammlung ab. Die Ameise, die in seinem Zimmer wohnt, hat er auf den ersten Blick erkannt.

Natürlich nur, weil er träumt. Daher kann er auch trotz der Dunkelheit sehen, wie die Ameisen alle miteinander reden und sehr erregt sind. Er vermag sogar ihre Stimmen zu hören. Nicht mit den Ohren, nein, sie übertragen sich direkt auf sein Kopfinneres.

Für sein Zimmer gelte vorläufig Zutrittsverbot. In der Zwischenzeit werde man Pläne für seine Ausweisung schmieden. Seine Ameise steht in vorderster Front und attackiert ihn mit heftigen Vorwürfen. Auf jeden Fall sei es notwendig, alles an ihm zu überprüfen. Seine Intelligenz, seinen Charakter, seine Gedanken, wer hinter ihm stehe … man müsse ermitteln, wie gefährlich er sei.

Irgendwie kommt ihm der Gedanke, dass er Einspruch erheben müsse, bevor ohne seine Beteiligung ein nicht wieder gut zu machender Beschluss gefasst werden würde. Doch bleibt völlig im Unklaren, ob er selbst sich überhaupt dort befindet, und er ist durchaus nicht davon überzeugt, dass er auch das Stimmrecht erhalten wird. Auf einmal begreift er, dass diese ganze Dunkelheit die Schattenseite seines eigenen inneren Ichs ist. Tief in seinem Inneren macht es ihm gar nichts aus, die Ameise zu töten. Nun … sie lässt sich ja nicht überzeugen … Das wird sie das Leben kosten …

Nicht sein dunkles Inneres, sondern sein nach außen hin sichtbarer Teil murmelt irgendetwas Vernünftiges. Er scheint die Methode zu erklären, mit der er die Ameise für sich gewinnen will. Als er, um es besser hören zu können, mit aller Macht versucht sein Ohr dem Mund zu nähern, durchfährt ihn mit einem Mal eine Erschütterung, gleichsam als sei er ins Leere getreten und gestolpert. Da wachte er auf.

Von Anfang hatte er eigentlich das Gefühl gehabt, halb wach zu sein. Er schien auch tatsächlich versucht zu haben, sein Ohr seinem Mund zu nähern, denn sein Nacken war ganz verspannt. Er schwitzte leicht. Allerdings schien das kein Angstschweiß zu sein, das Licht der Nachmittagssonne erfüllte das Zimmer, und es war geradezu schwül heiß.

Ihm war ganz und gar nicht nach Lachen zumute. Er schien ein ziemlich hoffnungsloser Fall zu sein. Ein Gefühl der Ohnmacht hatte sich seiner bemächtigt, so dass er sich nicht einmal mehr ärgerte. Zweifelsohne lag das daran, dass er viele Tage hintereinander nichts anderes getan hatte, als zu essen, zu schlafen und geistesabwesend die Landschaft zu betrachten.

Gerade deshalb, weil es mich eben in solche Schwierigkeiten bringen würde, wenn ich nichts tue, habe ich mich ja zu diesem hektischen arbeitsamen Leben angetrieben! Was soll das bringen, jetzt noch viel Aufhebens davon zu machen! Bin ich nicht nur hierher gekommen, um mich auszuruhen und bei der Gelegenheit auch gleich meine Abhandlung zu schreiben?

Unschlüssig darüber, was er anfangen sollte, blickte er sich im Zimmer um und schaute aus dem Fenster, um sich dann gemächlich zu erheben und sich nach unten ins Erdgeschoss zu begeben. Er begriff, dass er es langsam leid war, gar nichts zu tun. Jedoch hatte er immer noch keine Lust, auch nur einen Blick auf seine Abhandlung zu werfen.

»Kaffee?«, fragte die Wirtin mit einem Blick zu ihm, als er auf der Treppe auftauchte.

»Ja bitte. Kann ich ihn hier trinken?«

»Aber natürlich!«

Kaum hatte die an sich etwas schwerfällig wirkende Wirtin etwas zu tun, sprang sie rasch auf und bewegte sich erstaunlich flink.

»Ich leiste Ihnen Gesellschaft.«

Direkt vom Eingang aus, der auf die Straße hinausging, erstreckte sich auf einer Fläche von wohl etwas mehr als sechzehn Quadratmetern ein holzgedielter Raum. Er diente gleichzeitig als Speise- und Empfangsraum und als Aufenthaltsraum für die Gäste. Hier saß auch immer die Wirtin. Da die Eingangstür stets weit offen stand, konnte man von der Straße aus hereinschauen, doch kamen nur selten Autos oder Leute vorbei.

Etwa in der Mitte war eine Feuerstelle eingelassen. An der Wand hing ein Ölbild. In der Asche der Feuerstelle steckten glühende Briketts. Ringsumher lagen stets ein paar Sitzkissen verstreut. Hatte die Wirtin nichts weiter zu tun, saß sie auf einem dieser Kissen und las die Zeitung oder tat irgendetwas anderes. Gewöhnlich war ihr Aufzug eher ländlich, zum abgetragenen Pullover trug sie eine an den Knien durchgewetzte *monpe*, eine Art Arbeitshose der Bauersfrauen.

»Bitte!«

»Danke.«

Nachdem sie den Kaffee und eine Dose mit Reiskräckern hingestellt hatte, nahm sie mit einem Kräcker und ihrer eigenen Kaffeetasse in der Nähe Platz. Sie kniete aufrecht auf ihrem Kissen. In dieser Haltung wirkte die Wirtin, die ohnehin schon von geringer Statur war, noch kleiner, ja wie ein junges Mädchen. Mit ernsthaftem Gesicht schlürfte sie ihren Kaffee und kaute ihren Reiskräcker, ohne auch nur ein einziges Mal zur Seite zu schauen.

Er tat es ihr gleich.

Während er aß, blickte sie nicht einmal zu ihm herüber, um ihm ins Gesicht zu sehen, was für eine Frau eher ungewöhnlich war. Auch fragte sie ihn nicht, ob es ihm schmecke.

Was das Essen im »Haus zur Kiefer« anbetraf, gab es zwar keine auserlesenen oder komplizierten Gerichte, doch vom Geschmack her waren sie nicht schlecht. Die natürlichen und einfachen Mahlzeiten hier schmeckten ihm besser als das Abendessen, welches er immer als Hauslehrer erhalten hatte, das ganz auf den Geschmack der stets hungrigen Söhne ausgerichtet und immer sehr fettig gewesen war.

Das Essen im »Haus zur Kiefer« war so lecker, dass er, wenn die Wirtin ihn einmal fragen sollte, ob es ihm schmecke, mit »Ja« antworten wollte und er sogar ein vages Gefühl von Unzufriedenheit darüber in sich trug, dass sie keinerlei Anstalten dazu machte. Allerdings hatte er sich bei seinen Schülern daran gewöhnt, beim Essen am laufenden Band »Das schmeckt aber gut!« zu sagen. Indes war das wohl eher eine Geste der Höflichkeit der Gastgeberin gegenüber als eine Aussage darüber gewesen, ob das Essen tatsächlich schmackhaft gewesen war oder nicht.

»Mmh … lecker.«

»Na ja, ist ja auch leicht zu machen. Wasser aufgießen und fertig.«

Die Wirtin war kurz angebunden. Er schwieg.

»Danke.«

Auch als er seine Tasse abstellte, brummte sie lediglich ein paar abgebrochene Laute vor sich hin und schien sich ganz darauf zu konzentrieren, Stückchen für Stückchen von ihrem Reiskräcker abzuknabbern.

Auf einmal verspürte er den Wunsch, sich mit ihr zu unterhalten. Aber irgendwie hatte er auch das Gefühl, es könnte unpassend sein, sie anzusprechen und zu stören. Er wusste auch nicht, worüber er reden sollte.

Da wandte sie sich ganz unerwartet zu ihm um und lächelte freundlich.

»Hier ist eben rein gar nichts los. Langweilig, nicht wahr?«

»Ach, eigentlich …«

»Es gab auch mal eine Zeit, da wollt' ich nach Tokyo auf die Schule. Ich hatte das Leben auf dem Land satt, hier passiert doch nichts.«

»In Tokyo gibt's auch nichts Besonderes. Nur viele Leute.«

»Aber gerade das wollt' ich ja, an einen Ort, wo viele Menschen sind«, erwiderte die Wirtin mit einem Lächeln, als sehne sie die alten Zeiten herbei. »Das ist wahrscheinlich genauso, wie wenn die Tokyoter aufs Land kommen.«

»Ihre Tochter ist ja jetzt in Tokyo.«

»Ja, weil sie dorthin wollte und hart dafür gelernt hat. Da konnt' ich doch nicht nein sagen. Solang sie noch nicht verheiratet ist, hab ich gedacht.«

»An welcher Uni ist sie denn?«

Leicht zögernd, als erinnere sie sich nur vage, nannte sie ihm den Namen einer Universität, die wider Erwarten von hohem Niveau war. Vor seinem inneren Auge tauchte der dumpfe Gesichtsausdruck eines Schülers auf, der diese Universität als Erstwunsch angegeben hatte und dort die Aufnahmeprüfung ablegen wollte. Er wird wohl kaum bestehen, dachte Mikio.

»Direkt von der Schule? Da muss sie ja sehr klug sein.«

Ein unsicheres Lächeln, als sei sie verlegen und wolle seine Worte abwehren, erschien auf dem Gesicht der Wirtin. Sie krümmte ihren Rücken und starrte auf die Glut in der Asche.

»Alles entscheidet sie sofort und allein. Unsereins versteht rein gar nichts davon.«

Ins Obergeschoss zurückgekehrt lehnte er sich ans Fenster. Da überkam ihn das Gefühl, dass er die ganze Zeit dabei war, etwas ihm völlig Ungewohntes zu tun. Er hatte bereits begonnen zu bereuen, hierher gekommen zu sein. Ohnmacht und Willensschwäche zogen ihm allmählich den Boden unter den Füßen weg, und er drohte seine Beweglichkeit einzubüßen. Er spürte, wie etwas sehr Wertvolles aus seinem Körper nach und nach in unsichtbare Tiefen verschwand.

Versuchsweise zog er ein paar Nachschlagewerke, die er für seine Masterarbeit mitgebracht hatte, aus seiner Reisetasche. Er legte seine Schreibutensilien und die Formblätter für seine Arbeit auf den Elektro-*kotatsu*⁵, um dann schließlich noch die etwa zehn »Forschungshefte« und ein Bündel Kopien aus der Fachliteratur daneben aufzustapeln.

Diese Abhandlung musste er Professor T vorlegen, der in ihm nicht den werdenden Wissenschaftler sah. Seine Wut darüber hatte Mikio wohl geradezu rücksichtslos an den Müttern seiner Schüler ausgelassen. In einer Zeit, in der es für seine Schüler darum ging, noch einmal alles zu geben, hatte er sich aus dem Staub gemacht.

Für einen halben Monat, hatte er versprochen. Zwei Wochen wollte er im »Haus zur Kiefer« bleiben. Nur allzu schnell strebte die erste Hälfte bereits ihrem Ende zu.

»Ausgerechnet dann, wenn man Sie am meisten braucht! Geht das nicht ein bisschen weit? Was machen Sie, wenn er nun aus dem Rhythmus kommt? Übernehmen Sie dann die Verantwortung?!«

Schadenfroh hatte er sich damals daran geweidet, wie die Mütter außer Fassung gerieten. Je mehr sie schimpften und sich ereiferten, desto mehr entspannte er sich und genoss geradezu ein Gefühl der Erleichterung.

Ergötzte sich nicht vielleicht auch Professor T zu einem gewissen Grade an den erbitterten, bedrückten und verhärteten Gesichtern der Studenten, wenn er alljährlich den übrig gebliebenen Bewerbern – so wie ihm neulich - eine Absage erteilte? Dabei dachte er bestimmt: Was für ein erbärmlicher Kerl! Verliert angesichts einer solchen Lappalie den Kopf und erkennt seine eigenen Grenzen nicht.

Die Mütter hegten kein allzu großes Vertrauen in die wirklichen Fähigkeiten ihrer Söhne. Sie bezahlten einen Fremden dafür, dass er ihren Söhnen half, und glaubten, dass diese ihre Prüfungen nur deshalb bestanden. Oder aber sie wollten, dass der Hauslehrer dafür, dass sie ihn bezahlten, ihn mitessen ließen und ihn mit Komplimenten überschütteten, ihnen noch mehr als bisher die Last ihres Sohnes abnahm.

Du lieber Himmel ...

Er stellte das Denken ein und richtete seine Blicke auf den tiefblauen Himmel über den Bergen. Über Dinge, die es nicht wert waren, würde er nicht mehr nachdenken. Lange Zeit starrte er die Formblätter für seine Abhandlung an, bis er schließlich das Thema eintrug, ja eigentlich fast hinschmierte. In die Spalte darunter schrieb er seine Fakultät und seinen Namen.

Immer hatte sein Alltag aus einer Aneinanderreihung von Aufgaben bestanden, die erledigt werden mussten. Er hatte auf einmal das Gefühl, sich wieder daran zu erinnern, wie man das möglichst effektiv schaffte. Wenn er sich in einer Entscheidung nicht sicher war, dann war diese auch noch nicht notwendig. Die Kosten für die Übernachtung im »Haus zu Kiefer« bestritt er aus seiner Kriegskasse, die eigentlich für den Doktorandenkurs gedacht war. Schließlich habe ich bislang immer alles selbst entschieden und mich dann auch daran gehalten. Es geht doch darum, Entscheidungen zu treffen und nicht unnützen Gedanken nachzuhängen. Wenn ich mir noch unschlüssig bin, sollte ich mich besser um meine jetzige Arbeit kümmern. Bis zum Frühjahr nächsten Jahres müsste ohnehin alles entschieden sein.

Aber diesmal war es anders als bisher. Er wusste selbst nur allzu gut, dass er sich jetzt Gedanken machen musste. Denn bisher hatte er hart gearbeitet, um auf der Universität bleiben zu können. Seit er im ersten Jahr der Oberschule seinen Vater verloren hatte, war in ihm der Wunsch gewachsen, es sich bis in alle Ewigkeit auf der Schulbank einzurichten. Wahrscheinlich, weil er über nichts nachdenken wollte. Er hatte Angst davor, die Universität zu verlassen.

Mittlerweile schien die Stellung eines Universitätsprofessors zum Endziel seines Lebens geworden zu sein. Er selbst hielt das zwar auch für eine etwas unklare, kindische und kurzschlussartige Idee, aber da er, ohne etwas anderes überhaupt in Erwägung zu ziehen, seit er sechzehn war, auf dieses Ziel zumarschiert war und sich keine einzige Gelegenheit für eine Kursänderung geboten hatte, wäre es nicht verwunderlich, wenn er in seinem Kopf immer noch sechzehn und er in seiner Entwicklung stehengeblieben wäre. Aber jetzt noch all diese Dinge im Kopf hin und her zu wälzen, brachte nun auch nichts mehr. Es war zu spät. Nur, dass er nicht von allein darauf gekommen war, hatte schließlich zu seinen Fehlern geführt.

Wahrscheinlich hatte auch die Begegnung mit Professor T, von dem er geglaubt hatte, das sei der richtige Mann für ihn, seinen Irrtum erst ausgelöst.

Professor T schien sich immer zu freuen, wenn er Mikio sah. Die sinnliche Wahrnehmung, gemocht zu werden, empfand dieser als angenehm. Er lebte in unmittelbarer Nähe von Professor T und saugte dessen Angewohnheiten, seine Wortwahl, seinen strengen Gesichtsausdruck bei der Arbeit, seine Gestik und seine Lebensauffassung förmlich in sich auf. Er freute sich, wenn Kommilitonen zu ihm sagten, er sei Professor T ähnlich geworden.

An jenem Tag hatte Professor T zunächst mit den Worten begonnen: »Es scheint ja eine ganz ordentliche Arbeit zu werden. Wenn alle Studenten so fleißig wären wie Sie, dann hätten auch wir Lehrer es leichter.« Verlegen senkte Mikio den Kopf, einmal mehr überzeugt davon, dass damit die Wahrscheinlichkeit für seine Ernennung und Aufnahme in den Doktorandenkurs noch gestiegen sei. Darauf, dass dem auch nicht so sein könnte, verwandte er so gut wie keinen Gedanken. Keinen Zweifel hegte er daran, dass dies ganz sicher eine gute Gelegenheit für den Professor war, ein paar Worte dahingehend zu äußern, dass er ihn, Mikio nicht gehen lassen werde.

Dass er an der Universität bleiben würde, erschien allen wie eine bereits feststehende Tatsache. Es gab auch niemanden, der ihm diese Rolle streitig machen könnte, jedenfalls war ihm niemand aufgefallen.

»Hinsichtlich Ihrer Abhandlung gibt es überhaupt keine Probleme«, hob Professor T an, setzte sich tiefer in seinem Stuhl zurecht und richtete mit den Worten »Was jedoch Sie selbst angeht …« seinen immer milder werdenden Blick auf ihn.

»Ja bitte, worum geht es?«

Der Augenblick war gekommen. Als Mikio seinen Körper nach vorn beugte, lehnte sich der Professor leicht zurück, gleichsam als wollte er den gerade begonnenen Satz wieder herunterschlucken.

»… Solche begabten jungen Leute wie Sie – genau das ist es, was die Unternehmen suchen.«

Unwillkürlich näherte er sein Ohr dem Professor. Er hatte das Gefühl, sich verhört zu haben. Der Professor fuhr fort, als würde ihn seine Verblüffung nicht kümmern.

»Für Sie wird es auf Grund Ihrer familiären Situation vielleicht etwas schwierig sein, doch ich werde dem Unternehmen gegenüber direkt für Sie bürgen … an elternstatt …«

»Bitte warten Sie, ich …«

»Schon gut! Hören Sie mir zu!«

Mikio war so schockiert, als hätte der Professor ihm eine schallende Ohrfeige gegeben.

Dessen Gesichtsausdruck und Tonfall waren von einer Unnahbarkeit, wie Mikio sie noch nie zuvor erlebt hatte. Als er schwieg, zeigte der Professor sofort wieder jenen milden und distinguierten Ausdruck von vorhin.

Er erklärte Mikio, dass sich in den vergangenen ein, zwei Jahren die Situation auf dem Arbeitsmarkt drastisch verschlechtert habe und in den kommenden zwei, drei Jahren noch verschlimmern würde.

»Wenn Sie bis zum Doktortitel an der Uni bleiben, dürfte es für Sie eher noch schwieriger werden. Für ein Unternehmen brauchen Sie keinen Doktortitel. Mitarbeiter mit Masterabschluss sind die besten Angestellten. Man darf so etwas ja nicht sagen, aber für die Unternehmen sind sie wohl besser einsetzbar, zum einen wegen des Alters und der Personalkosten und zum anderen, weil sie auch auf das hören sollten, was man ihnen sagt. So ist es doch, oder?«

Sie stimmen mir doch sicher zu, sagte sein Blick und zugleich auch: Wenn Sie das nicht können, dann machen Sie doch, was Sie wollen!

»Ja …, meinen Sie wirklich?«

»Aber ja. Oft muss man in den Unternehmen ohnehin vieles noch einmal neu lernen, da ist es besser, wenn man noch jung ist. Letzten Endes geht es dort um den Profit.«

»Ja …«

»Aber gerade weil es so ist, können Sie sich dort auch die Spitzentechnologien aneignen. Denn wenn die Unternehmen von einer überzeugt sind, legen sie mit einem Schlag Riesensummen für die Forschung auf den Tisch. In diesem Punkt beneiden wir sie.«

Es kam nur selten vor, dass der Professor so viel erzählte.

»Es hängt also ganz von Ihren Fähigkeiten ab! Unternehmen sind wilde unbezähmbare Lebewesen. Mit ihrem unbändigen Appetit sind sie doch eine Herausforderung, oder?«

Danach hatte Professor T die ganze Zeit über sein Lächeln beibehalten und sich ganz so verhalten, als plauderte er angenehm mit seinem Lieblingsstudenten. Eine Stunde lang mochten sie wohl ungefähr miteinander gesprochen haben. Zum Abschied hatte Professor T noch ganz beiläufig ergänzt, er möge es sich überlegen, doch selbst einen Monat später hatte Mikio ihm noch immer keine eindeutige Antwort gegeben. Er blieb unschlüssig, und während er spürte, wie Professor T ihm immer mehr die kalte Schulter zeigte, vergingen – ob mit den verbliebenen Experimenten oder mit seinen Jobs – die Tage seines vielbeschäftigten Alltags. In der Zwischenzeit sprach sich das Gerücht zu ihm herum, dass der Professor einen seiner Kommilitonen aus demselben Masterjahrgang zu überzeugen versuchte, an der Universität zu bleiben. Dieser war aus Mikios Sicht ein eher unauffälliger Mensch. Genauso wie Professor T stammte er aus einer wohlhabenden Familie in der Provinz, wurde finanziell großzügig unterstützt und lebte in einer Eigentumswohnung. Er war ein sorgloser Mensch, der noch nie in seinem Leben einem Nebenjob nachgegangen war, besser gesagt eher jemand, der ziellos seinen Träumen nachhing.

Kaum hatten die Studenten jedoch von seiner Nominierung erfahren, schienen sie ihre Ansichten über ihn zu revidieren. Doch die Art und Weise, wie sie ihn lobten, – in den entscheidenden Punkten sei er durchaus gut, und es sei schon in Ordnung, wenn sein Verhalten etwas sonderbar sei, – wirkte dann allerdings etwas sehr weit hergeholt.

Auch über Mikio schienen Gerüchte in Umlauf gelangt zu sein, denn einige Studenten wandten sich an ihn: »Der Professor hat sich wohl Sorgen um dein Auskommen gemacht, ganz bestimmt. Es ist nicht gut, wenn deine ganze Zeit von Jobs vereinnahmt wird. Es heißt ja, dass Professor T im Doktorandenkurs niemandem erlaubt, nebenbei zu arbeiten.«

Das wusste Mikio längst, gerade deshalb hatte er ja auch so viel Mühe auf die Beschaffung von Geld für seine Kriegskasse verwendet. Selbst wenn es hieß, man dürfe nicht nebenher arbeiten, würde es schon irgendwie weitergehen, wenn er nur erst einmal im Doktorandenkurs war.

Es hängt also ganz von Ihren Fähigkeiten ab!

Für jemanden mit dem Können von Professor T war ein Kräftemessen auf diesem Gebiet wohl ein spannendes Spiel.

Seitdem der Professor erklärt hatte, dass die Unternehmen aus diesem Grunde doch eine Herausforderung für ihn sein müssten, ahnte er dunkel, dass er selbst auf Wettbewerb gar nicht aus war. Er wollte nicht gegen einen anderen gewinnen und als Wissenschaftler der ersten Reihe aktiv werden. Wünsche dieser Art hatte er noch nie verspürt.

Er wollte lediglich an der Universität bleiben. Dahin führte kein anderer Weg, als Professor zu werden. Darin bestand seine einzige Logik.

Aber wenn er auch ein hervorragender Student war, fehlte ihm doch das Zeug zu einem tüchtigen Wissenschaftler. Er wusste lediglich, wie man lernte. Aber nicht, wie man etwas entdeckte. Dazu brauchte man Neugier, Denken, einen Blick für die Dinge, der sich von dem der anderen hauchfein unterschied, sowie die Eigenart, sich in Probleme hartnäckig festzubeißen und nicht locker zu lassen.

Diese Eigenschaften hatte er alle im Alter von sechzehn Jahren aufgegeben.

Eigentlich war ihm ja auch nicht verboten worden, in den Doktorandenkurs aufzusteigen. Das Recht dazu hatte nicht einmal Professor T. Aber in der Realität war er nun einmal Prüfer.

Gut.

Herr Professor, Sie haben gesagt: »Es hängt also ganz von Ihren Fähigkeiten ab!« Das ließe sich auch in dem Sinne verstehen: Zeigen Sie Ihre Fähigkeiten und beweisen Sie mir das Gegenteil! Kurz gesagt, ich brauche Sie nur zu besiegen. Das heißt, ich muss nur das Gegenteil von dem beweisen, von dem Sie überzeugt sind. Wenn mir das gelänge, hieße das, dass Sie keinen guten Blick für die Menschen haben, weshalb es dann auch keinen Wert mehr für mich hätte, bei Ihnen weiter zu studieren. Dann ginge ich eben an eine andere Universität.

Wenn es ihm nicht gelingen sollte zu gewinnen, würde er, ohne mit der Wimper zu zucken, seine Verabschiedung akzeptieren.

Anhand seiner Masterarbeit würde sich alles entscheiden. Wies sie ein Ergebnis auf, das Professor T zumindest etwas überraschte, hatte er gewonnen.

Doch all diese Gedanken waren ihm eigentlich nur aus lauter Wut gekommen. In Wirklichkeit stand das Ergebnis schon so gut wie fest. Im Gespräch mit Professor T hatten sie die Beweisführung sowie die sich daraus ergebenden Schlussfolgerungen festgelegt. Das Drehbuch war also bereits fertig. Wenn er es änderte, würde er sicherlich nicht einmal die erforderliche Punktzahl erhalten oder aber in dem Fall, dass seine Ausführungen im Großen und Ganzen logisch und in sich schlüssig waren, maximal die Mindestpunktzahl. Wollte er etwas schreiben, das Professor T in Erstaunen zu versetzen vermochte, musste er zumindest noch ein paar Experimente durchführen.

Das tat er dann auch, und zwar heimlich und schnell, damit weder Professor T noch seine Kommilitonen etwas davon merkten.

Die Tatsache, dass er im Kampf gegen einen Mann von Format, von dem er wusste, dass er ihm nicht gewachsen war, auf einmal Feuer fing und vor Eifer glühte, versetzte ihn in Erregung.

Von dieser Stimmung getragen, was hieß: so energiegeladen, als wollte er jeden Moment jemanden überfallen, machte er sich auf den Weg zu seinen Schülern und beantragte »Urlaub«. Im Streitgespräch mit ihnen und ihren Müttern empfand er Erregung und Freude. Dabei war er sich vollauf bewusst, dass es sich um Wortgeplänkel handelte, bei denen sein Sieg von vornherein feststand. Er blickte von oben auf die Mütter herab. Mit jedem einzelnen seiner sieben Schüler, hauptsächlich jedoch mit den leicht erregten Müttern führte er heftige Wortgefechte, wobei er sich wie ein Einbrecher fühlte, der auf frischer Tat ertappt, plötzlich gewalttätig wird. Selbstredend willigte keine einzige Mutter sofort ein. Das forderte ihn aber im Gegenteil noch mehr heraus.

»Was denn, so plötzlich? Haben Sie nicht selbst erst beim letzten Mal gesagt, dass es gerade jetzt darauf ankommt? Finden Sie das nicht ausgesprochen verantwortungslos?!«

»Ja, finde ich.«

»Wenn das so ist, warum …«

»Weil ich an Ihren Sohn glaube. Haben Sie denn kein Vertrauen?«

Während er mit den sieben Müttern eine hartnäckige Auseinandersetzung nach der anderen führte, bekam er allmählich den Dreh heraus, deren Selbstherrlichkeit, Begriffsstutzigkeit und Sturheit nachzuahmen. Dann gaben sie nämlich klein bei und verfielen schließlich in Schweigen. Daraufhin schwieg auch er. Schließlich hielten die Frauen es nicht mehr aus und brachen die Stille wieder. Allmählich gingen sie dann dazu über zu verhandeln. Sie begannen Bedingungen zu stellen und Ersatzunterricht einzufordern, mit dem das Defizit gedeckt werden sollte.

»Selbstverständlich ist das auch meine Absicht. Aber zwei Wochen, das sind doch nur zwei Mal.«

Von den eigentlich Betroffenen, den Söhnen, hörte etwa die Hälfte zerstreut und nur mit halbem Ohr zu.

»Und für dich geht das wirklich so in Ordnung?«

Erst wenn ihre Mütter sie so direkt fragten, nickten einige notgedrungen lediglich mit dem Kopf, so als wäre ihnen alles egal. Von den anderen wiederum schaute die Hälfte ihm deutlich selbstbewusst ins Gesicht, sturer noch als ihre Mütter, offenbar unzufrieden und mit vorwurfsvollem Blick. Der Rest überredete entweder selbst seine Mutter, nahm überhaupt keine Notiz oder reagierte ganz umgänglich.

Um das Einverständnis in allen sieben Fällen einzuholen, benötigte er zehn Tage. Seine Stellung hatte er damit fürs erste in allen Familien gesichert. Ehrlich gesagt, war dieses Ergebnis jedoch für ihn, der innerlich sogar dazu bereit gewesen war, das Gespräch von selbst auf eine Kündigung zu bringen, wenn es zu keiner Einigung kommen sollte, eher etwas unbefriedigend. Denn ab März würden sie einander ohnehin nicht mehr brauchen. Selbst wenn er jetzt seine Arbeit verloren hätte, wäre das kein Problem für ihn gewesen. Aber sobald jemand ernsthaft wütend auf ihn zu werden drohte, zog er sich instinktiv zurück.

Auch jene Art von Lustgefühl, das er empfand, als er auf diese Weise Konflikte heraufbeschwor, verblasste allmählich, und bald war er es nur noch leid, immer wieder dasselbe zu wiederholen. Streiten und Verhandeln entsprachen eben einfach nicht seiner Natur.

Auch Professor T würde es wohl nicht weiter weh tun, wenn er, Mikio, sich ohne Absprache übermäßig ins Zeug legte. Anders konnte er es sich kaum vorstellen. Nur er selbst, der einen Wettstreit vom Zaun zu brechen versuchte, würde wohl Verletzungen davon tragen. Ab März würden auch der Professor und er einander nicht mehr brauchen.

»Mir reicht's! Nun aber nichts wie weg!«, murmelte er an jenem Tag, an dem er sowohl die Verhandlungen mit den Müttern seiner Schüler als auch seine Versuche beendet hatte, genau in jenem Augenblick, als ihn plötzlich unerwartet das Gefühl ergriff, nichts mehr zu tun zu haben. Er wollte niemanden mehr sehen. Zu einer für ihn ungewöhnlich frühen Stunde kehrte er in seine Mietwohnung zurück und blieb dann bis in alle Ewigkeit in der Abenddämmerung liegen, während die Dunkelheit allmählich um sich griff. Aus der Ferne erklangen die vom Wind herbeigetragenen Geräusche der Stadt. Der Lärm eines Autos strich ganz dicht an seinem Ohr entlang. Als das Auto vorbeifuhr, bebte leicht der Boden unter seinem Rücken und das Fenster klirrte.

Selbstvergessen gab er sich der Sehnsucht nach einem ihm unbekannten, irgendwo in der Ferne liegenden Ort hin. Einem Ort, an dem es menschenstill war und die Zeit stehen geblieben zu sein schien, und der sich durch Weite und Ruhe auszeichnete. Gleich einem unermesslich weiten Botanischen Garten, einem unendlich tiefen Lehr- und Versuchswald …

Da er solch einen Ort noch nie gesehen hatte, gelang es ihm auch nicht so recht, ihn sich vorzustellen.

Seine Phantasien verliefen im Sande, und noch ehe er es merkte, war er mit seinen Gedanken ganz woanders. Bei einem Wachtraum, der ihn seit ein paar Jahren, wenn auch nur ganz selten überfiel. Es war immer derselbe.

Eine Frau starrt ihn an. Sie ist weiß, anmutig und schön. Sie befinden sich in einem luxuriösen Zimmer in den Tiefen eines Hauses an irgendeinem Ort. Dicke Vorhänge schwingen leicht hin und her. Davor sitzt auf einem Sofa, mit einem Kimono bekleidet, die Frau. Allerdings ist sie nicht mehr ganz jung. So um die vierzig etwa. Das ganze Zimmer ist von ihrer Aura erfüllt. Man hört keinen einzigen Laut. Laue, feuchtschwangere Luft. Der Geruch von Schminke. Der Atem der Frau.

Er, Mikio, gehört dieser Frau. Hier in diesem Zimmer hält sie ihn heimlich versteckt. Manchmal muss er mit einem Prüfungskandidaten, angeblich einem Sohn dieser Frau, zusammen lernen. Dem Namen nach ist er selbst ein Nachhilfelehrer, der mit im Hause wohnt, in Wirklichkeit betrachtet ihn die Frau als ihren Besitz … Den Herrn des Hauses, das heißt den Ehemann der Frau und Vater ihres Sohnes hat er noch nie zu Gesicht bekommen. Das Haus ist so weitläufig und kompliziert gebaut wie ein Labyrinth.

Diese flüchtigen Traumbilder kamen so plötzlich wie sie wieder verschwanden. Wenn er wieder zu sich kam, hatte er immer eine Erektion.

Seinen eigenen Umgang mit anderen Familien und Frauen vermochte er sich nur aus der Position eines Nachhilfelehrers heraus vorzustellen. Jener Traum ging nie weiter. Ernüchterung ließ seine Erektion gleich wieder erschlaffen.

Das Zimmer dieser ihm in langen Jahren vertraut gewordenen Wohnung erschien ihm immer mehr wie ein Gefängnis. Er blieb liegen, zog Arme und Beine an, machte sich rund und schloss seine Augen ganz fest.

3

Am folgenden Tag ging er erst nachmittags zur Universität. Er hatte zwar nichts zu erledigen, doch war sie, so ließ sich wohl sagen, der einzige größere Ort, an dem er sich auskannte und frei fühlte. Hier war er zu Hause.

Die Wiesen im Botanischen Garten, der Lehr- und Versuchswald, das Brachland der Pferdekoppeln, die Parks im Campus, die Sandwüsten der Sportplätze, der Dschungel in den Treibhäusern, die Bibliothek, die Mensa der Studentenkooperative. Alles war hier beisammen. Das, was er täglich brauchte, konnte er im Laden der Kooperative kaufen.

Und das sollte er verlassen?

Umherschlendernd drehte er eine Runde auf dem Universitätsgelände, in der Mensa aß er etwas – ein verspätetes Frühstück und Mittagessen zugleich –, um dann einen Blick in die Institutsräume zu werfen. Dort stand sein Schreibtisch.

Ein paar Studenten hatten sich hier versammelt. Er verscheuchte zwei von ihnen, die sich auf seinem Schreibtisch und Stuhl niedergelassen hatten, und begann in seinem Schreibtisch aufzuräumen.

»Was ist denn los? Bringst wohl jetzt schon deine Sachen in Ordnung?«

»Mhm.«

»Stimmt das, Shiiba? Du verlässt uns im nächsten Jahr? Dann könnte ich ja vielleicht an deinem Platz arbeiten.«

Es schien sich also bereits herumgesprochen zu haben, dass er mit dem Masterabschluss gehen würde. Die unbefangenen Stimmen seiner jüngeren Kommilitonen brachten ihn zur Besinnung. War er etwa tatsächlich schon dabei, sich auf seinen Weggang vorzubereiten? Seine Hand stockte mitten in ihrer Bewegung.

»Wir geben nämlich eine tolle Abschiedsparty für dich. Gerade eben haben wir davon gesprochen, weißt du …«

»Es ist doch erst November! Ich hab' noch eine Riesenarbeit vor mir!«

»Deine Masterarbeit? Die ist doch sicher ein Kinderspiel für dich. Das machst du doch mit links und kannst uns noch bei unseren Experimenten helfen. Bitte!«

»Ein Kinderspiel? Das weiß ich erst, wenn ich damit angefangen hab'.«

Wahrscheinlich weil er von seinen Kommilitonen beobachtet wurde, nahm er die einmal unterbrochene Handbewegung wieder auf, um dann automatisch weiterzumachen. Sowohl auf dem Schreibtisch als auch in den Schubladen hatte er im Handumdrehen alles in Ordnung gebracht, so dass sie nun eine Atmosphäre ausstrahlten, als könnte er schon morgen alles räumen. Die für seine Abhandlung notwendigen Materialien hatte er aussortiert und in einen Beutel gesteckt.

»Wo ist denn der Professor?«, fragte er in bemüht munterem Tonfall seine jüngeren Kommilitonen, die ihm zugeschaut und dabei Blicke gewechselt hatten, als wollten sie sagen: Der benimmt sich aber merkwürdig.

»Heute ist doch Fakultätssitzung! Wie immer donnerstags.«

»Na, dann richtet ihm mal aus, dass ich eine Zeit lang nicht komme!«

»Gehst du arbeiten?«

»Nein, das nicht, aber …«

»Fährst du weg?«

»So in etwa.«

»Was?! Das sag ihm besser selbst!«

»Wenn ihr nicht wollt, dann lasst es eben. Mir doch egal. Also dann!«

Das Papierbündel mit den Materialien unter den Arm geklemmt, verließ er eilig das Institutszimmer.

»Wie viele Tage willst du denn ungefähr weg bleiben?«, rief ihm jemand, offensichtlich genervt mit der Zunge schnalzend, hinterher.

»Zwei Wochen, oder noch länger.«

»Na gut, ich sag's ihm. Welchen Grund soll ich ihm denn nennen?«

»Ich hab halt was zu erledigen. Tut mir leid.«

Du lieber Himmel, was für einen Schwachsinn redete er da, zweifelte nun auch schon er selbst an seinen eigenen Sinnen. Wo wollte er denn seine Arbeit schreiben, wenn nicht an der Uni? Wenn er sich für zwei Wochen in seine Mietwohnung zurückzog, fiel ihm garantiert die Decke auf den Kopf. Zudem war es ausgesprochen feige, einer Begegnung mit dem Professor auszuweichen und andere als Vermittler vorzuschicken, so wie er es jetzt tat. Was trieb ihn nur dazu, sich auf solch schäbige Weise in die Schmollecke zu verkriechen …?

Bei einem Abstecher in die Bücherabteilung des Ladens der Studentenkooperative verglich er eine Zeit lang Reiseführer und Landkarten. Er musste jetzt irgendwohin fahren. Seine Stimmung war düster und gedrückt, so als müsste er das Geschehene bei seinen Kommilitonen und seinen Schülern in aller Förmlichkeit wieder in Ordnung bringen. Er wollte jetzt nur noch weg hier, irgendwohin.

Nur war ihm aber über all die Jahre die Sparsamkeit derart in Fleisch und Blut übergangen, dass er sich nicht dazu entschließen konnte, für eine solch unsinnige Sache eine größere Menge Geld auszugeben. Überhaupt hatte er nicht einmal eine Vorstellung davon, was es denn kosten würde. Zudem wusste er gar nicht, wohin er fahren sollte. Und selbst wenn er sich nun auf den Weg machte, waren sowohl Zeit als auch Geld verloren, wenn er dann keine ruhige Umgebung vorfand, in der er seine Abschlussarbeit schreiben konnte.

Fragte er jetzt noch seine jüngeren Kommilitonen, die sich mit Reisen auskannten, um Rat, würde er wohl erst recht Anstoß erregen. Selbst wenn er es tat, konnte er sich kaum vorstellen, dass sie einen Ort kannten, wie er einen suchte, denn wenn sie verreisten, dann ohnehin nur zu ihrem Vergnügen und um Partys zu feiern.

Da war es viel einfacher und sicherer, sich in seiner Wohnung einzuigeln.

In diese Gedanken vertieft, verließ er den Laden, ohne auch nur ein einziges Buch gekauft zu haben, als er sich plötzlich an S erinnerte.

S arbeitete doch in einem Verlag, der Reisejournale herausgab. An der Oberschule hatte er mit ihm zusammen dieselbe Klasse besucht, er war sehr unternehmungslustig und seitdem immer, wenn er frei hatte, allein verreist. Mit seinem heiteren, sympathischen Wesen war er beliebt wie ein Spitzensportler.

Wenn ich mich schon beraten lasse, dann nur von S, dachte Mikio, aber ein ebenso starkes Gefühl ließ ihn zögern. In der Oberschulzeit waren S und er eng befreundet gewesen. Auch nachdem sie auf verschiedene Universitäten gegangen waren, hatte S sich mindestens einmal im Jahr gemeldet, um sich mit ihm zu treffen. S hatte zahlreiche Freunde, doch für Mikio war es, so konnte man sagen, die einzige länger anhaltende Freundschaft, wobei S gewöhnlich der aktivere war, während er selbst eher passiv blieb.

Als während der Oberschulzeit Mikios Vater starb, war S gerade Klassensprecher. Damals begann ihre Freundschaft.

S ist ein guter Kerl.

Als Mikio ihn schließlich anrief, war es bereits Abend.

»Du hast's gut! Zwei Wochen sagst du – davon kann ich nur träumen. Wenn ich um zwei Wochen Urlaub bitte, werd' ich mit Sicherheit gefeuert.«

Wie stets schwatzte S munter drauflos. Immer sprach er so, als fühlte er sich dazu berufen, ihn, Mikio, aufzumuntern. Auch damals, als ihm kein anderer Weg geblieben war, als allein zu leben, hatte S zu ihm gesagt:

»Insgeheim träumen wir doch alle davon, allein zu leben. Es gibt da etliche, die dich sehr wohl beneiden.«

Wenn S mit seiner klaren Aussprache und seiner wohltönenden Stimme so zu ihm sprach, vermittelte er ihm das Gefühl, ein Glückspilz zu sein. Das war schon seltsam.

Aber gerade deshalb hatte er das Gefühl, S etwas schuldig zu sein. Jedesmal ahnte er, dass, noch ehe er diese Schuld zurückzahlen konnte, sich schon die nächste dazu gesellen würde.

Wenn S nur ein wenig Dankbarkeit einfordern oder zeigen würde, dass er sich ihm überlegen fühlte, würde es ihm viel leichter fallen, sich mit S zu treffen und seine Hilfe in Anspruch zu nehmen. Denn in der Tat war S für ihn stets von großem Nutzen gewesen. Er konnte gar nicht sagen, wie sehr ihm S in seiner Oberschulzeit geholfen hatte. Er war sich sicher, dass S viel öfter etwas für ihn getan hatte, als er selbst es bemerkt hatte. Denn S war nicht nur darin gut, nach außen hin für alle deutlich sichtbar aktiv zu sein, sondern er verstand es auch, bei seinen Aktionen auch andere mit einzubeziehen, ohne sich dabei nach außen hin etwas anmerken zu lassen. Seine Mutter und ihr Klassenlehrer waren mit Sicherheit von ihm mobilisiert worden. Zuvorkommend räumte er Steine aus dem Weg, um an ihrer Statt Blumen aufzustellen und dann wiederum so zu tun, als hätten da schon immer Blumen geblüht.

Insgeheim dachte Mikio manchmal, es wäre besser gewesen, wenn er Steine statt der Blumen vorgefunden hätte.

Hin und wieder überkam ihn die Sorge, er könnte, auch wenn er sich dessen nicht mehr genau zu entsinnen vermochte, S aus irgendeinem Grund einmal angeknurrt haben, er möge ihn doch in Ruhe lassen. Dieses Gefühl ergriff ihn meist dann, wenn S sich auf einmal seltener mit ihm traf.

Auch wenn ihm klar war, dass S mit vielen befreundet war, alle Hände voll zu tun hatte und sich nicht nur um ihn kümmerte, dachte er bisweilen darüber nach, ob er S nicht irgendwie verletzt haben könnte … und dass er selbst doch, verglichen mit S, undankbar, berechnend und unaufrichtig war. Im Vergleich mit S war das allerdings jeder.

Als S nun erfuhr, dass er verreisen wollte, schien er sich zu freuen.

Seine Stimme bekam plötzlich den energischen Klang eines allen Aufgaben gewachsenen aktiven Menschen.

»Wenn du dort arbeiten willst, müssen folgende Punkte erfüllt sein: Es darf nicht zu weit weg sein, es sollte ruhig sein, das Essen schmecken, und ganz nebenbei sollte es auch noch preiswert sein. Ist das alles? Oder hast du sonst noch Wünsche?«

»Nein, keine.«

»Ach ja, was ist dir lieber: die Berge oder das Meer?«

»Ist mir egal.«

»Mitten in den Bergen – wär das in Ordnung?«

»Überlass ich dir.«

»Gut. Wenn das so ist, kümmer' ich mich gleich drum. Ich hab' da schon was im Auge. Ruf mich in einer halben Stunde nochmal an!«

Eine halbe Stunde. Das sollte reichen?

»Alles klar! Danke, dass du mir immer hilfst, obwohl du so viel zu tun hast.«

»Hör auf Witze zu reißen! Das ist das erste Mal, dass du mich um etwas bittest!«

»Jedenfalls danke!«

Mikio, der von einer öffentlichen Telefonzelle in der Nähe seiner Wohnung aus angerufen hatte, vertrieb sich die halbe Stunde, von der S gesprochen hatte, indem er müßig in der Gegend herumlungerte.

Die Bemerkung von S, es sei das erste Mal gewesen, dass er ihn um etwas gebeten habe, hatte ihn leicht außer Fassung gebracht. S war wohl doch in Sorge um ihn gewesen. Als er nun erfahren hatte, dass Mikio sich so gut entwickelt hatte, dass er jetzt sogar verreiste, hatte er sich entspannt und sich versehentlich mit den Worten »Da brauchst du wohl keine Hilfe mehr« verraten. Mikio fühlte sich S gegenüber schuldig. Es war für diesen sicher auch eine Belastung gewesen, von Mikio für jemanden gehalten zu werden, der sich für Schwächere einsetzt.

Leider aber, und das war schade für S, war er, Mikio, sich dessen, selbst zu den Schwachen zu zählen, gar nicht so recht bewusst gewesen.

Genau eine halbe Stunde später rief Mikio von derselben Telefonzelle aus an. S schien auf den Anruf gewartet zu haben.

»Haus zur Kiefer?«

»Ja. Eine Ski-Herberge mitten in den Bergen. Deshalb sind jetzt auch keine anderen Gäste da, es ist garantiert ruhig. Auch das Essen ist nicht schlecht. Allerdings ist es ein Ort, wo Fuchs und Hase sich gute Nacht sagen.«

»Warst du schon mal da?«

»Früher, zwei, drei mal zum Skilaufen. Ein etwas versteckter, aber echt guter Ort. Die ihn kennen, wissen, was sie an ihm haben. Ein Kenner aus meiner Firma hat zwar Bedenken geäußert, dass es dort ohne Ski langweilig sei und du es wohl kaum zwei Wochen lang dort aushalten wirst. Ich persönlich aber empfehl es dir.«

»Gut. Dann fahr ich hin.«

»Mach dir keine all zu großen Hoffnungen!«

»Keine Sorge! Ich fahr ja nicht hin, um mir was anzuschauen.«

»Tja, dann reservier ich schon mal für dich. Wann fährst du?«

»Morgen früh.«

Na dann, meinte S, bleibe wohl keine Zeit mehr dafür, sich zu treffen und alles ausführlich zu erklären. Mikio erwiderte, dass er den Ort, wenn er auf der Landkarte nachschaue, schon finden werde.

»Sobald ich wieder da bin, melde ich mich bei dir und bedank mich noch richtig. Vielleicht auch mit einem Souvenir aus M.«

»Ich hab dir doch gesagt, dass es da Souvenirläden und sowas nicht gibt. Ist eben ein verlassenes Nest.«

»Dann komm ich eben mit leeren Händen.«

»Wir können ja auch die Fertigstellung deiner Arbeit feiern, wenn du wieder da bist.«

Nachdem Mikio aufgelegt hatte, holte er ein paar Mal hintereinander tief Luft und lenkte seine Schritte zur Buchhandlung vor dem Bahnhof. Während er nach einer Landkarte suchte, kam ihm plötzlich der Gedanke, dass S gar nicht danach gefragt hatte, was er denn nach seinem Masterabschluss machen wolle. S rechnete wohl fest damit, dass er direkt in den Doktorkurs wechseln würde. Genau bedacht, war es eigentlich S gewesen, der sich am eifrigsten dafür eingesetzt hatte, dass er sich an der Uni weiterqualifiziere. Als S erfahren hatte, dass er in den Graduiertenkurs aufsteigen würde, hatte er sich unbändig gefreut.

Aber auch er hatte damals gedacht, dass er nun S endlich überholt hätte. Denn S hatte gleich nach dem Abschluss der Universität in einem Unternehmen zu arbeiten begonnen. S vor Augen, der sich wie ein Kind für ihn freute, hatte er das Siegesgefühl jedoch nicht so recht genießen können. Er war nur insgeheim erleichtert darüber gewesen, dass S auf Grund seines Berufslebens nun offenbar nicht mehr so viel Zeit wie bisher dafür erübrigen konnte, sich mit ihm zu treffen.

Er kaufte eine Detailkarte der Präfektur M sowie einen kompakten Zugfahrplan und kehrte in seine Wohnung zurück. Es kam ihm so vor, als eilte sein Plan ihm im Alleingang voraus. Noch schwankte

Mikio irgendwie zwischen Zweifel und Glauben, innerlich aber war er nervös und aufgeregt.

Er musste seine Sachen packen und die Materialien, die er mitnehmen wollte, noch einmal durchsehen. Und Geld abheben … So fiel ihm nach und nach Verschiedenes ein.

Als er dann aber ernsthaft Hand anlegte, war eigentlich gar nicht so viel vorzubereiten. Zu den bereits zusammengestellten Unterlagen legte er noch ein paar Bücher aus dem Regal, und damit war er eigentlich schon fertig. Was die Wäsche zum Wechseln anbetraf, entschloss er sich, einfach dem Rat von S zu folgen. Pullover, Winterblouson, dazu eine Jacke und ein wenig Unterwäsche. Zahnbürste und Handtuch. Er brauchte keine dreißig Minuten. Das Gepäck war wegen der Unterlagen zwar recht unhandlich und ziemlich schwer, aber es gab auch nichts, was er davon wieder hätte auspacken oder noch zusätzlich einpacken können.

Auf der Landkarte suchte er den Ort, zu dem er fahren wollte, und schrieb Adresse und Telefonnummer des »Hauses zur Kiefer«, die er von S erhalten hatte, vorsichtshalber noch einmal auf ein extra Blatt Papier ab, um beide Zettel anschließend getrennt in Portemonnaie und Hosentasche zu verstauen.

Dann hatte er nichts mehr zu tun. Versonnen sein Gepäck betrachtend, konnte er sich des Gefühls nicht erwehren, dass sich langsam, aber sicher der Gedanke in ihm breitmachte: Ich verreise ja wirklich! Aber irgendwie schien es ihm, als mache er sich selbst etwas vor.

Schon lange lebte er allein, doch verreist war er nur ein einziges Mal. Aber wie! Kaum hatte ihn damals das Gefühl erfasst, losgefahren zu sein, war er auch schon wieder zurückgekehrt, weshalb er sich nur noch daran erinnerte, im Zug hin und her geschaukelt worden zu sein. Stundenlang war er unterwegs gewesen und am selben Tag wieder zurückgekommen.

Noch nie hatte er seine Wohnung für mehrere Tage hintereinander verlassen. Es kam höchstens vor, dass er im Institut übernachtete, aber selbst dann blieb er nur einen oder maximal zwei Tage weg. In seinem von Arbeit geprägten Leben gab es weder Sommer- noch Winterferien, und in den Frühjahrsferien von März bis April, in denen er als Hauslehrer keine Arbeit hatte[6], schlug er sich irgendwie durch, indem er sich zur Überbrückung irgendwelche Jobs suchte. Mehr noch, als dass es finanziell notwendig war, fürchtete er sich davor, nichts zu tun zu haben. Allein schon der Gedanke, mehrere Tage hintereinander von früh bis abends in seiner Wohnung zu hocken, war ihm unerträglich.

Gleichzeitig mit seiner Immatrikulation an der Universität war er hier eingezogen und wohnte nun schon fast sechs Jahre hier. Doch noch immer mochte er sich außerhalb der Schlafenszeiten nicht hier aufhalten. Es war eine durchschnittliche Ein-Zimmer-Studentenwohnung, die aus einem Zimmer im japanischen Stil mit einer Fläche von knapp zehn Quadratmetern und einer Spülküche von etwas weniger als einem Quadratmeter bestand. Verglichen mit den Mietunterkünften seiner Kommilitonen war das gar nicht so schlecht. Die Sonne, das hieß die Westsonne, schien herein, und das Zimmer war luftig.

Der Unterschied bestand darin, dass normale Studenten maximal vier Jahre in ihrer Unterkunft wohnten, um sie dann wie eine leere alte Schachtel abzustoßen, während seine Wohnung zugleich sein »Zuhause« war. Wohin er auch ging, immer wieder musste er hierher zurückkehren. Unwillkürlich hatte er stets Wege gefunden, um die Zeit, die er sich hier aufhielt, weitestgehend zu verkürzen, so dass es jetzt nur noch ein Ort zum Schlafen und Umziehen war, und zugleich auch ein Abstellraum.

Bis auf die Menge der Bücher hatte sich das Zimmer in den sechs Jahren überhaupt nicht verändert. Es war von einer Trostlosigkeit, aus der es keinen Ausweg zu geben schien.

Die wenigen Möbel hatte er aus seinem früheren Zuhause mitgebracht. Den Schreibtisch und das Bücherregal, den Ölofen »Aladin«, den ewig leeren Kühlschrank, das Bettzeug, den Fotoapparat. Nicht ein einziges Stück hatte er selbst gekauft.

Vermutlich würde er auch nichts davon wegwerfen, nicht einmal, wenn es kaputt ging. Etwas Neues als Ersatz zu kaufen, kam ebenfalls nicht in Frage. Er wusste zwar nicht, wie er es in Zukunft handhaben würde, doch bisher war er damit ausgekommen, und ihm fiel auch nichts ein, was er sich zusätzlich noch wünschen könnte.

Das Geld, das seine Eltern ihm hinterlassen hatten, schmolz bis zum Abschluss der Oberschule zum größten Teil dahin, und den verbliebenen Rest verbrauchte er in jenem Jahr, als er auf einen Studienplatz warten musste, fast völlig. Es handelte sich auch weniger um Geld, das der Vater für seinen Sohn angespart hatte, als vielmehr um eine Abfindung im Todesfall und Geld von der Versicherung, ein Geldsegen, mit dem Mikio gar nicht gerechnet hatte.

Er war noch Oberschüler und merkte gar nicht, wie das Geld langsam aber sicher immer weiter abnahm. Im Gegenteil fand er sogar Gefallen daran, Geld auszugeben, wie es ihm gerade in den Sinn kam.

Oft lud er seine Freunde zum Essen ein, bis er plötzlich merkte, dass kaum noch etwas übrig war.

S war der Einzige, der ihn lange schon, bevor das Geld knapp wurde, immer wieder besorgt gewarnt hatte: »Du solltest nicht so unvernünftig sein!« Er war es auch, der eines Tages zwei Lunch-Pakete mit verschiedenen Inhalten mitbrachte und eines davon heimlich auf Mikios Schreibtisch schob.

»Meine Mutter macht das gern. Lass ihr doch das Vergnügen!«

Nach dem Schulabschluss besuchte S dieselbe Vorbereitungsschule für die Universitätsaufnahmeprüfung wie er und brachte auch hier täglich Lunch-Pakete mit, die gut und gerne für zwei Personen reichten.

»Komm, iss einfach bei mir mit! Irgendwohin zu gehen, ist doch eh lästig. Schade um die Zeit! Ist sowieso überall voll.« Mit diesen Worten öffnete er in der Mittagspause seine Lunch-Box und zeigte Mikio, was drin war. Der Inhalt war immer leicht zu teilen. Manchmal bat S ihn auch, ihm zu helfen, weil seine Mutter schlechte Laune bekomme, wenn er nicht alles aufesse, oder er drückte ihm, ohne auch nur ein Wort zu sagen, eines der beiden mitgebrachten Pakete einfach in die Hand.

Seitdem Mikio klar wurde, dass sein Geld zu versiegen drohte, begann ihm die Freundlichkeit von S unangenehm zu werden. Andererseits hatte er sich aber auch schon daran gewöhnt, sich auf das tägliche Lunch-Paket von S zu verlassen.

An jene Zeit mochte Mikio sich gar nicht gern erinnern. Obwohl ihm damals das Geld dazu fehlte, an die Universität zu gehen, ignorierte er diese Tatsache und bereitete sich stur auf die Aufnahmeprüfung vor.

Im Gegensatz zu ihm glich S einem sonnigen Fleckchen jenseits einer Diagonale. Für Mikio war S jemand, der immer wieder aufs Neue Schamgefühle in ihm weckte. Dazu gehörte auch, dass S sich mit den Lunch-Paketen, die er ihm immer mitbrachte, unablässig so hartnäckig um ihn kümmerte, dass es ihn schon befremdete.

Im zweiten Jahr der Oberschule, etwa ein Jahr nach dem Tod seines Vaters, war Mikio einmal in der Schule zusammengebrochen. Die Diagnose lautete Unterernährung. Auch damals war S Klassensprecher. Er brachte seine eigene Mutter dazu, sich um Mikio zu sorgen und ihn eine Zeit lang zum Abendessen einzuladen. Bevor er nach Hause ging, hieß S ihn noch ein heißes Bad nehmen. Zum Mittag brachte er nun immer Lunch-Pakete für zwei Personen mit.

Das ging so lange, bis Mikio – der sich allmählich wieder erholte, seine Willenskraft zurück gewann und Stolz in sich aufkeimen spürte – sich all dem auf einmal radikal verweigerte. Ausgelöst wurde das dadurch, dass einmal, während er in der Badewanne saß, seine Unterwäsche gewaschen wurde, und er, als er herauskam, an ihrer Stelle neue Wäsche vorfand, weshalb er sich dermaßen schämte, dass er am liebsten im Erdboden versunken wäre.

Aber auch danach hielt S noch für Jahre hartnäckig an seiner Freundlichkeit, oder besser gesagt seiner Rolle als Beschützer fest.

Aber selbst S war noch nie in Mikios Zimmer gewesen. Er wollte auch nicht, dass S hereinkam. Wahrscheinlich, weil ihm ein Vergleich mit den sauberen, warmen und gemütlichen Zimmern bei S unangenehm war. Vielleicht hatte er auch Angst, dass S, wenn er ihm seine Wohnung zeigte, wieder versuchen würde, über seine Mutter verschiedene Dinge zu organisieren. Mikio begriff wohl nur allzu gut, dass S ihn mit Sicherheit in der Tiefe seines Herzens bemitleidete, weil er allein an einem derart trostlosen Ort leben musste. Obgleich er selbst seine Behausung keineswegs erbärmlich fand, spürte er jedoch, dass sie in dem Augenblick, da S sie zu Gesicht bekäme, plötzlich auch auf ihn selbst armselig wirken könnte.

In ihrer Art war diese winzig kleine Behausung für ihn jedoch ein sehr wichtiger Ort, den andere Menschen nicht betreten sollten, ein Zufluchtsort, gestaltet gleichsam mit den Trümmern jener Zeit, als er noch mit seinem Vater zusammen lebte.

Sehnsucht nach jener Zeit verspürte er allerdings nicht.

Er verstand es selbst nicht so recht, aber er hatte das Gefühl, dass auch er selbst, wenn er noch mehr vertraute Dinge wegwürfe, sich in ein fremdes und rätselhaftes Wesen verwandeln könnte.

»In zwei Wochen komme ich zurück«, flüsterte er leise vor sich hin, während er auf seinen eigenen Atem lauschte. Ganz wie S gesagt hatte, war diese Reise mit Sicherheit ein Fortschritt für ihn, auch wenn er eigentlich nur dem Lauf der Dinge folgte. Der zarte Junge, der nicht einmal gewusst hatte, wie man sich richtig ernährt, und wegen Unterernährung zusammengebrochen war, war nun zu einem Menschen herangewachsen, der sich für längere Zeit in einen Gasthof begab, um eine Abhandlung zu schreiben. Während er einschlief, umspielte ein Lächeln seine Lippen.

Die offizielle Anschrift lautete: Präfektur M, Stadt M, Stadtbezirk M, Gemeinde M. Mikio nannte es das Dorf M. Das hatte er einfach von S übernommen, der den Ort ebenfalls so bezeichnet hatte. Wie Mikio erfuhr, war M bis vor zehn oder fünfzehn Jahren tatsächlich ein Dorf gewesen, doch als M das Stadtrecht erhalten hatte, waren mehrere Dörfer in der näheren Umgebung zum Stadtbezirk M zusammengefasst worden.

Da auch die Wirtin des Gasthofes vom Dorf M sprach, hatte er sich näher erkundigt und sie ihm die Sachlage erklärt. Während für die jungen Leute M ein Stadtbezirk sei, bleibe es für die »Älteren« ein Dorf. Doch da die Jüngeren alle in die Großstädte gezogen seien, lebe überhaupt niemand mehr hier, der von einem Stadtbezirk spreche, und nur die Älteren, die M ein Dorf nannten, seien noch da. Daher sei der Stadtbezirk M in der Realität letztendlich doch das Dorf M.

Gewissenhaft erklärte ihm die Wirtin diese Zusammenhänge.

Er erfuhr aber auch, dass die jungen Leute heutzutage über kein Stehvermögen mehr verfügten und kaum dass sie ein wenig in der Großstadt gearbeitet hätten, völlig erschöpft wieder nach M zurückkehrten. Da es aber kaum Arbeitsplätze für sie hier gebe, bleibe ihnen nichts anderes als wieder wegzugehen, doch dann kämen sie entkräftet wieder zurück, um aufs Neue das Dorf zu verlassen, und immer so weiter. Im Winter arbeiteten sie auf dem nahe gelegenen Skigelände. Doch in letzter Zeit nutzten viele Tokyoter Jugendliche ihren Ski-Urlaub, um bei der Gelegenheit auch gleich hier zu arbeiten. Die Hotels und Pisten würden alle von Unternehmen aus Tokyo betrieben, die ihre Arbeitskräfte auch meist in Tokyo anwarben. Sicherer als sich auf die einheimischen Jugendlichen zu verlassen, von denen man nicht wisse, ob man überhaupt welche vorfinde, sei es, Tokyoter Studenten anzuwerben, die ganz verrückt auf das Ski-Laufen seien.

»Früher, da haben immer die Alten aus dem Dorf die Fahrkarten für den Lift abgerissen. Die haben das gern gemacht und sich damit ein bisschen was verdient, wissen Sie.«

Sie erzählte ihm auch, was die Einwohner von M beruflich alle so machten. Das war zugleich ein Versuch ihm zu erklären, warum es keine Arbeit für die Rückkehrer aus der Stadt gab.

M sei ein Weiler von etwa vierzig, fünfzig Häusern mitten in den Bergen, erfuhr er, doch gebe es hier so gut wie keinen Handel. Dieser beschränke sich auf das »Haus zur Kiefer« sowie einen Kramladen in einem Fertighaus gegenüber der etwas entfernt von der Siedlung gelegenen Bushaltestelle. In diesem Laden könne man Lebensmittel,

Gemischtwaren, Zigaretten und ähnliche Dinge kaufen, von allem ein wenig. Landwirtschaft werde nur für den Eigenbedarf betrieben, da nicht genug Land dafür vorhanden sei, dass man sich darauf spezialisieren könnte. Industrie gebe es natürlich auch keine. Zum Geldverdienen fuhren jeweils ein oder zwei Personen aus jeder Familie in eine Kleinstadt jenseits der Berge, die das Zentrum der Stadt M bilde. Meist gingen die Söhne und deren Ehefrauen arbeiten.

In den Häusern, in denen nur Ältere lebten, züchte man Pilze. Ein Dorfbewohner kassiere die Gebühren für den staatlichen Fernsehsender. Ein anderer habe das Austragen der Zeitungen in der Umgebung übernommen, einer arbeite als Vertreter für eine Lebensversicherung. Ein weiterer ziehe umher und verkaufe Sämlinge und Setzlinge. Etwa die Hälfte der Familien verdinge sich im Sommer als Saisonarbeiter in Tokyo.

»Die Einzigen, die nirgend wohin arbeiten gehen und den lieben langen Tag zu Hause herumhängen, sind wir. Daher sind wir auch die Ärmsten im Dorf. Hahaha!«

Auch im »Haus zur Kiefer« arbeiteten beide Eheleute. Die Wirtin kümmerte sich um die Gäste, und ihr Mann kochte. Genauso wie die Ehemänner der Mütter von den Schülern, denen Mikio Nachhilfeunterricht gab, ließ sich der Herr des Hauses niemals blicken. Still und zurückgezogen lebte er im hinteren Teil des Hauses.

Das »Haus zur Kiefer« stand auf einer Anhöhe, von der aus man die beste Aussicht in ganz M genießen konnte. Vom ersten Stock aus ließ sich das ganze Dorf überblicken, das sich allmählich senkte und schließlich zum Tal hin steil abfiel. Es erstreckte sich länglich in nordwestlicher Richtung. Die nahegelegenen Berge umgaben das Dorf wie hintereinander aufgestellte Wandschirme. Der Ort, zu dem die Bewohner von M tagtäglich zur Arbeit fuhren, lag jenseits dieser Berge. Mikio, der in Tokyo geboren und aufgewachsen war, kam dieser Weg über Felder und Berge unglaublich weit vor, doch wie es hieß, benötigte man dafür nur eine bis anderthalb Stunden. Da er von seiner Wohnung bis zur Uni ungefähr fünfundvierzig Minuten brauchte, war der Unterschied gar nicht so groß. Mit dem Auto sei man schneller als in dreißig Minuten dort, erfuhr er. Er hatte hier bisher kaum einmal ein Auto gehört oder gesehen, doch lag das wahrscheinlich daran, dass die Dorfbewohner sich am frühen Morgen auf den Weg machten, während er noch schlief, und erst zurückkehrten, wenn es schon dunkel geworden war.

An der Vorderseite seiner Herberge hingen links und rechts vom

Eingang Schilder mit den Aufschriften »Gasthof Haus zur Kiefer« und »Privatpension Haus zur Kiefer«.

Mikio wusste nicht, in welchem von beiden er zu Gast war. Manchmal wollte er schon danach fragen, doch er konnte sich nicht dazu überwinden. Auch über den Preis hatte er noch nicht gesprochen, und es gab auch sonst noch jede Menge Unsicherheiten, doch er wollte wie ein Mann wirken, der es gewohnt war zu verreisen, und überließ daher alles dem Lauf der Dinge. Aber einiges deutete darauf hin, dass S ihm zuvorgekommen war und das eine oder andere bereits ausgehandelt hatte. So stand zum Beispiel eine elektrische Tischlampe in seinem Zimmer. Auch schien die Wirtin zu wissen, dass er gekommen war, um eine Abhandlung zu schreiben. Wenn er sich in seinem Zimmer aufhielt, war im Erdgeschoss nicht das geringste Geräusch zu vernehmen. Das hatte er wohl auch ihrer Rücksichtnahme zu verdanken. Das Essen war ebenfalls ganz normal, ja eigentlich eher schlicht. Es war zu vermuten, dass S hier bereits vorgesorgt hatte, damit er sein Geld nicht verschwendete. Zumindest dürfte S zur Wirtin gesagt haben: »Achten Sie darauf, dass er ordentlich isst!«

Mikio war es gewohnt, bei Fremden zu essen.

Obgleich ihm klar war, dass es niemanden gab, der ihm hätte verbieten können, nach draußen zu gehen, verspürte er bedauerlicherweise überhaupt keine Lust dazu. Ein Grund dafür war, dass er nicht wollte, dass während seiner Abwesenheit jemand sein Zimmer betrat. Man konnte es nämlich nicht abschließen.

Die Gästezimmer befanden sich im ersten Stock. Es gab vier Zimmer derselben Größe, angeordnet wie das Schriftzeichen für Feld, d.h. jeweils zwei Zimmer lagen links und rechts eines Flurs einander gegenüber. Alle Trennwände waren Schiebewände aus Holz, auch jene zwischen den nebeneinander liegenden Zimmern. Im Winter, wenn der Gasthof voller Skiurlauber war, alle Räume wie in einer Berghütte zu einem einzigen verbunden wurden und die Gäste zusammengepfercht wie die Heringe hier schliefen, dürften wohl an die hundert Leute hier reinpassen.

Die Wirtin hatte, seitdem sie ihm sein Zimmer gezeigt hatte, dieses nicht wieder betreten. Wenn das Essen oder das Bad fertig war, beschränkte sie sich darauf, ihn vom Erdgeschoss aus zu rufen. Trotzdem hatte er das Gefühl, dass sie heraufkommen würde, sobald er sich nur entfernte. Wahrscheinlich war das auf sein Misstrauen neugierigen Frauen gegenüber zurückzuführen, das er in seiner Zeit als Nachhilfelehrer entwickelt hatte.

Ein weiterer Grund lag darin, dass es in M überhaupt kaum Menschen zu geben schien. Schaute er aus dem Fenster, sah er weder jemanden herumschlendern noch sonst irgendeine Menschenseele. Ebenso konnte er, warum auch immer, kein einziges Kind entdecken. Hier ohne jeden Anlass einfach so spazieren zu gehen, kam ihm unpassend vor.

Er pflegte das ja auch sonst nicht zu tun. Fremde Städte interessierten ihn zudem herzlich wenig. Er ging eigentlich nur zu Fuß, um sich von einem ihm bekannten Ort zu einem anderen zu bewegen.

Sich an einen ihm unbekannten Ort zu begeben, obwohl er dort nichts zu erledigen hatte, dem haftete, übertrieben ausgedrückt, etwas Düsteres, Verrufenes an, so als würde er heimlich in ein fremdes Haus eindringen. Sollte man ihn verzagt oder feige nennen, hätte er dem nichts entgegenzusetzen, denn es stimmte ja. Instinktiv schränkte er sein Recht, sich frei zu bewegen, auf seinen Aufenthalt in seinem Zimmer und die Einnahme der Mahlzeiten im »Haus zur Kiefer« ein. Sowie darauf, von seinem Fenster aus das Dorf M und die Berge zu betrachten, so viel er wollte. Dafür hatte er schließlich bezahlt.

Aber das war auch schon mehr als genug.

Denn da waren ja auch die Kühle der Luft an seiner Stirn, das Lustempfinden, wenn er diese reine, klare und völlig geruchsfreie Luft in tiefen Zügen in sich aufnahm, sowie das Gefühl, dass der nichts anderes als die Erde und die Bäume streifende Wind direkt bis zu ihm ans Fenster drang!

Sobald er sich auf den Tatami ausstreckte, erfasste ihn eine Stimmung, als läge er ganz oben auf einem Berggipfel.

Solange nur die Wirtin nicht misstrauisch darüber nachgrübelte, was er denn den lieben langen Tag da oben in seinem Zimmer so trieb, machte es ihm eigentlich nichts aus, immer nur drinnen zu hocken, aber da er das Nichtstun nicht gewohnt war, übermannte ihn zuweilen Unruhe. Er fühlte sich dann so desolat, als würde sein Körper erschlaffen und sich von innen her auflösen.

Wenn die Sonne unterging, hüllte sich die Welt vor seinem Fenster mit einem Mal in Dunkelheit, und es wurde so kalt, dass er es bei geöffnetem Fenster nicht mehr aushielt. Nach zweiundzwanzig Uhr erloschen auch die Lichter in den Fenstern. Jeden Abend um diese Stunde begann er, sich Sorgen über die ihm verbliebene Zeit zu machen. Die Gesichter von Professor T und von S tauchten dann flackernd vor seinen Augen auf.

Immer wieder ertappte er sich dabei, völlig geistesabwesend zu sein. Seine Gedanken steckten in ihm fest und drehten sich im Kreis. Um diese Stunde bereute er es denn auch, tagsüber nicht nach draußen gegangen zu sein.

Er war froh darüber, nach M gekommen zu sein. Dennoch hatte er das Gefühl, als hätte er, seit er hier angekommen war, in einem sich in rasender Geschwindigkeit abspulenden Prozess begriffen, um was für unbedeutende Kleinigkeiten er sich doch Sorgen machte, beispielsweise was S anbetraf, oder auch Professor T.

Einmal jedoch wollte er ein vielversprechender junger Mann sein, der sowohl über Zeit, als auch über Geld und Fähigkeiten verfügte, das hieß ein Mensch wie S und Professor T. Hier nun wollte er diese Rolle spielen.

Brach die Nacht herein, befielen ihn Unruhe und Angst, als sei er auf einmal mutterseelenallein auf dieser Welt. Je tiefer und schwärzer die Dunkelheit ringsumher wurde, umso deutlicher erkannte er die Ziellosigkeit seines Lebens. Nicht ein einziger Laut war zu hören, der ihn von diesen Gedanken hätte ablenken können.

Die Arbeit für seinen Lebensunterhalt und die Schulen, die er, hartnäckig auf seinem Willen bestehend, eine nach der anderen besucht hatte, waren sein Ein und Alles gewesen. Diese beiden Lebensbereiche hatten funktioniert, indem sie genau passend ineinander griffen, sie hatten miteinander harmoniert und die Kraft und die Zeit absorbiert, die er sonst dazu verwendet hätte, über unwichtige Kleinigkeiten nachzudenken.

Das ging jetzt plötzlich zu Ende.

Was sollte er tun? Was denken? Er wusste es nicht. Sobald er versuchte, nachzudenken, merkte er, wie die Zeit begann, rückwärts zu laufen.

4

Es war ein Gefühl, als würde er am Tod seines Vaters vorbei in noch fernere, ihm fremde Zeiten hinein gezogen.

Er erinnerte sich daran, als Kind so wie jetzt auf dem Rücken gelegen und an die Decke gestarrt zu haben. Nicht sein Kopf, sondern nur sein Körper vermochte sich vage darauf zu besinnen.

Sowohl das Zimmer als auch die Luft waren damals viel weiter und wärmer als jetzt. Und jemand hielt sich ganz in seiner Nähe auf.

Damals gab es unendlich viel Zeit. Und ihn, der sich um Zeit ganz und gar keine Sorgen machte. Wie selbstverständlich aß er täglich warmen leckeren Reis, ohne auf irgendjemanden Rücksicht zu nehmen. Immer kniete er sich in irgendeine Sache voll und ganz hinein. Was war das nur, in das er sich derart leidenschaftlich vertieft hatte, ohne zu bemerken, dass er lebte und immer größer wurde, und ohne darauf zu achten, wer sich neben ihm befand, da die Zeit genauso schnell dahin strömte wie sein Atem? Die Stunden rannen dahin, und im gleichen Maße, wie sie verstrichen, quollen immer wieder neue hervor.

So etwas wie ein Ende gab es nicht, auch kam es nicht vor, dass etwas völlig verbraucht wurde, und auch nicht, dass jemand verschwand.

Ein weiterer, ganz anderer Himmel als jener, den er in M vom ersten Stock des »Hauses zur Kiefer« aus sah, taucht vor ihm auf. Diesen schwarzblauen Himmel, der so tief ist, dass er das gesamte Weltall einzunehmen scheint, hat er vor langer, langer Zeit gesehen. Zweifellos hat sich das Leuchten jenes Himmels tief in sein Gedächtnis eingeprägt. Darunter nimmt er nun eine ihm fremde Landschaft wahr. Eigentlich müsste er sie aber kennen.

Reihenweise erstrecken sich eng aneinander gedrängt Häuser, deren Farben verblichen und die so niedrig sind, als hätte die Weite des Himmels sie erdrückt. Auf einem Platz, auf dem das Gras so üppig und hoch wächst, dass er völlig darin verschwindet, stehen hier und da verwitterte Überreste eines verrosteten Eisenzauns. Ein lehmiger Weg läuft an dem Platz entlang, schlängelt sich dahin, bis schließlich ein baufälliger Bretterzaun auftaucht. Der Zaun ist mit schwarzem Firnis gestrichen, verbreitet einen unangenehmen Gestank und versperrt auf beiden Seiten des Wegs die Sicht. In der Ferne erhebt sich ein Schornstein, aus dem Rauch aufsteigt. Auf einer höher gelegenen Strecke fährt ein Zug entlang. Direkt vor seinen Augen schießt neben den Rädern Dampf hervor und nässt die Gleise. Zu diesem Zeitpunkt steht er mitten im hohen Gras. Das Donnern der Räder erfüllt die Umgebung mit ohrenbetäubendem Lärm, der jeden anderen Laut übertönt. Er sieht von unten zu dem Zug hoch und kann sogar die Gesichter der Fahrgäste an den Fenstern ganz deutlich erkennen. Neben ihm steht niemand.

Das war alles. Seine eigene Gestalt konnte er nicht sehen. Ebenso wenig vermochte er herauszufinden, wie alt er in etwa war. An diese Szene hatte er sich auch noch nie zuvor erinnert. Plötzlich tauchte sie, zu neuem Leben erwacht, frisch und klar vor ihm auf.

Jene Landschaft war ihm fremd.

So weit er zurückdenken konnte, hatte er mit seinem Vater zu zweit gelebt. Ihr Haus stand in den schmutzigen engen Straßen von Kanda[7], solche weitläufigen Landschaften gab es dort nicht. In diesem Haus war er zur Welt gekommen. Auch nach dem Tod seines Vaters hatte er dort gewohnt, bis er auf die Universität gekommen war. Danach war er in seine jetzige Mietwohnung umgezogen. Deshalb war er sich sicher, dass jene Landschaft nicht Kanda sein konnte.

Hatte sich vielleicht eine Erinnerung an einen Schulausflug oder daran, wie er spielend in weiter entfernten Gegenden umhergestreift war, irrtümlicherweise hervorgewagt? Oder handelte es sich etwa um ein Erlebnis aus einer Zeit, bevor er in die Schule kam oder sogar, bevor er mit seinem Vater zu zweit lebte?

Jenes Gefühl, dass sich jemand neben ihm befand, konnte sich irgendwie nicht auf seinen Vater beziehen. Dann müsste es also entweder seine Mutter oder aber die Schwester seines Vaters gewesen sein, die sich eine Zeit lang um ihn gekümmert hatte. Doch eigentlich dürfte er, ganz gleich mit wem, außer in jenem Haus in Kanda niemals irgendwo einen so langen Zeitraum zugebracht haben, dass er sich an die Landschaft erinnern konnte.

Seine Mutter starb, als er fünf war. Danach soll ungefähr ein Jahr lang die Schwester seines Vaters bei ihnen gelebt haben.

Er erinnerte sich an keine von beiden. Ganz selten wurde er von Sinnestäuschungen erfasst, die ihn glauben ließen, ihm würde jeden Moment etwas einfallen, das seinem Gedächtnis eigentlich entglitten war. Doch kaum stahl sich der Hauch einer Ahnung zu ihm, da zog sich die Woge der Erinnerung, noch bevor sie heran rollen konnte, auch schon wieder zurück.

Es gab keinen Grund für ihn, sich nach jemandem zu sehnen, den er überhaupt nicht kannte. Wenn er bis zum Alter von fünf, sechs Jahren mit ihnen zusammen gelebt hatte, könnten durchaus ein paar bruchstückhafte Erinnerungen existieren, aber nicht einmal die gab es.

Seine erste klare Erinnerung war jene daran, wie er an der Hand seines Vaters zu seiner Schulanfangsfeier ging. Alles, was er davor erlebt hatte, lag völlig im Dunkel, und plötzlich tauchte dann diese Feier auf. An die Zeit danach erinnerte er sich ziemlich deutlich, an das immer sehr zurückgezogene Leben mit seinem Vater.

Die Tatsache, dass seine Mutter gestorben war, als er fünf war, erfuhr er erst, als er sich nach dem Tod seines Vaters eine Kopie aus dem Familienregister schicken ließ.

Seine Mutter war in jenem Haus in Kanda aus dem Leben geschieden.

Er konnte sich nicht entsinnen, seinen Vater jemals nach der Mutter gefragt zu haben, und auch nicht daran, dass dieser irgendwann einmal etwas über sie erzählt hätte. Auch als er den Nachlass seines Vaters ordnete, kam überhaupt nichts zum Vorschein, was sich auf die Mutter bezogen hätte. Nicht einmal das wunderte ihn, da sie ja nie dagewesen war. Er verfügte ja nicht einmal über genügend bruchstückhaftes Wissen, um sich für sie zu interessieren.

Angesichts des Nachlasses seines Vaters war er auch nicht sonderlich sentimental. Wenn sein Vater nicht mehr da war, dann waren die Dinge, die dieser benutzt hatte, für ihn selbst unbrauchbar. Was er nicht gebrauchen konnte, warf er ohne Bedauern weg.

Im Leben mit seinem Vater war es schließlich auch nicht anders gewesen. Sein Vater hatte überflüssige Dinge gehasst. Wahrscheinlich waren, als die Mutter gestorben war, die Dinge, die sie zurückgelassen hatte, für den Vater alle ohne Nutzen gewesen.

So in etwa erklärte es sich Mikio, und ihm kam der Gedanke, dass er seinem Vater wohl auch nie überflüssige Fragen gestellt hatte.

Aber jetzt ergriff ihn allmählich aufs Neue Verwunderung.

Verwunderung darüber, dass er nicht nur über seine Mutter, sondern auch über seinen Vater eigentlich nichts Grundlegendes wusste.

Kannte er nicht nur etwas, das eher einem Schatten seines Vaters mit schemenhaften Umrissen glich? Aber in diesem Schatten konnte er seine eigene Körpertemperatur spüren. Es war auch die seines Vaters. Sie waren gut miteinander ausgekommen. Es hatte keine Konflikte gegeben.

Sich so wenig wie möglich bewegend, hielt er den Atem an, und so, als wollte er versuchen, jene Körpertemperatur zu erfühlen, konzentrierte er all seine Sinne auf die Erinnerung. Wenn es ihm jetzt nicht einfiel, bestand die Gefahr, dass er vergessen könnte, sich überhaupt zu erinnern.

Er entsann sich, dass er direkt nach dem Tod seines Vaters in einem Zimmer, in dem sich außer ihm niemand befand, auf die gleiche Weise mit bebenden Nasenflügeln versucht hatte, dessen Geruch zu wittern. Das war geschehen, bevor der Schreck darüber, dass jemand, der bis jetzt da gewesen war, auf einmal nicht mehr existierte, seinen Körper fesselte und Trauer und Einsamkeit ihn ereilten. Aber war er überhaupt traurig und einsam gewesen? War es nicht so, dass er sich, als der Schreck nachließ, schon an den Zustand des Alleinseins gewöhnt hatte?

Es fiel ihm schwer, weiter über etwas nachzudenken, was es nicht mehr gab. Ihm kam sogar der Gedanke, dass er in dem vor Unzulänglichkeiten strotzenden Leben mit seinem Vater offenbar doch begriffen hatte, dass er, wenn irgend etwas nicht da war, das so hinnehmen und einfach weitermachen musste. So hatte er Brot gegessen, wenn der Reis nicht reichte, und war kein gewaschenes Hemd mehr da, zog er eben ein T-Shirt an. Was er brauchte, kaufte ihm sein Vater, vorausgesetzt, er vergaß es nicht. Geld bekam Mikio selten. Es schien so, dass er selbst sich auch kaum je einmal irgendetwas gewünscht hatte. Vielleicht war sein Gefühl dafür auch nicht genügend entwickelt. Das, was er unbedingt benötigte, um nicht in Verlegenheit zu geraten, war außer seinem täglichen Essen nur das Geld, das er mit in die Schule nahm. Damit versorgte sein Vater ihn immer großzügig. Daher war er auch nie unzufrieden mit ihm.

Es gab nur eine Sache im Leben seines Vaters, die Mikios Missfallen erregt hatte, nämlich dass dieser schweigend und ohne mit ihm zu reden gestorben war. Sein Vater hatte es wohl selbst nicht geahnt. Mikio glaubte, dass es bestimmt Dinge gab, die sein Vater ihm gern noch gesagt hätte, wenn er vorher gewusst hätte, dass er sterben würde.

Zum Beispiel, an wen Mikio sich um Rat wenden oder was für ein Mensch er werden sollte. Oder, was die Mutter für ein Mensch gewesen und an welcher Krankheit sie gestorben war.

Jetzt, nach neun Jahren fielen ihm nach und nach schließlich Dinge ein, die er seinen Vater gern gefragt hätte. Er erinnerte sich an Yukiko. Sie war die Schwester seines Vaters. Mikio hatte immer das Gefühl gehabt, als wäre seine Mutter an Magenkrebs gestorben, doch jetzt erst merkte er, dass das eigentlich Yukiko gewesen war.

Yukiko war verheiratet gewesen. Sie hatte vor ihrer Hochzeit wohl kurze Zeit bei ihnen gelebt und sich um den Haushalt gekümmert. In Gedanken hatte er seine Mutter und Yukiko wahrscheinlich miteinander verwechselt, weil er sich noch daran erinnern konnte, wie er kurz vor Yukikos Tod mit zu ihr ins Krankenhaus genommen worden war. Das war in jenem Sommer, als er die fünfte oder sechste Klasse besuchte. Welches Krankenhaus das gewesen war, hatte er vergessen. Ohne damals genau zu wissen, in welchem Verhältnis er zu Yukiko stand, wurde er von seinem Vater, der ein ungewöhnlich furchterregendes Gesicht machte, mitgenommen und besuchte die Kranke, kurz bevor sie verschied. Sie war so stark abgemagert, dass sie ihm irgendwie unheimlich war.

»Du bist Mikio? Wie groß du geworden bist! Bestimmt größer als dein Vater!«

Ihr Lachen klang heiser und gequält. Damals hatte er die Größe seines Vaters noch nicht erreicht. Was für ein Unsinn! dachte er. Er wandte seinen Blick von der Kranken ab und gab keine vernünftige Antwort. Der Mann, der neben der Kranken stand, nannte seinen Vater vertraulich Schwager, was Mikio erst recht gegen den Strich ging. Erschrocken über sein Verhalten fragte sein Vater ihn: »Was ist denn los mit dir? Erinnerst du dich nicht? Das ist doch deine Tante!«

»Klar erinner' ich mich!«

Das stimmte zwar nicht, aber auf diese Wiese gelang es ihm, sich den Blicken seines Vaters zu entziehen. Er hatte das Gefühl, dass sein Vater ihn verlassen würde, wenn er ehrlich zugab, dass er sich nicht mehr erinnerte. So streng war dessen Gesicht in diesem Augenblick. Sein Vater und er ergründeten niemals die Tiefen des jeweils anderen. Über Yukiko sprachen sie danach nie wieder. Als sie starb, ging sein Vater allein zur Beerdigung. An die Umstände, ob Mikio erklärt hatte, dass er nicht mitgehen wolle, ob er zur Schule musste und deshalb nicht mitgehen konnte oder ob der Vater ihn nicht gefragt hatte, ob er mitkomme, vermochte er sich nicht mehr genau zu erinnern.

Wenn sein Vater länger gelebt hätte, hätte er wahrscheinlich ein paar Dinge mehr klar stellen können. Andererseits hätte er, wenn sein Vater noch bei ihm gewesen wäre, womöglich auch weiterhin nicht sonderlich das Bedürfnis verspürt, nach anderen Dingen zu fragen als nach jenen, die für das tägliche Leben notwendig waren. Oder wäre, wenn er nur gewartet hätte, ganz von selbst eine Zeit gekommen, in der sein Vater von sich aus etwas hätte erzählen und er diesen etwas fragen wollen?

Sein Vater war zu früh von ihm gegangen. Bevor er noch seinen Mund öffnen konnte, hatte er ihn schon für alle Ewigkeit geschlossen. Er hatte nicht einmal etwas hinterlassen, das die Gefühle seines Sohnes in Unruhe hätte versetzen können. Lediglich jene Gegenstände, die sein Vater im Alltag benutzt hatte, waren – leeren Hülsen gleich – verblieben.

Es geschah am 13. November vor neun Jahren. An diesem Tag starb sein Vater plötzlich an einem Herzanfall. Er war erst Mitte vierzig. Um eine Uhrzeit, um die er normalerweise in der Firma hätte sein müssen, schloss er zu Hause für immer seine Augen. Mikio war gerade in der Schule. Gefunden wurde sein Vater von einem Kollegen, der sich Sorgen machte, weil sein Vater früher von der Arbeit nach Hause gegangen war, und deshalb nach ihm schaute.

An jenem Tag wurde Mikio kurz vor Ende der letzten Unterrichtsstunde am Nachmittag aus dem Klassenzimmer gerufen. Es gelang ihm nicht so recht, die Empfindungen zu deuten, die ihn erfassten, als er erfuhr, dass sein Vater nicht mehr lebte. Nachdem er augenblicklich den Ernst der Situation erfasst hatte, schien sein Körper wie erstarrt. Er hatte aber auch das Gefühl, als käme das, was er hörte, gar nicht direkt bei ihm an und als blickte er nur geistesabwesend auf seinen Klassenlehrer. Zugleich schien er jedoch die Tatsachen unerwartet gelassen aufzunehmen, bei sich zu denken: ach, er ist also gestorben, und sich ohne große Umstände damit abzufinden. Diese drei Gemütsverfassungen hatten offenbar gleichzeitig von ihm Besitz ergriffen.

Zuerst ging er ganz langsam aus dem Klassenzimmer, und als er wieder zu sich kam, rannte er bereits. Er rannte und rannte und trampelte sogar in der Bahn mit den Füßen. Als er sich jedoch seinem Elternhaus näherte, waren seine Beine wie gelähmt und er schlich nur noch schneckenhaft langsam vorwärts.

Aus dem Verborgenen heraus beobachtete er zunächst heimlich sein Haus, in dem es von hineingehenden und herauskommenden fremden Menschen nur so wimmelte, und wartete darauf, dass sein Vater, der doch gar nicht mehr kommen konnte, heraustrat.

»Mikio?«

Ein fremder Mann sprach ihn an. Als er nickte, nahm der Mann ihn schweigend mit ins Obergeschoss.

Es gab noch keinen Sarg.

Jener Mann war G, ein Kollege seines Vaters, der sich um die gesamte Beerdigung kümmern und später sein Berater werden sollte. G erzählte ihm, was passiert war.

»Ich kann es selbst noch kaum fassen«, kam es immer wieder stockend aus seinem Mund.

Mikios Vater war vor zwei Tagen auf Dienstreise gefahren und deshalb nicht zu Hause gewesen. Es war nichts Besonderes, dass er wegen einer Dienstreise eine oder zwei Nächte an einem andern Ort übernachtete. Gestern Abend gegen neun Uhr hatte er Mikio von seinem Dienstreiseort aus angerufen und ihm wie immer geraten, die Türen zu schließen und vorsichtig mit offenem Feuer umzugehen, ihm mitgeteilt, dass er morgen früh direkt in die Firma fahren und um die übliche Uhrzeit nach Hause kommen würde, und dann sofort aufgelegt. Zu diesem Zeitpunkt war am Verhalten seines Vaters nichts Ungewöhnliches gewesen.

Wie G ihm erzählte, war sein Vater wie geplant am frühen Morgen von seiner Dienstreise zurückgekehrt und hatte bereits an seinem Platz gesessen, als seine Kollegen zur Arbeit kamen. Am Vormittag habe er sich dann vornüber auf seinen Schreibtisch gelegt und eine Weile ganz still dagesessen, um schließlich plötzlich zu verkünden, dass er heute früher gehe, um dann nach Hause zurückzukehren. Das war kurz vor elf Uhr gewesen.

»Zu dem Zeitpunkt hatte er wahrscheinlich schon einen leichten Anfall hinter sich. Wenn die Leute um ihn herum nur ein wenig auf ihn acht gegeben hätten … Wir dachten nur, dass er von der Reise erschöpft sei und daher ein wenig schlafe. Doch im Nachhinein betrachtet, hätte Herr Shiiba sich normalerweise niemals so gehen lassen, wie unausgeschlafen er auch sein mochte. Wir waren einfach zu unaufmerksam.«

Wie es hieß, hatte sein Vater erklärt, dass er ein wenig erschöpft sei und daher nach Hause gehe, um zu schlafen.

Nach dem Mittagessen hatte G wegen einer dringenden Angelegenheit bei ihm angerufen. Aber er war nicht ans Telefon gegangen.

»Ich dachte, er schläft wohl, aber aus irgendeinem Grund wollte ich ihn unbedingt sprechen. Als ahnte ich etwas, machte ich mir auf einmal Sorgen um den Zustand deines Vaters, der ungewöhnlich erschöpft gewesen war. So kam ich dann schließlich hierher. Doch dann – es war einfach schrecklich!«

Die Eingangstür hatte offen gestanden, und er war hinein gegangen. Der Vater hatte, noch im Anzug, zusammengebrochen im Wohnzimmer gelegen. Als G ihn entdeckte, lebte er bereits nicht mehr.

Mikio hatte keine Ahnung davon gehabt, dass sein Vater ein schwaches Herz hatte. G erklärte, auch er habe nichts davon gehört. Vielleicht hatte ja nicht einmal sein Vater selbst es gewusst.

Mit leiser Stimme und in einem Tonfall, als wollte er sich entschuldigen, fuhr G fort:

»Offen gesagt, wusste ich nicht, auf welche Schule du gehst, und auch als ich die Nachbarn befragte, erfuhr ich nichts Genaues. So habe ich schließlich, allerdings mit Gewissensbissen, einfach dein Zimmer durchsucht. Darum habe ich dich auch erst so spät informieren können. Weißt du, es kam alles so plötzlich, weshalb es viele Unstimmigkeiten gab … Du musst mir auch helfen, eine Liste von denjenigen zusammenzustellen, die wir benachrichtigen müssen.«

Bei diesen Worten packte Mikio plötzlich das blanke Entsetzen, ihm war, als jagten immer kältere Schauder seinen Rücken hinunter.

Sein Vater hatte in der Firma also nichts über ihn erzählt. G und die anderen hatten bestimmt eine Zeit lang überhaupt nicht daran gedacht, dass er einen Sohn hatte, und waren herum gelaufen, um die verschiedenen Angelegenheiten zu regeln. Auch wie sein Vater zu ihm gestanden hatte, wussten sie nicht. Nicht einen einzigen Menschen gab es auf dieser Welt, der auch nur eine Ahnung davon hatte, was sein Vater seinem Sohn gegenüber empfunden hatte.

»Benachrichtigen? Ich glaube, da gibt es niemanden.«

»Das kann doch nicht sein! Na hör mal!«

»Da ist niemand.«

»Du wirst doch wohl Verwandte haben!«

»Nicht dass ich wüsste.«

»Willst du nicht wenigstens einmal nach Briefen oder einem Adressbuch suchen?«

Einer Marionette gleich folgte er den Hinweisen von G.

»Gibt es nicht vielleicht eine Frau, die ihm nahe gestanden hat?«

»… weiß ich nicht.«

»Hätte ich mir auch denken können. Schließlich ist er voll und ganz in seiner Arbeit aufgegangen. Ob er wohl ein guter Vater war?«

Diese so vor sich hin gemurmelten Worte Gs lösten bei Mikio größten Widerwillen aus. Das war doch wohl eine Privatangelegenheit seines Vaters und ging G nicht das Geringste an. Dieser warf einen flüchtigen, verstohlenen Blick auf Mikio und sprach dann von etwas anderem.

»Trotzdem müssen wir alle Verwandten rasch informieren, wir haben ja jetzt hier eine etwas andere Situation als sonst. Schließlich wäre auch dein Vater besorgt und beunruhigt, wenn wir uns nicht darum kümmerten, dass du nicht in Schwierigkeiten kommst.«

Während Mikio zusah, wie G in den Briefen herumkramte, drängte sich ihm das Gefühl auf, sein Leben mit seinem Vater sei irgendwie ungewöhnlich gewesen. Gerade deshalb konnte er G gegenüber keine Sympathie aufbringen.

Sein Vater und er waren gut miteinander klargekommen, da hatte es kein Zuviel und kein Zuwenig gegeben. Er erinnerte sich an nichts, das von anderen hätte beanstandet werden können. Es mochte schon sein, dass sie beide jeder für sich gelebt hatten, wie ihnen der Sinn gestanden hatte, doch ihm hatten sein Leben und sein Vater gefallen, so wie sie gewesen waren. Sie hatten den jeweiligen Bereich des anderen respektiert und einander geholfen, ohne groß Worte darüber zu verlieren, so dass es nicht notwendig gewesen war, sich um ein gutes Einvernehmen Sorgen zu machen.

»Ach!« entfuhr es ihm unwillkürlich. Er war gerade dabei, ein Bündel alter Neujahrskarten durchzuschauen. Dabei hatte er den Namen Suzuki Yukiko entdeckt. G drehte sich um.

»Das hier ist, glaube ich, die Schwester meines Vaters.«

»Das wäre ja dann deine Tante.«

»Ja. Aber, sie ist eigentlich längst tot …«

»Der Name daneben ist doch bestimmt ihr Mann?«

Da Mikio immer wieder behauptet hatte, dass er sonst keine Verwandten habe, ließ G nicht locker.

»Aber ich kenne diesen Mann nicht richtig, ich habe ihn nur ein einziges Mal gesehen, als ich noch klein war.«

Die Krankheit von Yukiko war der Anlass dafür gewesen, dass er Suzuki einmal gesehen hatte, und nun sollte der Tod seines Vaters ihn wieder mit ihm zusammen führen. Ihn selbst verband mit jenem Mann keinerlei Blutsverwandtschaft. Ihm kam er eher vor wie ein unglückverheißender Todesbote.

G beharrte jedoch darauf, dass dieser Mann irgendetwas wissen müsste. Wenn es keine anderen Verwandten gebe, dann sei dieser Mann die einzige Mikio nahestehende Person, fuhr G fort. Er wählte die klein gedruckte Nummer auf der vergilbten Postkarte.

Da Mikio annahm, dass G nun nach jemandem suchte, dem er anvertraut werden könnte, zog er sich ein wenig zurück, spitzte wachsam die Ohren und beobachtete verstohlen den Gesichtsausdruck von G.

Dieser sprach zunächst in einem höflichen und freundlichen Tonfall, wurde dann zunehmend schroffer und machte den Eindruck, als wolle er seinen Gesprächspartner überzeugen. Wo immer er konnte, betonte er, dass Mikio niemanden mehr habe, auf den er sich stützen könne, und in eine äußerst bedauernswerte Lage geraten sei. Irgendwann hörte Mikio auf zuzuhören. Er wollte sich die Ohren zuhalten und irgendwohin fliehen, doch im Erdgeschoss wimmelte es nur so von Menschen, die von draußen hereingekommen waren und geschäftig herumliefen. Nirgendwo in dem engen Haus gab es einen Ort, an dem er sich hätte verkriechen können. In seinem Zimmer standen Möbel aus dem Erdgeschoss, die dort im Wege gestanden hatten.

»Nun ist guter Rat teuer!«

G, der schließlich den Hörer auflegte, stieß einen Seufzer aus und drehte sich zu ihm um.

Yukikos ehemaliger Mann hatte längst wieder geheiratet und offenbar auch Kinder aus dieser Ehe. Da Yukiko kinderlos geblieben war, meinte er, dass man nun nicht mehr von Verwandtschaft reden könne. Zu Lebzeiten soll Yukiko ihm erzählt haben, dass sie außer ihrem Bruder, Mikios Vater, keine weiteren Verwandten habe.

»Auf jeden Fall hat er gesagt, dass er zur Totenwache kommt, dann können wir uns ja noch einmal in Ruhe mit ihm unterhalten.«

»Ist es denn so schlimm, wenn niemand da ist?«

»Na hör mal, du bist doch noch in der Oberschule und nicht volljährig! Es geht ja auch um deine Zukunft, und im Zusammenhang mit dem Tod deines Vaters gibt es eine ganze Reihe gesetzlicher Formalitäten zu erledigen. Aber da ist nichts, worüber du dir jetzt Sorgen machen müsstest. Naja, wenn ich dich so sehe, machst du dir ja ohnehin keine.«

Bald darauf wurde der Leichnam seines Vaters aus dem Krankenhaus gebracht. Wie von G geheißen, kniete Mikio sich vor seinen Vater und betrachtete dessen Gesicht. Er schien nur zu schlafen. Da er aber für immer eingeschlafen war, drängten sich nun unzählige nicht geladene wildfremde Menschen in ihr Haus und redeten von allem möglichen, so dass Mikio weder aus noch ein wusste. Das war alles, was er seinem Vater in seinem inneren Zwiegespräch erzählte. Ein quälendes Gefühl, gleich zu ersticken, schnürte ihn ein, ihm war, als spannte sich über seinen ganzen Körper ein so dichtes Spinnennetz, dass er nicht einmal einen Zentimeter weit zu sehen vermochte.

Jemand berührte ihn mit der Hand an der Schulter. Es war G. Er nahm ihn wieder mit ins Obergeschoss.

»Du bist doch jetzt das Familienoberhaupt und für die Trauerfeierlichkeiten zuständig«, erklärte er.

Auf seine Frage nach ihrer Familiengrabstätte antwortete Mikio:

»Eine Grabstelle? Davon hab ich nichts gehört.«

Da zog G zum zweiten Mal ein ratloses Gesicht.

Natürlich wusste Mikio ebenso wenig, zu welcher Glaubensgemeinschaft seine Familie gehörte.

»Tut mir leid, dich gerade jetzt so etwas zu fragen, aber dein Vater kommt doch in dasselbe Grab wie deine Mutter, oder? Warst du denn noch nie dort?«

Mikio war zu keiner Antwort fähig. Jetzt, da G ihn fragte, kam ihm zum ersten Mal noch etwas verschwommen der Gedanke, dass ja auch seine Mutter vor vielen Jahren gestorben war und jetzt irgendwo in einem Grab lag.

Doch G brach das Thema rasch ab. Er schien es aufgegeben zu haben. Offenbar setzte er all seine Hoffnung auf Suzuki, Yukikos ehemaligen Mann, der aus der Nachbarpräfektur herbeieilen sollte.

Die Ratlosigkeit von G ließ in Mikio das Gefühl aufkommen, kritisiert worden zu sein. Seine Unwissenheit und die Nachlässigkeit seines Vaters stachen ins Auge. Er hätte Mikio mehr beibringen müssen, und er hätte seinen Vater mehr fragen müssen.

Aber dass der Vater sterben würde, war in ihrem Leben zu zweit einfach nicht vorgesehen gewesen.

Ihre Beziehung war weniger eine zwischen Vater und Sohn als vielmehr eine Wohngemeinschaft. Da beide stark beschäftigt waren, galt stillschweigend die Regel, dem anderen nicht zur Last zu fallen. Was in ihren eigenen Kräften stand, erledigten sie selbst. Gab es ein Problem, berieten sie sich. Alles wurde rationell gehandhabt.

Zum ersten Mal in seinem Leben litt Mikio nun tiefe seelische Qualen. Aber derjenige, mit dem er sich hätte beraten können, war gestorben, was sein Elend noch verschlimmerte. Noch bevor er wusste, ob er es allein in den Griff bekommen konnte, war G erschienen und stand ihm nun zur Seite. Mikio war sich nicht sicher, ob es vernünftig war, sich G anzuvertrauen.

Woran er auch dachte, ihm war, als würde er in die Tiefen jenes schwarzen Loches hinab gezogen, das der Tod seines Vaters aufgerissen hatte, und es gelang ihm nicht, seine Gedanken zu ordnen.

Vater ist bestimmt auch selbst erschrocken über seinen plötzlichen Tod! Solcherlei Gedanken kamen ihm hin und wieder ganz unvermutet in den Sinn.

Bald begannen sich die Gäste für die Totenwache zu versammeln. Wie G senkte Mikio seinen Kopf und murmelte ein paar Worte zur

Begrüßung.

Sein Klassenlehrer und S kamen ebenfalls. Spät am Abend erschien auch Suzuki, Yukikos früherer Ehemann. An sein Gesicht konnte Mikio sich nicht mehr erinnern.

G und Suzuki blieben über Nacht.

An vielen Stellen im Haus hingen Trauervorhänge[8], der Duft von Weihrauch erfüllte die Räume und erschwerte das Atmen. Überall blitzte es ganz ungewöhnlich vor Sauberkeit. Die Hausfrauen aus der Nachbarschaft hatten sauber gemacht. Die Toilette, auf der sonst dicker Staub lag, und die Fensterscheiben funkelten wie kaltes Eis.

Irgendwoher war auch ein buddhistischer Priester gekommen. In der Küche lagen noch jede Menge übrig gebliebene Sushi. Die Gäste waren auch mit Sake bewirtet worden.

Am nächsten Tag war es ganz genauso. Schon am Morgen spürte Mikio, dass jemand in der Küche stand und arbeitete, warmer Reis wurde ins Empfangszimmer gebracht, und gegen zehn Uhr versammelten sich erneut in schwarze Kleidung gehüllte Menschen. Der Priester kam und der Sarg mit seinem Vater wurde hinausgetragen. Von Mikio hatte jedoch eine so übermäßige Müdigkeit Besitz ergriffen, dass alles wie im Traum an ihm vorbeirauschte, ob nun der Beginn der Rezitation der Sutren oder das Ende der Trauerfeier.

Er gewöhnte sich daran, alles so zu tun, wie es ihm gesagt wurde, und schon bald erfasste sein Körper intuitiv die Anweisungen von G.

»Nun ist erst mal alles vorbei. Du solltest dich im Obergeschoss ein wenig schlafen legen!«

Als G das sagte, war das Haus zu seiner ursprünglichen Ruhe zurückgekehrt, lediglich der Hausaltar war noch geschmückt. Folgsam stieg Mikio die Treppe in den ersten Stock hinauf und legte sich hin.

Doch ganz war die alte Ordnung im Haus nicht wieder hergestellt. Nicht nur, dass sein Vater nicht mehr da war, auch sonst war es irgendwie anders.

Dadurch, dass die Leute das Haus betreten und aus seiner Ordnung gebracht hatten, war es nun überall voller Risse und Spalten, und so fest er die Tür auch schloss, drang von irgendwoher doch stets Wind durch die Ritzen herein. Mikio fror, tief in seinem Innern wollte es einfach nicht warm werden.

Die Nachforschungen von G und Suzuki brachten einige Mikio nicht bekannte Tatsachen ans Licht.

Als sein Vater vor über zwanzig Jahren seine Arbeit in der Firma aufgenommen hatte, hatte ein Onkel für ihn gebürgt. Suzuki, der bei einer Behörde arbeitete, hatte am Hauptwohnsitz jenes Mannes mit dem Familiennamen Shiiba Erkundigungen eingezogen und herausgefunden, dass er noch lebte. Er war Stadtratsabgeordneter in der Präfektur N.

G schrieb ihm einen Brief, in dem er die Situation erklärte. Statt einer Antwort rief der Abgeordnete direkt bei G in der Firma an, wie Mikio später erfuhr.

»Er hat gesagt, dass dein Vater tatsächlich sein Neffe sei. Von dir scheint er nichts gewusst zu haben. Es gab offensichtlich keinen allzu engen Kontakt. Aber da die Situation nun einmal so sei, ginge es schließlich nicht an, sich nicht um die Sache zu kümmern, weshalb er sich mit uns beraten wolle. Jetzt brauchst du dir keine Sorgen mehr zu machen!«

Sie hätten vereinbart, dass jener Mann sich in Kürze genau informieren und dann zwar nicht selbst kommen, aber eine Person seines Vertrauens schicken werde, die dann auch mit Mikio sprechen solle. Er selbst könne nicht fahren, da er schon sehr alt und auch zu beschäftigt sei, es liege jedoch keine böse Absicht dahinter. G werde bei dem Treffen ebenfalls zugegen sein.

Außerdem hatte G herausgefunden, dass das Haus, von dem Mikio lange geglaubt hatte, dass es ihr eigenes sei, zwar seinem Vater gehörte, nicht aber das Stück Land, das war gepachtet.

Auch nach dem Kontostand schaute G. Er war offenbar niedriger, als G vermutet hatte. Für Mikio war es natürlich viel Geld, weshalb er meinte, er bräuchte sich nun keinerlei Sorgen mehr zu machen.

G erklärte ihm:

»Das ist dein Vermögen, es ist wichtig für dich, du brauchst es zum Leben. Deshalb darfst du auch niemandem davon erzählen und es niemandem zeigen. Auch wenn der Bote aus der Präfektur N kommt und danach fragen sollte, brauchst du ihm so lange nichts davon zu erzählen, bis alles klar und entschieden ist. Hast du verstanden, du darfst das Geld um keinen Preis einem Fremden anvertrauen! Du musst es selbst verwalten.«

Etwa einen halben Monat später erschien in Begleitung von G ein Mann, der sagte, er sei ein Sohn jenes Stadtratsabgeordneten.

Er wirkte viel älter als Mikios Vater und hatte eine etwas finstere Art zu sprechen, die so gar nicht zu seinem robusten Körperbau passte. Er zeigte kaum Gemütsbewegungen und legte eine kühle

Zurückhaltung an den Tag, als berühre ihn die Begegnung mit Mikio nicht weiter.

Das war auch kein Wunder.

»Ich bin zwar der Sohn, aber eigentlich nur der Adoptivsohn und weiß auch keine Einzelheiten.«

Von diesem Satz machte er, als wäre es eine Konjunktion, regen Gebrauch, während er sprach, wobei er meist G anschaute. Er war weder mit Mikios Vater blutsverwandt, noch hatte er ihn gekannt.

Die Präfektur N war die Heimat von Mikios Vater. Doch zum Studium war er nach Tokyo gegangen und dann dort wohnen geblieben. Seitdem war man lange Zeit ohne Nachricht von ihm geblieben. Das lag wohl auch daran, dass seine Eltern nicht mehr unter den Lebenden weilten. Haus und Felder, die sie hinterlassen hatten, waren für seine Studiengebühren draufgegangen. Auch seine Schwester Yukiko war ihm gefolgt und dem Landleben entflohen, um schließlich in Tokyo zu arbeiten.

Sowohl von der Heirat der Schwester als auch von ihrem Tod hatte man in ihrer Heimat nichts gehört.

All das erklärte jener Mann in groben Umrissen, doch in seinen Worten vermochte Mikio nicht im Entferntesten seinen Vater zu spüren. Er hatte das Gefühl, einander fremde Menschen sprächen über jemanden, den sie nicht kannten.

Daher fuhr er zusammen, als plötzlich das Gespräch auf ihn kam.

Ganz unvermittelt hatte der Gast sich an ihn gewandt:

»Mikio, so heißt du doch? Wie ist es, willst du nicht einmal dorthin fahren?«

Während Mikio noch verlegen nach einer Antwort suchte, kam G ihm zuvor und übernahm das Wort:

»Meinen Sie damit, dass Mikio dann dort leben soll?«

Er sei nicht befugt, solche Dinge selbst zu entscheiden, erwiderte der Mann.

»Wir wussten ja nicht einmal, dass es einen Jungen namens Mikio überhaupt gibt. Natürlich ist mein Adoptivvater ganz und gar nicht jemand, der schweigend wegblicken würde, sollte Mikio in Schwierigkeiten geraten. Aber auf jeden Fall wird es wohl, so lange er ihn nicht einmal persönlich kennen gelernt hat, zu keiner Entscheidung kommen. Mein Adoptivvater ist schon recht betagt und kann nicht hierher kommen, selbst wenn er es wollte. Da muss sich schon der Jüngere zu ihm begeben. Schließlich ist da ja auch noch die Urnenbeisetzung, da wirst du doch zu uns kommen, oder?«

Aus diesen Worten schloss Mikio, dass ihr Familiengrab sich in der Provinz befinden musste. Wie verabredet schauten G und er sich einen Augenblick lang an.

Es gab, wie sie nun erfuhren, einen Friedhof, auf dem alle Ahnen lagen, einschließlich der Eltern seines Vaters und Yukikos, und die Familie des Abgeordneten kümmerte sich um die Gräber.

Mikios Mutter war allerdings nicht dort beerdigt worden. Wo befand sich dann aber ihr Grab? Für die Frage, die sich Mikios bemächtigte, fand er keine Worte. Aus den Worten des Gastes hatte er herausgehört, dass man ja nicht einmal etwas von der Heirat des Vaters gehört hatte.

Ob seine Mutter wirklich gelebt und existiert hatte, wusste allein sein Vater.

Mikio hatte zwar keine Lust, doch G entschied einfach, nachdem er sich mit dem Fremden beraten hatte, ihn gleich zu Beginn der Winterferien zu seinen Verwandten zu schicken.

Der Gast hatte im Stadtzentrum ein Zimmer gebucht, erklärte, dass er noch etwas anderes zu erledigen habe, und verabschiedete sich, noch ehe es Abend wurde. Kurz danach ging auch G nach Hause.

Allein zurückgeblieben setzte Mikio sich vor das Foto seines Vaters und opferte ein Weihrauchstäbchen. Die Stäbchen der anderen beiden glommen noch.

Es war doch geradezu grotesk, einfach so mir nichts dir nichts in jene Provinz zu reisen, zu der sein Vater alle Verbindungen abgebrochen hatte! Nur weil er nun allein zurückgeblieben war! Er konnte sich nicht vorstellen, dass sein Vater glücklich darüber wäre. Auch die andere Seite schien nicht allzu viel Interesse zu hegen. Zudem fühlte er sich gar nicht so einsam und verlassen, dass er unbedingt jemanden gebraucht hätte, der ihm half. Vielmehr empfand er die Bemühungen von G als störend. Auch die aufmunternden Worte seines Lehrers und seiner Klassenkameraden waren ihm lästig gewesen, es war ihm einfach alles zu viel.

Der Mann, der aus der Provinz angereist war, hatte lediglich berichtet, dass sein Vater und seine Schwester aus der Provinz geflohen waren, sich nie gemeldet hatten, nie zurückgekehrt waren, nicht einmal mitgeteilt hatten, dass sie geheiratet und ein Kind bekommen hatten, und dann plötzlich gestorben waren.

Sie hatten dort keine allzu gute Meinung von seinem Vater.

Mikio fragte G:

»Meinen Sie, dass ich in die Provinz fahren sollte?«

Es schien ihm nämlich so, als ob auch G in seinem Innersten wütend auf seinen Vater war.

Doch G erwiderte:

»Aber wenn du nicht hinfährst, was willst du dann machen? Er ist der Einzige, der dir helfen kann. Da ist es auf jeden Fall das Nächstliegende, ihn zunächst einmal zu besuchen. Ach weißt du, wenn du ihn erst einmal kennengelernt hast, werdet ihr euch bestimmt schon irgendwie verstehen. Schließlich seid ihr blutsverwandt, da muss euch doch irgendetwas verbinden. Auch er wird doch nichts tun, was dir schaden könnte. Du wirst ihm ganz sicher gefallen. Schließlich hast du ja jetzt sogar zu mir Zutrauen gefasst, obwohl ich doch eigentlich ein Fremder für dich bin.«

Trotz seiner irgendwie undurchschaubaren Miene klang es so, als sei er ernsthaft besorgt, Mikio könnte die Reise in die Provinz scheitern lassen.

Wenn er nicht ging, würde er G Unannehmlichkeiten bereiten.

Schließlich waren es folgende Worte von G, die Mikio mobilisierten:

»Du könntest dir doch einfach nur einmal den Ort anschauen, wo dein Vater seine Kindheit verlebt hat, und dort die Urne beisetzen.«

Er wartete nicht einmal bis zu den Winterferien und beschloss, sich Anfang Dezember, am Samstag nach den letzten Klassenarbeiten in diesem Jahr auf den Weg zu machen. Einen Tag vorher schickte er per Eilpost eine Karte, auf der er kurz und knapp mitteilte, dass er kommen werde, und rief G an, um auch ihm Bescheid zu geben.

Dann griff er sich nach anfänglichem Zögern eine Handvoll von den Knochen seines Vaters, wickelte sie in Papiertaschentücher, steckte sie in eine Plastiktüte und vergrub sie in einer Ecke des Gartens. Denn irgendwie widerstrebte es ihm, alle mit in die Provinz zu nehmen.

Die Urne steckte er in eine Sporttasche. Anderes Gepäck hatte er nicht. So wie auch jener Gast aus der Provinz nicht bei Mikio übernachtet hatte, hegte auch er nicht die Absicht, über Nacht bei ihm zu bleiben. Damit verband er keinerlei Hoffnungen, er hatte lediglich so entschieden.

Keine zwei Stunden, nachdem er den Superexpresszug bestiegen hatte, war er am Ziel. Er stieg aus, und wie er so auf dem menschenleeren Bahnsteig stand, kam ihm der Gedanke, dass er ja noch am selben Tag zurückkehren könnte.

Als er vor dem Bahnhof ein Taxi nahm und dem Fahrer sein Ziel nannte, fragte dieser zurück:

»Zu Herrn Shiiba willst du?«-»Kennen Sie ihn?«-»Jeder, der hier wohnt, kennt ihn.«-»Gut, dann fahren Sie mich bitte dorthin!«-»In welcher Beziehung stehst du denn zu Herrn Shiiba?«-»In keiner besonderen. Ich hab nur was zu erledigen.«-»Wo kommst du denn her?«-»… Tokyo.«-»Bist du etwa mit dem Superexpress gekommen? Jaja, selbst Tokyo liegt nun fast nebenan.«

Nachdem sie ungefähr zwanzig Minuten auf einer breiten Straße entlang gefahren waren, verließen sie den Ort und näherten sich den Bergen, bis das Taxi vor einem großen weißen Haus hielt.

»Shiiba« stand auf einem Namensschild in den gleichen Schriftzeichen wie Mikios Familienname.⁹ Das Haus sah so neu aus, als sei es erst vor kurzem erbaut worden. Sich der Blicke des Fahrers bewusst, drückte Mikio, ohne sich Zeit zum Nachdenken zu nehmen, auf den Klingelknopf am Torpfosten.

Von innen antwortete eine Frau.

»Hier ist Shiiba Mikio aus Tokyo.«

Plötzlich überlief es ihn siedend heiß. Am liebsten hätte er auf dem Absatz kehrtgemacht und die Flucht ergriffen.

An das Meiste, was er in diesem Hause sah und hörte, konnte er sich später kaum noch erinnern. Im Nachhinein kam es ihm so vor, als hätte ihn – gleichsam als sei er grundlos in feindliches Territorium eingedrungen – plötzlich der Eifer übermannt und er dann die ganze Zeit dem »Alten« wie in einem Gefecht gegenüber gestanden.

Es lief ganz und gar nicht so, wie G vorausgesagt hatte. Sowohl Mikio als auch der alte Mann blieben distanziert.

Der Herr des Hauses und Onkel seines Vaters hatte mit diesem aber auch gar nichts gemein. Er war bleich und schwabbelig dick, und obgleich ihm sogar das Sprechen schwer zu fallen schien, verhielt er sich von Anfang an ausgesprochen arrogant.

»Du scheinst ja ganz nervös zu sein. Ganz wie dein Vater! Wie ist es, hast du dich entschlossen, mein Sohn zu werden? Zimmer für dich zum Wohnen gibt's in diesem Haus mehr als genug.«

Das dürften seine ersten Worte zu Mikio gewesen sein. Seit der alte Mann im Empfangszimmer erschienen war, hatte er, auch nachdem Mikio aufgestanden war und sich vorgestellt hatte, seinen Mund nicht aufgetan, sich schwerfällig auf das Sofa fallen lassen und ihn ungeniert angestarrt. Nicht ein einziges Mal zeigte er ein Lächeln.

Dass der Alte ihn so vertraulich ansprach, verschlug Mikio die Sprache. Da er selbst den alten Mann nicht als »Verwandten« wahrnahm, forderten die Worte »mein Sohn« seinen Widerstand heraus. Das ging zu weit! Zudem konnte er sich einfach nicht vorstellen, dass dieser Mann im Ernst vorhatte, sich um ihn zu kümmern.

Bevor Mikio antworten konnte, wechselte der alte Mann das Thema.

»Wo sind die Knochen deines Vaters? Hast du sie wohlbehalten mitgebracht?«

Augenblicklich ließ Mikio seine Sporttasche, wie um sie zu schützen, von seinen Knien gleiten, um sie im nächsten Moment neben seinen Stuhl zu schieben, wo der alte Mann sie mit seinen Blicken nicht erreichen konnte.

»Ich hab sie nicht mitgebracht.«

»Ihr habt doch in Tokyo gar keine Grabstätte, oder?«

»Ich werde eine errichten.«

Einen Augenblick lang schien ein höhnisches Lächeln über das Gesicht des Alten zu flackern. Mikio schaltete innerlich plötzlich auf stur. Hier hielt er es nicht länger aus. Das war nicht der richtige Ort für ihn. Dieser Mensch war falsch. Als gäbe ihm jemand ein Zeichen, befahl ihm seine Intuition, sein Herz zu verschließen.

Der Alte versenkte seinen Körper nur noch tiefer in das mit Leder bespannte Sofa. Die Augen, die Mikio anstarrten, ließen nicht locker. Der Mann blieb stumm. Wie viel Zeit mochte in diesem Zustand wohl verstrichen sein? Da ging die Tür auf und eine alte Frau brachte auf einem Tablett zwei Tassen Tee herein.

»Ganz allein hast du all das ertragen und nun auch noch den weiten Weg auf dich genommen! Tüchtig, tüchtig! Dir muss doch ganz einsam zumute gewesen sein!«

Die alte Frau, die sich auf den Teppich kniete, verengte ihre Augen zu Schlitzen, während sie Mikio Tee und Gebäck anbot.

»Er hat nichts von uns gewusst, Frau. Sein Vater hat, ohne seinem schon so großen Sohn etwas von seiner Heimat erzählen zu können, diese Welt verlassen …«

»Ja, der Weg ist eben einfach zu weit. Er muss ordentlich etwas essen bei uns …«

»Du sagst weit, doch mit dem Superexpress sind es nur zwei Stunden. Hier ist doch auch schon fast Tokyo. … Bleib hier über Nacht!«

Die alte Frau schien die Frau des alten Mannes zu sein. Auf einen einzigen Wink von ihm verließ sie leise das Zimmer, und die drücken-de Stille kehrte wieder zurück. Bald darauf brachte eine jüngere Frau Obst. Der alte Mann ignorierte sie so vollkommen, dass selbst Mikio vergaß, seinen Kopf zu senken.

»Willst du nichts essen? Du brauchst dich in diesem Haus nicht zu zieren.«

Doch als der Alte als erster die Stille durchbrach, stand Mikio bereits, als hätte er dies als einen Wink verstanden. Dann sprudelte er Hals über Kopf drauflos, mit einer Energie, als sprängen die Buch-staben von einem weißen Blatt Papier auf ihn zu. Er war vollauf damit beschäftigt, die Worte einzufangen, die, kaum dass sie erschienen waren, wieder zu entschwinden drohten, so dass ihm die Gelassenheit fehlte, auf die Reaktionen des alten Mannes zu achten. Auch war er nicht geistesgegenwärtig genug, um, einmal im Redefluss, wieder auf-zuhören.

Er erklärte, dass er nicht die Absicht habe, hier zu wohnen, und dass er gekommen sei, um das mitzuteilen. Auch heute wolle er nicht hier übernachten, sondern werde sofort zurückkehren. Er werde ihn in Zukunft nie wieder behelligen. Er erinnere sich, dass sein Vater zu ihm gesagt habe, dass er keine Verwandten habe. Er sei in der Lage, alles selbst zu regeln. So habe ihn sein Vater erzogen. Und so weiter.

»Entschuldigen Sie mich bitte jetzt! Grüßen Sie bitte die ältere Dame von vorhin!«

Später konnte er sich nicht mehr darauf besinnen, ob der alte Mann versuchte hatte, ihn aufzuhalten. Er hatte das Gefühl, eine auf-gebrachte Stimme hinter seinem Rücken vernommen zu haben, doch war er sich dessen nicht sicher. Er hatte alles gesagt, was zu sagen war. Eigentlich hatte er sich höflich und angemessen verhalten wollen, doch in Wirklichkeit war er dann überaus erregt gewesen und hatte die Beherrschung verloren. Die Beine hatten ihm bis zu den Knien hinauf geschlottert. Die Sporttasche, die er an sich genommen hatte, war vor lauter Schwung gegen den Tisch geprallt, so dass er im selben Augenblick die hölzerne Urne krachen und die Knochenteile anein-anderschlagen und sandig knirschen gehört hatte, weshalb er wie ein Fliehender aus dem Zimmer gestürzt war.

Eine Zeit lang lief er, dann rannte er, und als er sich umdrehte und merkte, dass ihm niemand folgte, begannen plötzlich die Tränen zu fließen. Es waren seine ersten Tränen seit dem Tod seines Vaters. Nachdem er nur einige wenige Schritte im Gehen geweint hatte, blieb er mit einem Mal stehen und fühlte sich ganz erfrischt.

Nach Tokyo zurückgekehrt berichtete er G von der misslungenen Begegnung mit dem alten Mann. G schien die Dinge ebenfalls so hinzunehmen, wie sie nun einmal waren. Auf seinen Vorschlag hin vertraute Mikio die Knochen seines Vaters jenem Tempel an, dessen Priester zur Bestattung gekommen war. Danach zog sich G immer mehr von ihm zurück, hin und wieder aber machte er sich dann doch Sorgen um ihn und schrieb ihm einen Brief.

»Solltest du nach dem Abschluss der Schule eine Arbeit suchen, werde ich veranlassen, dass du in unserer Firma angestellt wirst.«

Aber da Mikio wie selbstverständlich darauf hoffte, an die Universität zu kommen, antwortete er nur selten auf die Briefe von G.

Mikio war nun voll und ganz von seinem Alltag in Anspruch genommen. Denn wenn er sein Leben nicht meisterte, war es gefährdet, wie er nur kurze Zeit später am eigenen Leib erfuhr. Es war in jenem Herbst, als er die elfte Klasse besuchte und in Vorbereitung auf die Universitätsaufnahmeprüfungen wie besessen lernte, als der Arzt Unterernährung diagnostizierte.

»Sich so zu ernähren – das gleicht ja Selbstmord.«

Die Worte des Arztes versetzten ihm einen Schock. Als er matt im Krankenhaus vor sich hin dämmerte, zog er den voreiligen Schluss, dass er nun selbst auch sterben würde, und hatte sich bereits aufgegeben. Jedesmal, wenn der Arzt oder S ihm forschend ins Gesicht blickten, schämte er sich irgendwie, weil sein eigenes Leben viel zu schnell zu Ende ging.

Was in diesen Momenten in ihm vorging, begriff er selbst nicht.

5

Man konnte wohl sagen, dass sich sein Leben so gut wie gar nicht verändert hatte. Wie bisher wohnte er in seinem Haus, zog das an, was ihm gerade in die Hände fiel, und besuchte dieselbe Oberschule. Daran, dass sich die Zahl der zu Hause gesprochenen Worte um den Anteil verringert hatte, den sein Vater nun nicht mehr mit ihm sprach, ließ sich nichts ändern. Da aber stattdessen in der Schule und in der Nachbarschaft viel öfter jemand das Wort an ihn richtete als vorher, redete er jetzt an einem Tag wesentlich mehr als früher. Die Zahl der Handgriffe im Haushalt hätte sich eigentlich um jene, die sein Vater nun nicht mehr übernehmen konnte, vergrößern müssen, doch da dieser als sein ehemaliger Mitbewohner nicht mehr lebte und nur noch eine Person zu versorgen war, hatte Mikio letztendlich auch weniger zu tun.

Was Kleidung und andere Dinge des Alltags anging, glaubte er, nicht allzu nachlässig geworden zu sein. Schließlich tauchten hin und wieder Hausfrauen der Nachbarschaft, Freunde oder G bei ihm auf, um nach dem Rechten zu sehen.

Was ihm am Anfang überhaupt nicht gelingen wollte und am meisten Kopfzerbrechen bereitete, war die Frage, wie viel er zu einer Mahlzeit essen und wie viel er einkaufen sollte. Auch als er noch mit seinem Vater zusammenlebte, hatte er wie selbstverständlich Einkäufe erledigt, Mahlzeiten zubereitet und an drei, vier Tagen der Woche allein gegessen. So gut wie nie war er zum Essen in ein Lokal gegangen. Doch nun allein auf sich gestellt, verließ ihn auf einmal das notwendige Fingerspitzengefühl, und er vermochte nicht mehr einzuschätzen, wie viel er kaufen oder wie viel er zu sich nehmen sollte, ohne sich jedes Mal erneut auf seine früheren Erfahrungen zu besinnen. Wahrscheinlich war ihm das alles nur noch lästig. Und was er kaufte und was er zu sich nahm, war ihm inzwischen auch egal.

So aß er jeden Tag dasselbe und merkte es nicht einmal selbst. Die ewig gleichen Gerichte wurden zudem immer einfacher und schlichter, eine wohl nur allzu natürliche Entwicklung der Dinge. Auch im Umgang mit Geld erging es ihm ähnlich. Irgendwann vermochte er nicht einmal mehr darüber nachzudenken, wie viel Geld er ausgegeben hatte und wie viel er noch übrig hatte. Genauso wenig kam ihm der Gedanke, dass es auch auf ihn zurückschlagen würde, wenn er nicht alles meisterte. Wirklich wichtig sei für ihn im Leben etwas ganz anderes, meinte er immer. Was das aber war, lag allzu sehr im Verschwommenen, was allerdings nicht bedeutete, dass er nun pausenlos darüber nachdachte, um es herauszufinden. Er wollte nur nicht glauben, dass die korrekte Erledigung von Einkäufen und Putzarbeiten das Wichtigste im Leben sein sollte.

Emsig lief er zur Schule. Seit der Zeit, da es ihm egal geworden war, was er aß, wenn er nur auf möglichst einfache Art und Weise satt wurde, stürzte er sich mit Feuereifer auf das Lernen, so dass seine Leistungen plötzlich in die Höhe zu schnellen begannen. Für ihn war das Lernen der einfachste Weg, Zeit tot zu schlagen, sowie auch der wirksamste, die besorgten Mienen der Menschen in seiner Umgebung abzulenken.

Nachdem er es zunächst übertrieben und schließlich unterernährt für helle Aufregung gesorgt hatte, schenkte er dem Essen mehr Aufmerksamkeit, so dass seine Leistungen wieder stark abfielen und er nun auf dem Rang in der Klasse, den er auch vorher innegehabt hatte, den Aufnahmeprüfungen für die Universität entgegensah.

In einem Gespräch mit seinem Lehrer antwortete er auf dessen Frage, dass er natürlich an der Universität studieren wolle. Der Lehrer zeigte sich sehr skeptisch. Es gebe zwei Probleme, erklärte er, zum einen die Finanzierung der Studiengebühren und zum anderen Mikios Leistungen selbst. Diese waren zwar auf einen Schlag in die Höhe geschossen, danach aber genauso schnell wieder abgefallen, um schließlich an einen Punkt zu gelangen, wo sie etwas unter dem Durchschnitt lagen. Auch was das Geld anging, hatte Mikio, als das Studium an der Universität sich in ein konkretes Ziel vor seinen Augen verwandelt hatte, überstürzt recherchiert und festgestellt, dass es mehr zusammengeschmolzen war, als er angenommen hatte, so dass selbst er erkennen konnte, dass er ganz und gar nicht in der Lage dazu war, in aller Seelenruhe vier Jahre an einer teuren Privatuniversität zu studieren.

Doch das rüttelte ihn im Gegenteil erst richtig wach. Ich werde es um jeden Preis schaffen, entbrannte in ihm eine Art glühender Feuereifer.

Im Gespräch mit dem Lehrer tat er nun so, als sei er der Stammhalter, der ein riesiges Vermögen geerbt hätte, um dann gleich auch noch den alten Stadtratsabgeordneten anzuführen und großspurig zu verkünden, dass er sich um Geld keine Sorgen zu machen brauche.

Er hatte sich daran erinnert, wie er im vergangenen Jahr, als sein unterernährter Zustand alle in große Aufregung versetzt hatte, dem Lehrer und S, die sich um ihn sorgten, blauen Dunst vorgemacht hatte, indem er mehr Geld als notwendig verbrauchte, nur weil er nicht den Eindruck erwecken wollte, er hätte aus Sparsamkeit zu wenig gegessen.

Genau wie damals akzeptierte sein Klassenlehrer auch diesmal seine Beteuerungen problemlos: »Wenn das so ist, dann ist es ja gut.« Möglicherweise tat er auch nur so, als sei er überzeugt.

»…da bin ich aber beruhigt, nun, da ich weiß, dass solch eine Persönlichkeit sich deiner angenommen hat.«

Das wievielte Mal traf Mikio nun schon in der direkten Konfrontation mit anderen aus dem Stegreif Entscheidungen für seine Zukunft? Er war sich nicht sicher, ob er sich so entschied, wie er es wirklich auch wollte. Sowohl G als auch der Alte in der Präfektur N als auch sein Klassenlehrer erschienen ihm wie große Steine, die irgendwo auf seinen Weg gerollt waren. Stieß er zufällig auf sie, wich er ihnen aus und bog ab.

Doch nur scheinbar, denn in Wahrheit wechselte er nie die Richtung. Er tat nichts anderes, als seinen schnurgerade verlaufenden flachen Pfad nach dem Gesetz der Trägheit immer weiter zu verfolgen. Es waren eher die Steine, die seinen Kurs zu ändern versuchten. Wenn sein Vater noch lebte, hätte niemand danach getrachtet, ihn von seinem Weg abzubringen. Doch nachdem sein Vater das Zeitliche gesegnet hatte, musste er selbst, unvorbereitet und ohne langes Nachdenken, die Entscheidung fällen, immer weiter geradeaus zu gehen…

Erneut begann er wie besessen zu lernen. Er setzte sich nicht jene Universität, die ihm sein Lehrer auf Grund der Einschätzung seiner Fähigkeiten empfohlen hatte, sondern eine bessere zum Ziel. Sein Lehrer hatte nämlich angedeutet, dass er es auf keinen Fall dorthin schaffen würde. Für die Agrarwissenschaftliche Fakultät hatte er sich entschieden, weil niemand aus seiner Klasse dorthin wollte. In Wahrheit war die Wahl der Fakultät für ihn zweitrangig, viel wichtiger war es für ihn, sich auf das Lernen für die Aufnahmeprüfungen zu konzentrieren. Angefangen mit seinem Lehrer hatten die Menschen in seiner Umgebung mehr oder weniger deutlich durchblicken lassen, dass sie sich um seine Zukunft sorgten. Er fühlte sich bedroht, als nähere sich ihm Schritt für Schritt ein unheimliches Phantom von riesigen Ausmaßen.

Er musste es abwehren und vertreiben.

Im ersten Jahr erfüllte sich die Vorhersage seines Lehrers, er fiel durch. Doch er änderte sein Wunschziel nicht. Ein Jahr lang besuchte er eine Vorbereitungsschule für die Aufnahmeprüfungen, um diese schließlich erfolgreich zu bestehen.

Als die Immatrikulation an der Universität feststand, verwirklichte er all das, was er insgeheim schon lange geplant hatte. Er gab das Haus auf und zog in eine zehn Quadratmeter große Einraumwohnung. In der kurzen Zeit vom Bestehen der Prüfung bis zur Immatrikulation war er ständig unterwegs. Und nicht nur das, er mobilisierte sogar jene Menschen, die er so wenig mochte, dass er seine Abneigung bis dahin kaum zu unterdrücken vermocht hatte. Allerdings hatte er danach eher das Gefühl, sie benutzt zu haben.

Zu den Verhandlungen mit dem Grundbesitzer und dem Ordnen seines Hab und Guts zog er G hinzu, bei den Aufnahmeformalitäten für die Universität standen ihm G sowie auch der alte Stadtratsabgeordnete als Bürge zur Seite. Mit letzterem verkehrte er auf dem Postweg. Der alte Mann sandte ihm Glückwünsche sowie eine einfache schriftliche Einwilligung. Die Unterlagen, die er von Mikio erhalten hatte, schickte er mit seinem Unterschriftstempel versehen zurück. Im selben Umschlag lag ein sich auf eine beträchtliche Summe belaufender ausgefüllter Scheck.

Damit konnte Mikio die gesamten Immatrikulationskosten bestreiten. Er schrieb einen höflichen Dankesbrief. Er fühlte sich nicht sonderlich beschämt dabei. Auch G gegenüber hatte er kein schlechtes Gewissen. Stärker war das Gefühl, sich das Recht dafür, die nächsten vier Jahre an einem von der Welt anerkannten Ort zuzubringen, aus eigener Kraft erkämpft zu haben.

»Ich hatte dich unterschätzt«, gab G zu, als er Mikio einmal zum Essen einlud.

»Meinem Chef habe ich auch alles berichtet. Manchmal ist es besser, auf diese Art und Weise seinen Marktwert zu steigern. Das macht nämlich mehr Eindruck, als manch einer vermuten mag … Schließlich hat er sogar anklingen lassen, dass du nach dem Abschluss der Uni in unserer Firma anfangen könntest.«

Dabei ließ G ein verschlagenes Lächeln durchblitzen. Mikio beschränkte sich darauf, hin und wieder mit dem Kopf zu nicken, wenn es gerade passte. Für ihn bestand keinerlei Notwendigkeit, jetzt schon über die Zeit nach seinem Studium nachzudenken.

Er bedankte sich noch einmal dafür, dass G sich bereit erklärt hatte, für ihn zu bürgen. »Was denn, das hab ich doch getan, weil ich an dich glaube! Dein Vater wäre bestimmt froh darüber«, erwiderte G mit einem leicht strengen Gesichtsausdruck und warf sich in die Brust, dass die Schultern bebten.

G versuchte nie, von seiner eigenen Familie zu erzählen, wahrscheinlich aus Rücksicht auf Mikio. Selbst wenn dieser danach fragte, reagierte G nur unbestimmt und ausweichend. Mikio fand das jedoch sehr befremdlich. Denn schließlich kümmerte sich G um ihn, weil sein Vater gestorben war und er dadurch »in eine Lage geraten war, niemanden zu haben, an den er sich wenden konnte«. Das stellte für ihn einen sehr privaten, gleichsam familiären Grund dar. Aber G verstand sich wohl zur einen Hälfte als der Zuständige für die Sorge um Familienangehörige von verstorbenen Firmenangestellten, und zur anderen als ein ehemaliger Kollege seines Vaters. Dieser Gedanke entsprang nicht etwa dem Misstrauen Mikios, sondern G hatte es selbst mehrmals betont. Mikio begriff, dass G das wohl aus Mitgefühl zu ihm sagte. Gleichzeitig vermutete er, dass G damit wohl auch die Grenzen seiner Anteilnahme erreicht hatte.

Trotzdem war dieses Mitleid ein ganz privates Gefühl von G, mit anderen Worten nahm er, der Vater eines Kindes, sich liebevoll Mikios an, der seinen Vater verloren hatte, so dass sie schließlich doch ein familiäres Verhältnis verband.

Gs Bemühungen jedoch, Mikio die Wärme seiner eigenen Familie nicht spüren zu lassen, wirkten unnatürlich.

Gelegentlich rutschten G Worte heraus wie ›Ich habe nie einen Sohn gehabt‹, oder ›Die neuen Firmenmitarbeiter könnten vom Alter her alle meine Söhne sein, wie du ja auch!‹, um dann betont beiläufig zu allgemeineren Gesprächsthemen zu wechseln. Dann spürte Mikio erst recht das traute Heim von G, der von Tochter und Ehefrau umgeben war.

Gs geliebte und behütete Familie stand zu Mikios Welt ohnehin in keinerlei Verbindung. Das, was er verloren hatte, ähnelte ihr in keiner Hinsicht. Er vermisste nur einen Menschen: seinen Vater. Allerdings hatte er mit diesem auch das Gefühl für die Unendlichkeit der Zeit verloren. Sowohl die Zeit als auch die Beziehungen zu anderen Menschen als auch seine eigenen Gedanken – all das war dabei, klirrend zu zerspringen. Wenn er keine Anstrengungen unternahm, sie wieder aneinander zu fügen, dann blieben sie für alle Zeiten zerbrochen.

Als er in seine Wohnung umzog, ließ er die Gebeine seines Vaters, die er im Garten vergraben hatte, dort zurück.

Und nicht nur sie, bis auf die Dinge, die er für das tägliche Leben brauchte, hatte er sich von allen Dingen getrennt, einschließlich der Hinterlassenschaft seines Vaters. Das Haus selbst hatte er verkauft.

Sein Vater würde schon nichts dagegen einzuwenden haben. Selbst wenn er das wollte, könnte er sich ohnehin nicht mehr äußern. Und falls er doch Einspruch erheben sollte, könnte Mikio es nicht hören.

Es waren nicht nur die Dinge, die Mikio entsorgte. Obwohl er G oder anderen, wie zum Beispiel dem alten Mann aus der Präfektur N unzählige Fragen über seinen Vater hätte stellen können, wenn er es nur gewollt hätte, tat er es nicht. So entledigte er sich auch jener ihm unbekannten Seiten seines Vaters, die dieser in seiner Kindheit und Jugend und in der Firma an den Tag gelegt hatte. Das hatte unter anderem zur Folge, dass er über seinen Vater letztendlich fast gar nichts wusste. Doch an ein solches Verhalten war er wohl schon im Zusammenleben mit seinem Vater gewöhnt worden. Dieser hatte ihm das gesagt, was nötig war. Unnötige Dinge hatten keine Erwähnung gefunden. Brauchte Mikio Geld, hatte sein Vater es ihm schweigend gegeben. Keiner von beiden hatte sich in die Belange des anderen eingemischt.

In der Firma hatte sein Vater nichts über seinen Sohn erzählt. Dieser wiederum war täglich in die Schule gegangen, ohne sich groß um seinen Vater Gedanken zu machen.

G wusste nicht, was für ein Leben sie beide geführt hatten. Mikio verspürte auch keine Lust, ihn darüber aufzuklären. G und ihn verband im Grunde genommen gar nichts. Aber warum hatten dann G und der alte Stadtratsabgeordnete bei seiner Immatrikulation die Bürgschaft übernommen?

Wofür verbürgten sich die beiden eigentlich?

Selbstredend war der eigentliche Bürge sein Vater. Die anderen beiden bürgten indirekt für ihn, wobei der Name seines Vaters ihnen als Pfand diente.

Was für ein seltsames System, lachte er. Schließlich hatte er den beiden keinerlei schriftliche Erklärung gegeben. Er hatte auch keinen Eid abgelegt.

»Ich bereite Ihnen Unannehmlichkeiten«, entschuldigte er sich bei G. An diese Worte hatte er sich seit der Beerdigung gewöhnt. Er hatte sie bei G gehört und sie sich gemerkt.

»Was sagst du da! Ich bin froh, dass ich mich nützlich machen kann. Wirklich!«

Mit der Hand vor seinem Gesicht herum wedelnd nickte G sichtlich zufrieden ein um das andere Mal.

»Da wäre dein Vater sicher auch beruhigt. Er kann sich glücklich schätzen, einen so tüchtigen Sohn zu haben. Es wird auch künftig nicht leicht für dich werden, da gilt es auf alle Fälle, sich anzustrengen. Das sage ich dir von Mann zu Mann.«

»Ich werde mein Bestes geben.«

»Darin ähnelst du deinem Vater.«

Die Kräfte seines Vaters wirkten im Hintergrund immer noch weiter. Die Augen von G hatten einen Ausdruck angenommen, als erblickten sie durch ihn hindurch hinter seinem Rücken die Gestalt seines Vaters. Ob G ihn wohl gemocht hatte?

Beim Abschied ermahnte er Mikio:

»Geh achtsam mit deinem Geld um!«

»Ja. Bleiben Sie gesund!«

»Pass auch du auf deine Gesundheit auf! Aber eigentlich mach ich mir da gar keine Sorgen.«

»Vielen Dank für das Essen!«

Davon, dass von dem Geld nichts mehr übrig war und Mikio einmal wegen Unterernährung erkrankt war, erfuhr G nichts.

Ein neues Leben begann. In welchem Sinne auch immer, es war wirklich ein neues Leben. Wie gut auch, dass er umgezogen war! Diejenigen, die ihre besorgten Blicke auf ihn gerichtet hatten, waren aus seinem Umfeld verschwunden. Auch gab es niemanden mehr, der ihn zu einer Entscheidung zwang.

Er fühlte sich ziemlich wohl in seiner nicht zu großen, zu ihm passenden Wohnung. In das kleine Zimmer schien das Gefühl von der »Präsenz« seines Vaters nicht hineinzupassen. Hier war allein sein Zufluchtsort. Nun brauchte er sich keine Gedanken mehr über Dinge zu machen, die nichts mit ihm zu tun hatten.

Er selbst war längst kein schwächlicher Junge mehr, der wegen Unterernährung zusammenbrach. Rasch lernte er, mit Nebenjobs Geld zu verdienen, und sich unverfroren auf die Aufzeichnungen anderer zu verlassen.

Die größte Dankbarkeit empfand er dafür, dass er als Student nun wieder ein ganz normaler Mensch geworden war.

Studenten gingen ganz selbstverständlich Nebenjobs nach und wohnten zur Miete. Er war nichts Besonderes mehr, nur noch einer der unzähligen Studenten.

Niemand sprach über seine Familie. Aus dem täglichen Sprachgebrauch waren Worte wie Eltern, Vater, Mutter und Erziehungsberechtigte verschwunden. Stattdessen gab es andere, die man häufig zu hören bekam. Was und wo er heute essen würde – darüber hätte er als Oberschüler niemals gesprochen! Eher hätte er sich die Zunge abgebissen. Auch sagten Studenten oft, ohne viel Aufhebens darum zu machen, dass sie kein Geld hätten. Ebenso wenig machte es ihnen etwas aus, schmutzige Hemden zu tragen.

Die Universität war ein ausgesprochen praktischer Ort. In der Mensa der Studentenkooperative wurden von morgens bis abends preiswerte Gerichte mit einem ordentlich berechneten Nährwert angeboten. Das lästigste Problem war damit gelöst. Doch nicht nur in der Studentenkooperative, auch in der näheren Umgebung der Universität fanden sich viele Bequemlichkeiten für einen Studenten, der zur Miete wohnte.

Außerdem gab es Vorlesungen, bei denen die Teilnahme freigestellt war, Bibliotheken und Cafés, in denen sich kein Mensch darum kümmerte, wie viele Stunden er dort zubrachte, sowie den weitläufigen Campus.

Da allein durch den Besuch der Universität aber auch alles auf einen Schlag leichter geworden war, lebte er eine ganze Zeit lang wie im Traum. Dies schien ihm sogar ein eigens für ihn geschaffener Ort zu sein.

Mikio hatte das Gefühl, über seinen früheren Oberschullehrer und G zu triumphieren, die beide befürchtet hatten, er könnte die Prüfung für die Universität nicht bestehen, und denen es nicht gelungen war, ihm nahe zu legen, sich eine Stelle zu suchen. Wenn er damals dem Weg gefolgt wäre, den sie ihm empfohlen hatten, hätte er mit Sicherheit niemals erfahren, dass es solch einen Ort überhaupt gab. Und wahrscheinlich hätte er auch weiterhin deprimiert den Kopf hängen lassen und gedacht, er sei halt eine Ausnahme, weil er keine Eltern mehr habe.

Bei diesem Gedanken fuhr es ihm eiskalt den Rücken hinunter.

Es war richtig gewesen, sich auf die eigene Einschätzung zu verlassen, und nicht auf die Freundlichkeit fremder Menschen, die mit einem Blick herumliefen, als wüssten sie alles.

Sobald er sich nicht mehr von anderen Menschen unter Druck gesetzt fühlte, stürzte er sich in sein eigenes Leben. Wie oft er sich auch sagte, dass er nichts anderes als ein ganz gewöhnlicher Student sei, unterschied er sich allerdings in dem Punkt, dass er keinerlei finanzielle Unterstützung erhielt, von den meisten anderen Studenten. Doch dieser Unterschied störte ihn nicht mehr.

Wie verdiente man möglichst effektiv seine Lebenshaltungskosten?

Wie organisierte man mit möglichst großer Wirkung in der verbleibenden Zeit den Besuch der Vorlesungen?

Das allein galt es gut in den Griff zu bekommen. Um auch weiterhin an der Universität bleiben zu können, war das eine unabdingbare Voraussetzung.

Denn inzwischen hatte auch die Befürchtung in ihm Fuß gefasst, er könnte die endlich für sich gewonnene paradiesische Welt wieder verlieren.

Er übernahm ein paar mehr Jobs als nötig und lernte mehr als genug. Aber diese leichte Übertreibung war genau richtig. Er empfand es als angenehm, immer mit derselben Geschwindigkeit herum zu rennen, und wenn die Arbeit eines Tages vollbracht war, wurde er von starker Müdigkeit übermannt … Hin und wieder, wenn er schon halb eingeschlafen war, kam es ihm so vor, als hätte er für einen Augenblick die Silhouette seines Vaters gesehen. Dann überkam ihn die Illusion, er sei in jenem Haus. Vater will sich nicht von dem Haus trennen, weil ich seine Knochen dort gelassen habe, dachte Mikio dann. Dort ist Vaters Haus, hier ist meins, ging es ihm durch den Kopf.

Doch im nächsten Augenblick war er auch schon eingeschlafen.

In Wahrheit hatte er sogar vergessen, dass er schon sehr lange nicht mehr bei jenem Haus gewesen war.

6

Der wievielte Morgen war es wohl, den er im »Haus zur Kiefer« erlebte? Als sein Blick auf die furnierten rötlichbraunen Deckenpaneele fiel, erinnerte er sich ganz von selbst an jene Zeit, als er sein »Zuhause« verlassen hatte. In den ersten Tagen hatte ihn jedes Mal, wenn am Morgen die leicht verzogene Decke seiner billigen Mietwohnung in sein Blickfeld geraten war, ein Gefühl der Verwirrung erfasst, so als wüsste er nicht mehr, wo er sei. Lange Zeit war es ihm so vorgekommen, als sei es die Fortsetzung eines Traums. Immer wieder tauchte in seinen Träumen eine ihm eigentlich fremde Landschaft auf, deren Anblick ihm viel vertrauter vorkam als reale Landschaften. Was für ein Mensch war sein Vater gewesen? Es wollte ihm nicht so recht gelingen, sich darauf zu besinnen. Stets lag dieses Gefühl, sich nicht an seinen Vater erinnern zu können, gleich einer dünnen Staubschicht auf seiner Erinnerung.

Hin und wieder wehte irgendwoher ein Wind. Er wirbelte sacht den Staub auf, gestattete einen flüchtigen Blick auf verborgene Dinge, um diese dann wie zuvor wieder mit Staub zuzudecken.

An so manchem Morgen blieb alles im Unklaren, Mikio schien halb im Traum und halb wach zu sein, und alles lag wie im Nebel.

So war es auch an jenem Morgen. Das Erste, was er erblickte, war die Zimmerdecke. Verwunderung darüber, wo er denn eigentlich sei, erfüllte ihn. Was war passiert? Doch unternahm er keine besonderen Anstrengungen, um es herauszufinden, schließlich war er daran gewöhnt. Seelenruhig drehte er sich unter seiner Bettdecke auf die andere Seite.

Im selben Augenblick hielt er in der Bewegung inne.

Zuerst wusste er nicht, was es war. Auf den Tatami bewegte sich etwas winzig kleines Schwarzes, noch dazu direkt vor ihm, keine dreißig Zentimeter von seinem Gesicht entfernt.

Die Ameise, die sich eine Ewigkeit nicht hatte sehen lassen, war direkt vor seiner Nase in einen Kampf verwickelt. Ihr Gegner war ein Nachtfalter.

Ihr Kampf schien schon lange, bevor er aufwachte, im Gange gewesen zu sein. Kaum hatte er ihn bemerkt, richtete er, ohne sich erst bequem aufzusetzen, seinen Blick darauf und schaute eine Zeit lang zu. Da die Ameise und der Falter direkt vor seinen Augen kämpften, wirkten beide riesig, und ihr Kampf auf Leben und Tod hatte etwas Fesselndes. In ihrer Größe unterschieden sie sich kaum. Der Falter war ebenfalls ganz schwarz, und nur dadurch, dass sich auf seinem Rücken zwei glatte und ausgestreckte längliche Flügel leicht entfaltet hatten, schien er eine Idee größer zu sein.

Viermal hintereinander griff die schwarze Ameise den Nachtfalter am Kopf an. Sie stürzte sich geradezu auf ihn und biss zu. Dann zog sie sich jedesmal in fliegender Eile zurück. Man könnte fast meinen, sie sei rückwärts geschleudert worden.

Der Falter, der zurückgewichen war, drehte sich, als könne er es vor Schmerzen nicht aushalten, zwei, dreimal auf der Stelle im Kreis. Die Ameise, die bereits vorher erkannte, wann der Falter wieder zur Ruhe kam, stürzte sich dann von Neuem auf seinen Kopf. Sich hektisch sträubend, drehte der Falter sich links herum.

Im Morgenlicht glänzend, wirbelte vom Körper des Falters winzig feiner Flügelstaub auf, um dann wieder zu entschwinden.

Die schwarze Ameise war eindeutig überlegen. Angriffe erfolgten nur von ihrer Seite, der Falter ließ diese lediglich ergeben über sich ergehen.

Er schien nicht einmal mehr Kraft genug zu haben, um seine Flügel auszubreiten. Nach dem vierten Stoß gegen seinen Kopf schien es so, als hätte er bis zu dem Zeitpunkt, als er sich drehte, alles nur mit sich geschehen lassen. Aber diesmal endete seine Bewegung in einer Position, in der er der Ameise den Rücken zugekehrt hatte.

Auf der Stelle ergriff er die Flucht. Er stolperte über seine eigenen Beine und kam nicht so recht vorwärts. Kaum war er zwei Zentimeter geflohen, da verfolgte ihn schon wieder die Ameise, sie holte ihn sofort ein, klammerte sich an seinem hinteren Ende fest und biss zu. Sie versuchte den Falter rückwärts zu ziehen. Er schüttelte sie ab und suchte das Weite. Doch die Ameise packte erneut das Hinterteil des Falters. Dieser bog und wand seinen Körper wie eine Peitsche und riss sich mit einem Ruck von der Ameise los. Diese verfolgte ihn jedoch furchtlos immer wieder und biss ihn in den Hintern.

Allmählich ließen die Kräfte des fliehenden Falters nach. Immer länger wurde die Zeit, in der er von der Ameise wieder zurückgeschleppt wurde. Sie spreizte die Beine, stemmte sich gegen den Boden und zog ihre Beute langsam aber sicher zurück.

Gerade als der Falter einmal wieder mit aller Gewalt weitergezerrt wurde, kippte er zur Seite um. Seine dünnen Beine strampelten in der

Luft. Ohne sich darum zu kümmern, transportierte die Ameise, aus Leibeskräften daran ziehend, ihre umgestürzte Beute immer weiter.

Der Falter lebte noch.

Während er weitergeschleppt wurde, blieben seine Beine hin und wieder an ausgefransten Stellen der Tatami hängen. Dann klammerte er sich daran fest und zeigte Anzeichen von Widerstand. Doch schien das schon das Äußerste zu sein, zu dem er überhaupt noch in der Lage war. Den Kräften der Ameise war er nicht mehr gewachsen.

Ihm fehlte es sowohl an Energie, um sich wieder aufzurichten, als auch an Geistesgegenwart, um mit den Flügeln zu schlagen.

»Er könnte doch fliegen! Wie kann man nur so dumm sein!«

Unwillkürlich hatte Mikio diese Worte vor sich hin gemurmelt, verspürte er doch, seit er diesen Kampf beobachtete, irgendwie den Wunsch, dass seine alte Bekannte, die Ameise den Falter besiegte. Mochte sie auch noch so überlegen wirken, irgendwann würde der Falter, da er ja Flügel hatte, einfach wegfliegen. Davon war Mikio überzeugt, weshalb er angesichts der eher zurückhaltenden Herangehensweise der Ameise, die während ihres Angriffs stets den Zustand ihres Gegners im Auge behielt, sogar Ungeduld empfand. Doch der Falter schien geschwächter zu sein als vermutet. Mikio spürte mit allen seinen Sinnen, dass der Falter, während er selbst noch geschlafen hatte, einen langen, schier endlosen Kampf durchgemacht haben musste.

Die Ameise siegte. Der Falter befand sich bereits in ihrer Hand, er war erschöpft und regte sich nicht mehr. Nur hin und wieder verkrampften sich zuckend seine Fühler. Auch seine Beine bewegten sich nicht mehr.

Doch die Siegerin schien ebenfalls am Ende ihrer Kräfte. Ihre Last, genauso groß wie sie selbst, machte ihr offenbar schwer zu schaffen.

Ihr Gang war irgendwie schwankend, und es sah ganz und gar nicht danach aus, als käme sie in der gewünschten Richtung voran. Mit kleinen Schritten wandte sie sich mal hierhin, mal dorthin und torkelte im Zickzack. Faktisch ließ sich kaum behaupten, dass sie vorwärts kam. Sie hatte gänzlich die Richtung verloren. Diese Ameise verfügte ja schon von Natur aus über einen eher schlechten Orientierungssinn. Wenn sie Lasten transportierte, schien er fast völlig zu versagen.

Denn schließlich war es kaum vorstellbar, dass sie diese erbärmliche Aufführung, bei der sie direkt vor seiner Nase torkelnd einen Zentimeter vorwärts trippelte, um dann wieder an ihren Ausgangsort zurückzukehren, nur veranstaltete, um ihn, einen Menschen, zu täuschen!

Für etwa zehn Zentimeter benötigte sie zehn Minuten. Wollte sie dieses Zimmer verlassen, betrug die kürzeste Entfernung drei Meter. Das hieß, sie würde noch reichlich fünf Stunden brauchen. Weil sie ständig ausrutschte und nur schwer Halt auf ihren Beinen fand und der Körper des Falters andauernd hängen blieb, da die Ameise auf den Tatami gegen den Strich lief, wirkte es wie extreme Schwerarbeit.

Mikio wurde beim Zusehen ganz ungeduldig und streckte unwillkürlich seine Hand nach ihnen aus. Am liebsten hätte er beide zusammen auf einmal an ihren Zielort verfrachtet.

Der war jedoch ein Geheimnis der Ameise.

Sechs Jahre lang hatte Mikio an der Agrarwissenschaftlichen Fakultät studiert und dort viel mit Pflanzen und Tieren zu tun gehabt. Instinktiv verhielt er sich beim Beobachten der Ameise und des Falters ganz ruhig, um sie nicht zu stören, und beobachtete sie mit grotesk verdrehtem Hals, damit auch sein Atem sie nicht traf.

Schließlich brachte er es doch nicht übers Herz, seine Hand nach ihnen auszustrecken.

Ach, macht doch, was ihr wollt, von mir aus bis in alle Ewigkeit!

Leise drehte er sich um und wandte sein Gesicht in die entgegengesetzte Richtung. Obgleich ihm sein steif gewordener Hals mächtig zu schaffen machte, versuchte er noch einmal einzuschlafen.

Draußen gab es bestimmt unzählige kräftige Insekten, gegen die diese Ameise und auch der Nachtfalter nicht die geringste Chance hatten.

Der Kampf der beiden in diesem Zimmer glich einem Duell in der Wüste.

Einem lautlosen Kampf um Leben oder Tod in unbewohntem Ödland und ohne Zuschauer (ihn ausgenommen), einem Kampf, bei dem der Verlierer gefressen wurde.

Morgen würde der Verlierer, das heißt der Nachtfalter spurlos aus diesem Zimmer verschwunden sein.

Nachdem Mikio etwa eine Stunde vor sich hin gedöst hatte, richtete er seinen Blick erneut auf den Kampfplatz von vorhin.

Die beiden waren weg. Verblüfft schaute er sich im Zimmer um. Nirgends konnte er sie entdecken. Sogar unter seinem Bettzeug suchte er, vermochte sie aber nicht zu finden.

Doch am Abend desselben Tages wurde er erneut überrascht. Als er, nachdem er zu Abend gegessen und ein Bad genommen hatte, wieder in sein Zimmer im ersten Stock zurückkehrte, wäre er fast auf einen kleinen schwarzen Nachtfalter getreten.

Gemächlich trottete dieser vorwärts. Nicht allzu weit entfernt von ihm krabbelte zudem eine Ameise, die versuchte, sich ihm im rechten Winkel zu nähern.

Waren das etwa die beiden von heute Morgen?

Mikio vergaß sogar, sich zu bewegen, und verfolgte, wie die beiden sich einander näherten. Verwirrt meinte er, die Zeit hätte sich zurückgedreht. Er würde jetzt die Eröffnung des Kampfes der beiden sehen, die er heute Morgen verpasst hatte. Das, was er erlebt hatte, war in Wahrheit nur ein Traum, in Wirklichkeit begann der Kampf der beiden erst jetzt.

Aber, aber dann …

Obgleich die beiden sich so nahe kamen, dass sie sich fast berührten, liefen sie, ohne ein einziges Mal auch nur inne zu halten, aneinander vorbei. So als sei nichts geschehen, schoben sie sich Schritt für Schritt langsam vorwärts, mit einer Haltung, als seien sie ganz allein auf dieser Welt.

Trat der Angriffsinstinkt etwa am Abend anders zu Tage als am Morgen? Vielleicht bildete er sich das nur ein, aber diesmal war es eher die Ameise, die erschöpft und lustlos wirkte. Möglicherweise lag es an den gemächlichen Bewegungen des Falters, doch er schien der Ameise sogar mit Gelassenheit nachzublicken.

Mikio kam das irgendwie verdächtig vor. Er hockte sich vor den Falter. Um ihn genau beobachten zu können, legte er sich fast auf den Bauch und näherte sich ihm mit seinem Gesicht.

Der Falter machte keinerlei Anstalten zu fliehen. Mikio tippte ihn leicht mit dem Finger an, doch flog er trotzdem nicht weg. Ob er es gar nicht konnte oder ob er nur so unempfindlich war, jedenfalls krabbelte er, ohne sich sonderlich überrascht zu zeigen, einfach immer weiter.

Es war ein schwarzer Nachtfalter mit einer Körperlänge von nur sieben, acht Millimetern. Zumindest war sicher, dass er von der gleichen Art war wie jener, der heute Morgen in Lebensgefahr geschwebt hatte. Ein Mensch wäre blutverschmiert, aber der Falter hatte lediglich Flügelstaub verstreut, was auf den ersten Blick nicht zu erkennen war.

Die Flügelspitzen machten zwar den Eindruck, als seien sie leicht eingerissen und nicht mehr ganz in Ordnung, doch war auch unklar, ob sie nicht schon immer in diesem Zustand gewesen waren.

Letzten Endes gelang es ihm nicht zu erkennen, ob es derselbe Falter war wie heute Morgen, und bei der Ameise war es dasselbe.

Er versuchte, seine Kenntnisse in Insektenkunde, die er sich an der Universität angeeignet hatte, zu mobilisieren, doch fiel ihm lediglich ein, dass Ameisen tagaktiv und Nachtfalter nachtaktiv sind. Das waren Dinge, die jedem anderen auch in den Kopf gekommen wären, auch ohne dass er vorher an der Universität studiert hätte. Leider hatte er nicht ein einziges Buch zur Insektenkunde mitgebracht, da er es für seine Arbeit nicht benötigte.

Sein Spezialgebiet waren auch nicht Insekten, sondern Viren, die Agrarprodukte schädigten.

Eine Zeit lang betrachtete er in Gedanken versunken abwechselnd die Ameise und den Falter, um schließlich plötzlich wie aus heiterem Himmel zu beschließen, sich an die Arbeit zu machen und seine Abhandlung zu schreiben.

Er holte alle Unterlagen aus der Tasche und legte sie nebeneinander auf den *kotatsu*, der ihm als Schreibtisch diente.

Am nächsten Morgen gab ihm die Wirtin nach dem Frühstück einen kleinen Zettel.

»Entschuldigen Sie, doch es ist bei uns so üblich, immer nach einer Woche abzurechnen. Bitte!«

Es war die Rechnung mit den Übernachtungskosten. Die Einzelposten waren mit Kugelschreiber aufgelistet und zusammengerechnet. Die Summe war etwas höher als jene, die S ihm vor seiner Abfahrt grob vorveranschlagt hatte. Sie stimmte in etwa mit dem Betrag überein, den er selbst mitgebracht hatte, nachdem er auf den, den S ihm genannt hatte, vorsichtshalber noch ein wenig draufgeschlagen hatte.

»Ich bringe es Ihnen sofort«, stimmte Mikio zu, selbstredend ohne eine Miene zu verziehen. Er erhob sich und ging in sein Zimmer, um das Geld zu holen. Als er dann aber diese Summe direkt vor seinen Augen sah, bedauerte er, dass er nun schon eine ganze Woche tatenlos hatte verstreichen lassen. Die Übernachtungskosten für sieben Tage entsprachen dem Monatshonorar für zwei Schüler.

Er gab der Wirtin fast die Hälfte des Geldes, das nach Abzug der Rückreisekosten und eines Notgroschens von seinem Geld noch übrig war. Die Wirtin bedankte sich nicht, was ihn irgendwie enttäuschte.

Stattdessen schlug sie ihm vor spazieren zu gehen.

»Herr Shiiba, Sie waren ja noch nicht ein einziges Mal draußen! Wo Sie doch extra in unseren Gasthof gekommen sind! Wir können Sie doch nicht blasser nach Tokyo zurückschicken, als Sie hergekommen sind! Ihr Gesicht braucht ein bisschen mehr Farbe. Tun Sie mir den Gefallen und geh'n Sie doch ein wenig raus! Mein Mann macht sich auch schon Sorgen. Draußen ist so herrliches Wetter!«

Ganz als wollte sie ihn hinauswerfen, schob sie ihn zum Eingang, bückte sich und stellte ihm seine Schuhe hin. Er zwang sich zu einem Lächeln, doch fügte er sich, zog seine Schuhe an und ging nach draußen.

Eigentlich hatte ihn, kaum dass er das Geld bezahlt hatte, der Arbeitseifer gepackt. Die Wirtin hingegen schien, kaum dass sie das Geld erhalten hatte, der Wunsch gepackt zu haben, ihn einem Sonnenbad auszusetzen.

Wider Erwarten fühlte er sich dann draußen in der Tat ausgesprochen wohl. Warum nur hatte er sich eine ganze Woche lang in seinem Zimmer verkrochen? Das war schon seltsam. Um ihn herum war alles weit und so hell, dass es ihn blendete.

Langsam ging er den leicht abfallenden Weg hinunter. Die Häuser, die sich zu beiden Seiten aneinanderreihten, verharrten in Stille. Hin und wieder schien ihn aus den Tiefen dieser Häuser der Blick eines Menschen zu treffen, der ihm verstohlen nachschaute.

Seine Schritte wurden schneller.

Er spürte, dass das Dorf M viel mehr von Leben erfüllt war, als er es von seinem Fenster im ersten Stock aus wahrgenommen hatte.

Auch der Boden war voll zahlreicher kleiner Hügel und Unebenheiten, die aus der Ferne nicht zu erkennen gewesen waren. Bei jedem Schritt hob sich oder versank der Horizont ein kleines Stückchen. Es gab nur die eine Straße. Die schmalen Wege, die unterwegs abzweigten, stießen, wenn man sie weiterverfolgte, stets auf ein Haus und waren dann dort zu Ende.

Bald hörten die Häuserreihen auf, und zu beiden Seiten der Straße breiteten sich Reisfelder aus. Genauer gesagt, tauchten zwischen den sich wellenförmig aneinander schmiegenden Hügeln immer wieder längliche schmale Reisfelder auf. Sie waren nicht viereckig, sondern jedes auf seine Weise der Form des jeweiligen Stücks Land angepasst. Wie Fragmente aneinandergefügt erinnerten sie an sehr fein gearbeitete Holzeinlegearbeiten.

Die Erde war trocken und voller Risse. Vereinzelt sah man zurückgebliebene Reisstoppeln in Farbschattierungen, als seien sie im Fäulnisstadium vertrocknet.

Mikio blickte auf. Bis in höchste Lagen hinauf waren die steilen Abhänge der Berge mit Feldern bestellt.

Auch das wenige Gemüse, das im »Haus zur Kiefer« zum Essen

auf dem Tisch erschien, stammte wahrscheinlich von diesen Feldern. Ging er nach der Menge, war frisches Gemüse in diesem Dorf wohl eine Kostbarkeit. Meist waren seinem Essen ein paar grüne Kräuter beigefügt, ansonsten hin und wieder maximal etwas Rettich oder Kartoffeln.

Häufiger als Feldgemüse gab es verschiedene Sorten konservierter oder getrockneter Wildpflanzen, ganz unterschiedlich zubereitet, außerdem Pilze und Eingelegtes.

Ohne unterwegs auch nur einem Menschen zu begegnen, gelangte Mikio auf die Landstraße, an der sich die Bushaltestelle befand. Wie bei einer Landstraße nicht anders zu erwarten, herrschte hier Autoverkehr, wenn auch kein besonders reger. Neben dem Gemischtwarenladen gegenüber der Haltestelle entdeckte Mikio einen Weg, der in die Berge zu führen schien. Er überquerte die Landstraße und lief das letzte Stück etwas schneller.

Der Weg führte ziemlich steil bergan. Von beiden Seiten wurde er von weit herunter hängendem Baumgeäst überragt. Kaum hatte Mikio diesen Weg betreten, umfing ihn Halbdunkel und angenehme Kühle. Um dem Autolärm zu entfliehen, stieg er weiter hinauf. Nach nur wenigen Schritten keuchte er bereits. Ringsumher war nichts zu sehen. Von beiden Seiten rückten die nackte Haut der Erde an den Berghängen sowie die Bäume und Sträucher immer näher an ihn heran, auch der steile Anstieg setzte ihm zu. Bald wurde ihm schwindlig und sein Gang unsicher. Nun rächte es sich, dass er eine Woche lang müßig in den Tag hineingelebt hatte.

Doch nach etwa zwanzig Minuten wurde es plötzlich heller über ihm, und auf einmal stand er auf dem Gipfel des Berges. Er war nicht allzu hoch, eher niedrig. Direkt vor Mikios Augen ragten weitere, ebenso kleine Berge empor.

Der Weg schien hier zu Ende zu sein.

Das hier war wohl eher der bucklige Gipfel eines Hügels als der eines Berges. Warum auch immer lichtete sich hier oben der Wald, wenn auch nur für wenige Meter.

Anfangs fühlte Mikio sich geblendet. Aus dem Dunkel, wo er kaum die Hand vor den Augen hatte sehen können, war er plötzlich auf diesen ebenen Fleck gestoßen, wo sich rein gar nichts befand.

Senkrecht ergoss sich von oben das Sonnenlicht. Wie in einer anderen Welt war es hier oben warm und das Licht so intensiv, dass er unwillkürlich aufschrie. Das Gras zu seinen Füßen war halb verdorrt und raschelte unter seinen Schritten.

Der Wind legte sich. Mikio setzte sich ins Gras. Die unter dem Gras herrschende Kälte drang durch die Hose bis auf die Haut, doch seinem erhitzten Körper tat das gut. Kaum hatte er seine Beine ausgestreckt, sich mit beiden Händen hinten abgestützt und sein Gesicht mit geschlossenen Augen zum Himmel emporgereckt, als schon das Sonnenlicht in jede einzelne Pore seines Gesichtes eintauchte. Winzige Lichtwellen schienen ununterbrochen durch seine Lider zu dringen und in das Innere seiner Augen herein zu tanzen.

Sein ganzer Körper reagierte empfindsam auf das Licht und die Wärme. Als hätten seine Nerven ihren Dienst versagt, ließ er, hingerissen und völlig kraftlos, seinen Mund offen stehen.

Das ist es! Nach genau solch einem Ort hab ich mich doch schon so lange gesehnt! Ich habe nur nicht gewusst, wohin mich all mein Sinnen und Trachten eigentlich zog.

Woher auch immer kamen ihm auf einmal diese Gedanken.

Bisher hatte er das Gefühl gehabt, dass er die Agrarwissenschaftliche Fakultät ausgewählt hatte, ohne groß darüber nachzudenken, doch wahrscheinlich hatte er vage gespürt, wonach ihm unbewusst der Sinn stand, und versucht, dem wenigstens etwas näher zu kommen und sich deshalb für diese Fakultät entschieden.

Hier gab es Bäume, Erde, Gras und das Licht der Sonne.

Ruhe, Weite und Wind.

Wenn ich hier mein ganzes Leben lang bleiben könnte, hätte ich keinen einzigen weiteren Wunsch mehr …

An der Universität war Mikio, sobald er nur ein wenig Zeit hatte erübrigen können, oft zum Lehr- und Versuchswald gelaufen, der ganz am hinteren Ende des Campus lag und zum Fachbereich Forstwissenschaft gehörte. Da er Versuchszwecken diente, durfte Mikio nicht hinein. Unter Aufsicht wurden hier ständig Versuche zu Insektenschäden und -bekämpfung durchgeführt, Pflanzen veredelt und gezüchtet. Auch Obstanbau zur tatsächlichen Ertragsgewinnung wurde hier betrieben. Außenstehenden der Fakultät war der Zutritt untersagt. Nicht einmal Studenten der Forstwissenschaft durften ohne schriftliche Genehmigung hinein.

Lediglich von draußen spähte Mikio durch den hohen, streng verschlossenen Zaun. Es war nichts Besonderes zu sehen. Dass ihn seine Füße trotzdem immer wieder hierher trugen, lag daran, dass normale Studenten sich diesem Gelände nur selten so weit näherten, und wohl auch daran, dass es sich um einen abgesperrten Ort handelte. Allein schon wenn man sich ihm näherte, handelte man sich misstrauische Blicke des Aufsehers ein.

Im Innern standen dicht an dicht unzählige Bäume.

Mikio liebte Bäume. Als er an diese Universität mit ihren vielen Bäumen kam und dann noch von der Existenz dieses geheimnisvollen Versuchswaldes erfuhr, fühlte er sich noch mehr zu Bäumen hingezogen.

Hauptsache Bäume, die Sorte war ihm egal. Am liebsten waren ihm jene mit einem großen, dicken Stamm und wild nach allen Seiten gereckten Ästen. Wenn er nur bei ihnen sein konnte, hatte er das Gefühl, nichts anderes mehr zu brauchen.

Der Ort, zu dem er am zweithäufigsten ging, war der Botanische Garten, von dem aus man in der Ferne das dicht gewachsene schwarze Gehölz des Lehr- und Versuchswaldes sehen konnte. Der Garten war von ungewöhnlicher Tiefe, und der Himmel hoch. An den ausgedehnten Maulbeerbaumfeldern entlang schlendernd, schaute er zum »Wald« hinüber.

Schließlich betrat er ein kleines schmutziges Gewächshaus, das am Ende der Maulbeerbaumfelder und in der Nähe der Institutsgebäude stand. Da es zu seinem Institut gehörte, konnte er es nicht nur jederzeit frei betreten, sondern brauchte sich auch keine Sorgen zu machen, dass Fakultätsfremde hereinkamen. Er musste lediglich ein weißes Plastikschild, auf dem »Achtung Versuche! Zutritt verboten!« stand, an den Eingang hängen und die Tür von innen verschließen, schon konnte niemand mehr hereinkommen. Nicht einmal Professor T.

Die ehemals transparente Plastikwand war auf ihrer Außenseite durch Schlammspritzer und unzählige Kratzer völlig verschmutzt und fast undurchsichtig geworden. Doch glücklicherweise ließ sie noch reichlich Sonnenlicht herein, so dass das Treibhaus seiner Aufgabe hinreichend gerecht wurde. Selbst mitten im Winter konnte man hier, wenn die Sonne schien, ohne Heizung locker zwei oder drei Stunden zubringen.

Sobald Mikio das Gewächshaus betrat, fühlte er sich seltsam entspannt und geborgen. Andere Studenten wollten sich nie lange darin aufhalten. Wenn sie hier nichts zu erledigen hatten, kamen sie nicht einmal in seine Nähe. Es sei zum Ersticken schwül darin, erklärten sie, während er im Gegenteil das Gefühl hatte, dass ihm hier das Atmen leichter fiel. Er verstand es nicht recht, doch manchmal kam ihm der Gedanke, es könnte daran liegen, dass diese dicke feuchtschwangere Luft jener in seinem eigenen Körper ähnelte.

Auf einer Fläche von nicht einmal zehn Quadratmetern standen eng aneinander gerückt Töpfe mit verschiedenartigen Pflanzen für diverse Versuche, die alle jemandem gehörten. Diese Pflanzen waren fast ausnahmslos künstlich mit mannigfaltigen Krankheitserregern geimpft. Andere Pflanzen, die eigentlich mitten im Sommer wachsen sollten, wurden aus versuchstechnischen Gründen mitten im Winter aufgezogen und mit Gewalt zum Leben gezwungen, weshalb sie verkrüppelte oder bizarre Gestalten aufwiesen. Anstelle von normalerweise dünnfleischigen und schnurgerade wachsenden Blättern zeigten sich mitunter dickfleischige und schrumpelige Missbildungen.

Hier waren Pflanzen eingesperrt, deren Körper in irgendeiner Hinsicht entstellt waren.

Solche Orte liebte er. Noch nie hatte er das jemandem gesagt. Er hatte lediglich die Zahl seiner Versuche erhöht, die im Gewächshaus durchgeführt werden mussten. Die anderen Studenten jedoch erklärten, nicht ohne hintergründig dabei zu lächeln: »Er ist eben gern im Treibhaus.« Wenn er gesucht wurde, hieß es: »Bestimmt hängt er wieder im Gewächshaus seinen Gedanken nach.« So hatte er es gehört. Wahrscheinlich setzten sie dann noch hinzu: »Er ist nämlich etwas seltsam.«

Mikio hatte das Gefühl, als wären hier oben Wald, Botanischer Garten und Gewächshaus zu einem Ganzen verschmolzen.

Er saß völlig reglos da, als hätte sein Körper jegliche Bewegung verlernt. Mit geschlossenen Augen nahm er die sich miteinander vermengenden Gerüche verschiedener Dinge in sich auf: den Duft des Sonnenlichts, der Hitze, der Pflanzen und der Erde.

Dies war ein Ort, an dem lebende Geschöpfe sicher unzählige Kämpfe miteinander ausfochten. Zwar vermochte er sie weder mit seinen Augen zu sehen, noch mit seinen Ohren zu hören, noch ihren Geruch wahrzunehmen, doch er spürte sie.

Kämpfe und Desinteresse, wie er es gestern bei der Ameise und dem Nachtfalter erlebt hatte, gab es zehntausendfach wohl selbst in einer Schaufel voll Erde. Oder auch in einer Handvoll Luft. Bakterien, Viren, Insekten, Wurzeln der Bäume und Gräser.

Warum nur hat der Anblick von Pflanzen auf Menschen eine solch beruhigende Wirkung? Warum nur bin ich so glücklich, wenn ich die Berge und den Himmel betrachte, auf der Erde sitze und von der Sonne beschienen werde? Sobald ich in der Nähe von Bäumen bin, fühle ich mich so wohl, dass ich keine Lust mehr habe, irgendetwas anderes zu tun. Obwohl ich weiß, dass sich unter meinem Gesäß dicke Baumwurzeln wie wild um Nährstoffe streiten und sich unter der Rinde der Bäume unzählige Insekten eingenistet haben, finde ich Bäume schön – weshalb nur?

Als er sah, dass vor der Herberge ein gelbes Auto hielt, wurden ihm ohne irgendeinen Grund die Knie weich. Sollte er zu jenem sonnigen Fleckchen auf dem kleinen Berg zurückkehren? Reflexartig schickte er sich an, seine Richtung zu ändern.

Aus dem Innern des Hauses sprang plötzlich Gelächter von Frauen. Nicht nur einer. Es waren die schrillen Stimmen mehrerer junger Frauen, die gleichzeitig loskreischten. Er hatte es in Tokyo oft in der Bahn gehört, dieses Lachen, das sich nur anhörte wie »Kya ha ha ha!« und eher nach Tierstimmen klang. Nein, niemals gaben Tiere derartige Laute von sich, es sei denn, sie litten fürchterliche Schmerzen oder Qualen.

Mikio machte kehrt und ging den gleichen Weg zurück, auf dem er soeben gekommen war. Da die Mittagszeit längst vorbei war, verspürte er heftigen Hunger.

Er gelangte wieder an den Ort von vorhin, doch war dort jetzt kein sonniges Fleckchen mehr. Der davor liegende Berg hatte seine Schatten herüber wachsen lassen und die Lichtung damit eingehüllt. Es war windig geworden. Eigentlich war er ja auch hinuntergestiegen, weil er auf einmal gefroren und ihn auch der Hunger geplagt hatte. Lange hielt er es oben nicht aus.

Das Auto stand noch da. Das Lachen war bereits verklungen.

In dem gedielten Raum hielt sich niemand auf, doch am Eingang standen nebeneinander aufgereiht vier Paar Frauenschuhe.

Er schlich auf Zehenspitzen hinein und rief mit leiser Stimme nach der Wirtin.

»Entschuldigung, ich hätte jetzt gern mein Essen.«

»Aber ja! Wo waren Sie nur so lange? Ich hab mir schon Sorgen gemacht, weil Sie so lange weg waren. Ich bring es Ihnen gleich. Setzen Sie sich schon mal!«

Kaum hatte sie ihm sein Mittagessen gebracht, stand sie schon wieder geschäftig auf und verschwand, so dass ihm keine Zeit blieb, nach den neuen Gästen zu fragen.

Als er in den ersten Stock hinauf stieg, vergewisserte er sich rasch, ob die Türen zu den anderen drei Zimmern geschlossen waren, und ging lauschend den Flur entlang, doch hatte er nicht das Gefühl, dass jemand da war. Da er aber nicht hineinblicken konnte, fand er, selbst als er in seinem Zimmer angelangt war, keine Ruhe.

Wenn direkt hinter der Holzschiebewand vier Frauen übernachteten, bedeutete das für ihn nichts als Unglück.

Das gelbe Auto, vier Paar Frauenschuhe, Gelächter.

Dafür war es aber verdammt still. Ob sie wohl die Schuhe gewechselt hatten und ausgegangen waren?

Da hieß es die Zeit nutzen, besann er sich und begann mit der Arbeit.

Als es allmählich dunkel wurde, hatte er das Vorwort fertig. Unversehens hatte er sich hinein vertieft, doch als er aufhörte zu schreiben, stellte er fest, dass es noch immer ruhig war. Die Stimmen der Frauen waren nicht zu hören.

Bis er zum Abendessen gerufen wurde, schrieb er, wie zur Eile angetrieben, auch den Abschnitt »Forschungsziel« fertig. Sein anfänglicher Arbeitseifer war wohin auch immer entschwunden, weshalb das Ergebnis ziemlich zu wünschen übrig ließ. Er hatte lediglich das noch einmal aufgeschrieben, was er bereits mit Professor T besprochen hatte. In den sechs Jahren seines Studiums hatte er nur eine verschwindend geringe Menge an Erde und Pflanzen berührt. Was weiß ich denn schon? fragte er sich entmutigt. Die Versuche, die er zusammengestellt hatte, ähnelten sozusagen Miniaturkanälen, die von Anfang an nur dazu gedient hatten, zu einem bereits feststehenden Ergebnis zu führen. Seine Schlussfolgerungen waren nichts anderes als der Beweis eines nebensächlichen Sachverhalts innerhalb der Theorie von Professor T. Mikio hatte auf Grund von suggestiven Andeutungen von Professor T zur Kanalplanung lediglich ein winziges Detail dieser Kanäle entworfen und gebaut. Würde man Wasser durch die fertigen Kanäle schicken, würde es wohl erwartungsgemäß fließen. Und genau darüber schrieb er jetzt seine Arbeit.

Ob er wollte oder nicht, er musste nach Tokyo zurück. Und dann begann noch am selben Tag wieder sein altes hektisches Leben, und er würde wieder geschäftig bei fremden Familien ein- und ausgehen. Seine Masterarbeit musste er hier fertigstellen.

In Tokyo standen Gebäude und Häuser genauso dicht aneinander gedrängt wie hier die Berge. Dort lebten genauso viele Menschen wie hier Pflanzen. Die Zahl der dort fahrenden Autos kam jener der hiesigen Insekten gleich.

Das kreischende Gelächter jener Frauen. Normalerweise äußerten doch Lebewesen nicht derart ungezügelte Laute, es sei denn sie waren in höchster Not.

Einzig die Menschen waren irgendwie verrückt. Unablässig gaben sie Alarmgeschrei und Lärm von sich.

Bei diesem Gedanken angelangt, entfloh ihm ein bitteres Lächeln. Ihm war eingefallen, dass genau das auch Professor T gesagt hatte. Er blickte auf seine Uhr. Er hatte einfach noch keine Lust, nach unten zu gehen. Da er spät Mittag gegessen hatte, verspürte er auch keinen Hunger.

Im Erdgeschoss war es immer noch totenstill.

Schließlich legte er mit einem tiefen Atemzug den Füller hin und stand auf, um nach unten zu gehen.

Die Wirtin saß allein in dem gedielten Zimmer. Neben ihr waren im Halbkreis um die im Boden eingelassene Feuerstelle fünf Esstischchen angerichtet. Eines war etwas abseits aufgestellt: es war seines, das immer dort stand. Alle Tischchen waren noch unberührt.

»Sind noch Gäste gekommen?«

Angesichts der Tische ging es nicht an, einfach nichts zu sagen. Das »Haus zur Kiefer« war ein Gasthof, und da war es normal, dass Gäste kamen. Die Wirtin füllte ihm Reis in sein Schälchen und nickte.

»Die Mädchen haben erzählt, dass sie mit ihrem Auto eine Rundreise durch den Nordosten gemacht haben. Sie waren wohl sehr erschöpft, und nun schlafen sie alle vier schon seit Mittag. Vielleicht sollte ich sie langsam wecken, aber …«

»Mit dem Auto …«

»Draußen steht doch ein gelbes … Mit dem sind sie eine ganze Woche herumgereist.«

»Aha.«

»Also, wenn ich sie nicht bald wecke, können sie heut Abend vielleicht nicht einschlafen.«

Obgleich sie das mehrmals wiederholte, machte sie keinerlei Anstalten aufzustehen, um die Frauen wecken zu gehen.

»Ich dachte schon, Sie hätten sich angesteckt und wären auch eingeschlafen, und das fand ich irgendwie komisch, und ich hab hier ganz alleine vor mich hin gelacht.«

Als hätte sie sich daran erinnert, was daran so komisch war, kicherte die Wirtin erneut vor sich hin. Er beschloss aufzuessen, bevor die Frauen wach wurden, und schlang sein Essen hastig hinunter.

Das Badewasser sei schon heiß, erfuhr er.

»Doch lassen Sie sich ruhig noch Zeit!« Lächelnd ignorierte er diese Worte der Wirtin und ging nach dem Essen direkt ins Bad. Auch dabei trieb ihn der Wunsch, möglichst fertig zu sein, bevor die Frauen eine nach der anderen aufstanden.

Das Badewasser war etwas trüber als sonst und fühlte sich weicher an. Vielleicht war es noch das Wasser, in dem die Frauen heute Mittag gebadet hatten. Sie hatten wahrscheinlich gleich, nachdem sie mit ihrem Auto am »Haus zur Kiefer« vorgefahren waren, etwas gegessen und dann gebadet, um sich schließlich schlafen zu legen. Doch wo waren sie eigentlich? Schliefen sie etwa tief und fest, gleichsam wie Tote, in einem der drei noch freien Zimmer?

Die vom Bad feuchten Fußsohlen zusammenkrümmend, schlich er die Treppe hinauf und mit angehaltenem Atem sowie großen Schritten den Flur entlang.

An jenem Abend nahm er kurz vor zehn Uhr plötzlich Frauenstimmen im Erdgeschoss wahr. Sie waren nicht so schrill wie am Mittag, sondern gedämpft, und er konnte auch nicht verstehen, worüber sie sprachen. Hin und wieder vermochte er mit Mühe und Not lediglich die den Frauen beipflichtende Stimme der Wirtin herauszuhören.

Eine Zeit lang ließ er seine Hand ruhen und lauschte dem Klang der Stimmen. Anders als er befürchtet hatte, war er ihm ganz und gar nicht unangenehm. Vielmehr fühlte er sich sehr wohl dabei, und etwas wie Sehnsucht überkam ihn.

Er begriff, dass die Frauen wohl doch nicht im ersten Stock ihr Lager aufgeschlagen hatten, und war erleichtert. Auch als ihre Stimmen schließlich verklungen waren, hörte er niemanden die Treppe heraufkommen. Offenbar gab es auch im Erdgeschoss Gästezimmer.

An diesem Abend kam er mit seiner Arbeit gut voran. Nacheinander stellte er die Abschnitte »Versuchsmaterialien« und »Versuchsmethoden« fertig. Sie waren zwar sehr umfangreich, und die Abbildungen und anderes machten viel Mühe, doch er konnte es routinemäßig abarbeiten, indem er das meiste aus seinen Notizen oder Büchern heraussuchte und abschrieb. Kurz gesagt fasste er lediglich auf verständliche Art und Weise zusammen, wie er selbst bei seinen Experimenten vorgegangen war. Die Methoden hatte er sich Stück für Stück bei Versuchen ausgeliehen, die andere Forscher vor ihm durchgeführt hatten, und passend aneinander gefügt. Bis zum Morgengrauen wuchs der Stapel der fertig beschriebenen Blätter zusehends.

Kaum hatte er das Licht gelöscht und sich hingelegt, stellte er sich die schlafenden Körper der Frauen vor. Obgleich er sie in Wirklichkeit noch nicht einmal flüchtig gesehen hatte, tauchten vor seinem inneren Auge plötzlich die Gestalten von vier jungen Frauen auf, die sich ineinander verschränkt aneinanderdrängten und wie Tote schliefen.

Unwillkürlich richtete er seinen Oberkörper auf, starrte in die Dunkelheit und versuchte das gerade Gesehene zu verdrängen. Er konnte sich nicht daran erinnern, seit seiner Geburt jemals schlafende Frauen gesehen zu haben. Das Gefühl, Frauen satt zu haben, war ihm stets zuvorgekommen, weshalb er sich auch nie aktiv einer Studentin genähert hatte. Er mochte Frauen nicht einmal mehr sehen. Auch ihre Stimmen wollte er nicht mehr hören. Eigentlich wusste er so gut wie gar nichts über sie. Doch die jungen Frauen würden alle eines Tages so werden wie jene Mütter … die sich immer an irgendetwas festzuhalten schienen. An ihrem Mann, ihrem Sohn, dem Haus, oder aber den Möbeln, der Teetasse oder dem Hauslehrer. Wenn auch der nicht greifbar war, dann suchten sie wahrscheinlich an ihrem eigenen Körper Halt. Wenn die vier Frauen schliefen, so viel stand fest, lagen sie dicht an dicht beieinander.

Er war hellwach und es sah auch nicht danach aus, als ob er schnell einschlafen könnte. Seine Kehle war trocken.

Leise verließ er sein Bett und schlich auf den Flur. Um Wasser zu trinken, musste er ins Erdgeschoss hinunter.

Nach den Stufen tastend stieg er auf Zehenspitzen die Treppe hinunter.

Ohne auch nur eine Tasse Tee zu trinken, hatte er viele Stunden hintereinander gearbeitet. Auch das hatte er schon lange nicht mehr getan. Daher war es ganz natürlich, dass seine Nerven erregt waren und sein Hals trocken.

Unten angekommen, nahm er plötzlich aus den Augenwinkeln heraus wahr, wie irgendetwas seinen Weg kreuzte, und er hielt inne.

Nichts passierte.

Lediglich das Licht der Straßenlaternen schien durch das Milchglas der zur Straße führenden Eingangstür, so dass die Dunkelheit weißlich trüb schimmerte. Im Innern des Hauses war alles Licht gelöscht.

Eine kurze Zeit lang lang starrte er in das Dunkel.

Seine Blicke wanderten in den hinteren Teil des Flurs, wo die Mädchen zu wohnen schienen. Direkt an seinem Ende befand sich die Küche. Er hatte zwar bislang vage vermutet, dass davor die Wohnräume der Wirtin und ihres Mannes lagen, doch wahrscheinlich waren dort auch Gästezimmer. Denn sonst gab es eigentlich keinen weiteren Ort, an dem sich noch Zimmer befinden könnten.

Plötzlich rümpfte er die Nase. Ein seltsamer Geruch schwebte herbei. Er war unangenehm und beißend, als würde irgendetwas verbrennen. Doch im nächsten Augenblick schon merkte er, dass es Zigarettenrauch war. Da er diesen Geruch eine Zeit lang völlig vergessen hatte, hatte er ihn nicht gleich erkannt. Wenn er sich recht besann, nahm er im »Haus zur Kiefer« in dieser Nacht zum ersten Mal Zigarettengeruch wahr.

Es roch aber nicht nach Zigarettenstummeln, sondern nach Rauch. Irgendjemand rauchte in der Nähe. Kurz vor Tagesanbruch, morgens um vier Uhr.

Die Eingangstür war fest verschlossen.

Sicher jene Frauen. Die Augenbrauen zusammenziehend setzte er langsam Fuß vor Fuß und ging in den Waschraum. Die Vorstellung, dass eine der Frauen wahrscheinlich genau jetzt, hellwach und eine Zigarette rauchend, auf seine Schritte lauschte, war ihm nicht gerade angenehm. Er war völlig durchgefroren, doch kippte er nacheinander zwei Becher Wasser in sich hinein.

Es geschah auf dem Rückweg. Ein schwarzer Schatten sprang ihm ins Auge. In einer Ecke des Eingangsraums, in dem engen Raum unter der in den ersten Stock führenden Treppe kauerte jemand. Einen Augenblick lang flackerten da winzige rote Funken, um dann wieder zu entschwinden. Es war die Glut einer Zigarette.

Vor lauter Schreck vergaß Mikio sich zu bewegen und starrte auf die glühenden Funken.

Kaum hatten sich seine Augen an die Dunkelheit gewöhnt, tauchte verschwommen das Gesicht einer jungen Frau auf, die ihn unverwandt finster anstarrte. Er fuhr zurück, wandte seinen Blick ab, durchquerte den gedielten Raum und stieg in den ersten Stock hinauf. Das Herz in seiner Brust klopfte heftig. Er hatte ihr direkt in die Augen gesehen. In ihre furchterregenden, boshaften Augen.

Oder nein, vielleicht hatte es auch nur so ausgesehen, als ob sie ihn anstarrte. Schließlich war es dunkel und weder ihre Gesichtszüge noch ihre Kleidung waren deutlich zu erkennen gewesen.

Doch auch nachdem er sich hingelegt hatte, tauchten wieder jene Augen vor ihm auf, Augen, die die Menschen hassten und in deren Tiefen ein rotes Feuer zu lodern schien. So kam es ihm vor. Es war ihm entfallen, dass es sich eigentlich um die Glut einer Zigarette gehandelt hatte und er die Augen der Frau gar nicht richtig hatte erkennen können.

Etwas Unangenehmes hatte er da gesehen.

Was für eine Frau! Mitten in der Nacht stand sie heimlich auf, schlich hinaus in die Dunkelheit und rauchte …

Das Gefühl, der Hass dieser Frau könnte ihn sein Leben lang verfolgen, hatte ihn gepackt, und er wälzte sich immer wieder von einer Seite auf die andere. Rote Funken starrten ihn an.

Am nächsten Morgen hörte er noch halb im Traum das Motorengeräusch eines Autos. Als er aufstand, war es, da es am Vorabend spät geworden war, schon kurz vor Mittag. Nachdem er sich vergewissert hatte, dass im Erdgeschoss Totenstille herrschte, ging er hinunter.

»Ach herrjeh! Die jungen Mädchen sind leider heute früh schon abgereist und haben es sehr bedauert, dass Sie nicht da waren. Sie hätten Ihnen gern einmal Guten Tag gesagt.«

»Mir?«

Bei den Worten der Wirtin erinnerte er sich an die letzte Nacht. Im Licht des Morgens erschien das, was er da in der Dunkelheit gesehen hatte, wie ein dunstverhangenes Trugbild. War es wirklich eine Frau gewesen? Und nur eine? Er war sich nicht mehr sicher. Als er erfuhr, dass die Frauen nicht mehr da waren, empfand er zwar Erleichterung, andererseits jedoch auch Enttäuschung.

»Aber ja! Als sie hörten, dass Sie ein Student aus Tokyo sind, wollten sie schon gestern Abend hinauf in Ihr Zimmer und Sie begrüßen und haben mich um Rat gefragt. Ich hab sie zurückgehalten und erklärt, dass Sie am Lernen sind. Tut mir leid, dass ich mich da eingemischt hab.«

Die Wirtin lächelte mit einem Gesicht, an dem nicht zu erkennen war, ob sie es auch wirklich so meinte.

»Warum sollten sie mir denn Guten Tag sagen? Wir haben uns ja noch nicht einmal gesehen!«

»Warum? Darum geht's doch gar nicht. Ist doch ganz natürlich, dass junge Mädchen, wenn ein junger Mann in ihrer Nähe ist, ganz unruhig werden. Ich hatte schon etliche Gäste, die sich hier im »Haus zur Kiefer« kennengelernt und dann geheiratet haben.«

»Tatsächlich?«

»Aber ja! Sie haben in Tokyo gleich um die Ecke gewohnt, sich aber nicht gekannt und sind dann hierher zum Skilaufen gekommen. Hier haben sie sich angefreundet und sind dann zusammen nach Tokyo zurück. Sowas kommt gar nicht so selten vor!«

Er ließ die Worte der Wirtin an sich vorbei rauschen und richtete seine Blicke dorthin, wo in der letzten Nacht die junge Frau gehockt hatte. Er hatte gehofft, er könnte vielleicht etwas heruntergefallene Zigarettenasche entdecken, doch war nicht die geringste Spur davon zu sehen.

»Sie haben sicher auch schon Sehnsucht nach Ihrer Freundin in Tokyo.«

»Was? Freundin? Hab ich nicht, sowas. Ich doch nicht!«

Obgleich er gar nicht hätte ehrlich antworten müssen, hatte die scherzhafte Bemerkung der Wirtin ihn völlig aus der Fassung gebracht. Lächelnd meinte sie: »Sie sind sicher Student mit Leib und Seele«, um sich dann zu erheben.

Ach wenn ihm das Studium doch tatsächlich so am Herzen läge! Aber auch sein Lerneifer hatte sich schon fast erschöpft.

»Genauso wie damals, als Vater gestorben ist, werde ich wohl bald wieder völlig leer sein«, murmelte er mit einem Anflug von Selbstverachtung vor sich hin.

Nachdem er sich wieder besonnen hatte, kam er mit seiner Arbeit zügig voran. Die Frauen waren, noch ehe er es sich versehen hatte, wieder verschwunden, so dass es nichts mehr gab, was seine Aufmerksamkeit ablenkte. Er arbeitete nun mit einem solchen Elan weiter, als könnte er die Zeit überholen. Binnen zwei Tagen hatte er die Punkte »Versuchsergebnis«, »Diskurs« und »Schlussfolgerungen« zu Ende geschrieben. Damit war seine Abhandlung an sich fertig. Übrig blieben nur noch die etwa hundert Literaturangaben zu den Zitaten. Dafür brauchte er seinen Kopf nicht mehr anzustrengen. Er musste lediglich die Titel der zitierten Werke in der Reihenfolge der Zitate im Text auflisten und dabei die Nummern noch einmal vergleichen.

Professor T wusste, ohne auch nur noch einen einzigen Blick in die Abhandlung zu werfen, noch bevor sie überhaupt geschrieben wurde, genau, was darin stand. Es war eine Abhandlung, die den gemäßigten Erwartungen von Professor T entsprach und mit der Mikio bestehen würde.

Sie war das Ergebnis seines vollen Einsatzes während der zwei Jahre des Masterstudiengangs. In lediglich vier Tagen hatte er die Ergebnisse so fließend und unerwartet schnell zusammengefasst, als hätte Professor T sie ihm diktiert.

Wenn er nun noch die »Zitierte Literatur« hinzufügte und die Abhandlung einreichte, konnte er sich entscheiden, wohin er gehen und was er machen wollte.

»Hey, du bist frei, Shiiba Mikio!«, brummte er hörbar laut vor sich hin, während er die fertiggestellten Seiten ordentlich zusammenstellte und bündelte. Seine Stimme klang hohl dabei. Freiheit – die will ich doch gar nicht, erklärte eine andere Stimme. Wer sie haben will, soll sie sich nur nehmen!

»Du hast es gut! Du kannst frei darüber entscheiden, was du machen willst«, hatte in seiner Oberschulzeit einmal ein Klassenkamerad zu ihm gesagt. Der kann sie doch haben! , murmelte Mikio. Plötzlich drückte ihm ein Gefühl die Brust ab, für das er keine Worte fand. In diesem Augenblick tauchten in seiner Erinnerung – weshalb nur? – winzige rote Funken auf. Sie schienen sich in seinen eigenen Augen zu spiegeln.

7

Sehr viel später sollte er noch oft über diese erste Begegnung mit Takezawa Ryôko nachdenken. Immer merkwürdiger kam sie ihm vor, je mehr die Zeit verging.

So sehr er auch darüber nachgrübelte, warum jene winzigen roten Funken, die er in der Dunkelheit im »Haus zur Kiefer« nur einen Augenblick lang wahrgenommen hatte, sich derart hartnäckig in seiner Erinnerung festgebissen hatten, er kam einfach zu keinem Ergebnis. Anfangs hatten diese Funken doch bei ihm höchst unangenehme Gefühle ausgelöst. Da verbirgt sich mitten in der Nacht eine Frau und raucht, hatte er gedacht und seinen Blick abgewandt, als hätte er etwas Unanständiges gesehen. Die Frau hatte sich bestimmt versteckt, um nicht von ihm entdeckt zu werden.

Damals hatte er das Gesicht derjenigen, zu der die Funken gehörten, nicht deutlich erkennen können. Nur reflexartig hatte er wahrgenommen, dass sein Gegenüber ihm feindselig gesonnen war, und eine starke Abneigung verspürt.

Ob jene Frau damals Takezawa Ryôko gewesen war, wusste er bis heute nicht.

Schließlich hatte er sie selbst auch nie danach gefragt, um sich zu vergewissern.

Trotzdem kam ihm jedes Mal, wenn er an Ryôko dachte, als erstes jene Szene im Dunkeln in den Sinn. Selbst wenn seine Gedanken nicht bei ihr weilten, glühten doch irgendwo tief in seinem Kopf stets jene roten Funken.

Takezawa Ryôko selbst hatte in ihrer Art etwas an sich, dass man meinte, sie wolle gar nicht zwischen Unwahrheit und Wahrheit unterscheiden. Er hätte ihr wohl ohnehin nicht glauben können, egal, ob sie nun ‚Das war ich' oder ‚Das war ich nicht' gesagt hätte. Sicher wäre er genauso aber auch außerstande gewesen, ihr nicht zu glauben.

Er zog einfach keine genaue Grenze zwischen jenen Funken und dem Licht in ihren Augen. Er fand es besser so. Wahrscheinlich war er nicht von ihr selbst, sondern vom Glanz jener flammenlosen, winzigen, sich zusammendrängenden roten Funken bezaubert, auch wenn er nicht verstand, weshalb sie ihn so faszinierten. Die Frage, ob er sich für diese Frau interessiert hätte, wenn er jene Funken nicht gesehen hätte, vermochte er nicht zu beantworten.

Es geschah am Abend des zwölften Tages, den er im »Haus zur Kiefer« zubrachte. Er hatte die »Zitierte Literatur« zum letzten Mal geordnet und damit auch dieses Kapitel so gut wie abgeschlossen. Gerade hatte er begonnen sich zu überlegen, ob er nicht einen Tag früher als geplant, also am nächsten Tag nach Hause zurückkehren sollte. Er war sich unschlüssig darüber, ob er die Aufenthaltskosten sparen oder den freien Tag in aller Ruhe genießen sollte.

Da hörte er auf einmal, wie ein Auto sich näherte. Es kam bis zum »Haus zur Kiefer« und hielt direkt davor an. Im Geschoss unter ihm ging es plötzlich lebhaft zu, er hörte die Stimmen von Frauen sowie der sie begrüßenden Wirtin. Es waren also neue Gäste angekommen. Auf der Stelle beschloss er, am nächsten Tag abzureisen.

Da es unten aber extrem laut war, hörte er hin, ohne es eigentlich zu wollen, so dass er mitbekam, dass jene vier Frauen mit dem gelben Auto zurückgekommen waren.

Ausgelassen kreischten sie: »Wir wollten Sie wiedersehen und sind deshalb einfach noch mal hergekommen. Hören Sie, ist denn der Mann aus dem ersten Stock noch da?«

Eine Zeit lang erklangen ihre lachenden Stimmen. Später hörte er jemanden in den ersten Stock herauf steigen. Es war die Wirtin, die ihn von draußen rief und fragte, ob er nicht Lust hätte, nach unten zu kommen und mit ihnen etwas zu trinken.

»Die Mädchen von neulich sind wieder da. Sie haben gesagt, dass sie heut Abend, weil es der letzte Tag ihrer Reise ist, vielleicht ein Bier trinken und ein bisschen feiern wollen.«

Sie meinte damit wohl, dass es ihr zwar Leid täte, ihn beim Lernen zu stören, er doch aber, da der Lärm ihn ohnehin von seiner Arbeit ablenken würde, auch zu ihnen herunterkommen und mitfeiern könnte.

Die Studentinnen halten mich zum Besten, dachte er. Alkohol trinken und rauchen etwa?! Erinnerungen an jene Nacht tauchten auf und weckten Assoziationen in ihm.

»Es ist doch nur heute Abend.«

Als die Wirtin, die ihm wohl seine Unlust vom Gesicht ablas, schon im Begriff war wieder zu gehen, gab sie ihm mit den Augen Zeichen, dass er ihnen den Lärm nachsehen möge.

Ach so, morgen fahren sie wieder ab?

Er bekam Angst, dass sich ihre und seine Abreise überschneiden könnten, und rief der Wirtin hinterher: »Ich reise übrigens übermorgen früh ab! Und sagen sie den Frauen, dass sie keine Rücksicht zu nehmen brauchen und von mir aus auch laut werden können. Das macht mir nämlich gar nichts aus.«

Es ging im Erdgeschoss dann doch nicht so hoch her, wie er erwartet hatte. Ihre Ausgelassenheit hielt nur kurze Zeit an, um dann allmählich nachzulassen. Schließlich wurde es wieder ruhig, und kurz nach zehn schienen sie sich schon in ihre Zimmer zurückgezogen zu haben.

Mitten in der Nacht überkam ihn ein innerer Drang, doch einmal ins Erdgeschoss hinabzusteigen, aber da es sich so anhörte, als ob immer mal wieder jemand die Toilette aufsuchte, verging ihm sofort wieder die Lust.

Als er einschlief, war es kurz nach zwei, etwas früher als sonst.

Später fragte er Ryôko einmal, was damals geschehen war und warum sie ins »Haus zur Kiefer« zurückgekehrt waren.

Ryôko tat zunächst so, als ob sie sich nicht erinnern würde.

»Es hat sich unterwegs halt irgendwie so ergeben. Es war verhältnismäßig ruhig dort, und es hat uns gefallen. Auf dem Rückweg mussten wir ohnehin dort vorbei.«

Später formulierte sie es etwas anders:

»Irgendwer hat es auf einmal vorgeschlagen. Weil sie dich kennenlernen wollten. Ein Student, der allein in einem Gasthof an einer Abhandlung schrieb – was mochte das für ein Mensch sein? ... Aber letztendlich habe nur ich dich dann gesehen.«

Beide Male erschien auf ihrem Gesicht ein Ausdruck, an dem nicht zu erkennen war, ob sie log oder die Wahrheit sprach.

Er nahm an, dass wahrscheinlich Ryôko auf einer Änderung der Fahrtroute bestanden und dafür gesorgt hatte, dass sie noch einmal ins »Haus zur Kiefer« zurückkehrten.

Am folgenden Morgen wurde er um neun Uhr von den Geräuschen ihrer Abfahrtsvorbereitungen geweckt. Er wollte erst nach ihrer Abreise aufstehen und lauschte im Bett liegend den Stimmen, die aus dem Erdgeschoss zu ihm herauf drangen.

»Ist es wirklich okay für dich? Nicht dass du es nachher bereust!«

»Du siehst tatsächlich ein bisschen blass aus. Leg dich schlafen, wenn wir weg sind! Und ruf uns an, wenn du wieder zu Haus bist!«

»Hört mal, wenn ihr euch nicht beeilt, sind die Straßen voll. Dafür kann ich dann aber nichts!«, erscholl eine besonders laute Stimme. Der Motor des Autos sprang an, und Schritte strömten nach draußen.

»Sie hört ja doch nicht, wenn man ihr was sagt. Mit ihren Launen führt uns Ryôko doch nur an der Nase herum! Wir sollten sie einfach in Ruhe lassen.«

»Sie sagt doch, dass ihr übel sei. Da kann man nichts machen. Gestern Abend hat sie ja auch ziemlich viel getrunken.«

»Was meint ihr denn, um wie viel Uhr ihr ungefähr in Tokyo seid?«

»Wahrscheinlich genau zu einer Zeit, in der wir vom Stau erwischt werden, denn wir sind später dran als geplant.«

»Also dann, Ryôko, wir fahren jetzt los.«

»Fahrt vorsichtig!«

»Mach`s gut!«

Auch draußen flogen die Worte noch eine Zeit lang hin und her, bis schließlich das Auto losfuhr und das Dröhnen des Motors sich rasch in der Ferne verlor. Im Erdgeschoss kehrte wieder Ruhe ein. Mikio lauerte auf Schritte oder die Stimme von Ryôko, der offenbar allein zurückgebliebenen Studentin, doch ob sie nun draußen geblieben war oder still in dem gedielten Zimmer saß, es war einfach nichts mehr zu hören, solange er auch wartete. Aber sie musste noch da sein.

Die Stimme der Wirtin erklang. Sie redete dem Mädchen zu, in ihr Zimmer zu gehen und sich hinzulegen. »Hier wird Ihnen sonst noch kalt.« Ryôko schien sich nicht zu rühren. Dann fragte die Wirtin sie, ob sie Lust habe, zusammen mit dem Gast aus dem ersten Stock zu frühstücken. Ihre Antwort war nicht zu hören, doch schien sie abgelehnt zu haben, denn die Wirtin erklärte, dass sie dann also ihren Tisch abräume.

Leise drang das Klirren leicht aneinanderschlagender Teller und Schälchen an sein Ohr.

Als es verklungen war, vermochte er seinen Hunger nicht länger zu bezwingen und stand auf. In dem gedielten Raum fand er nirgends eine Spur von der Studentin. Die Wirtin steckte ihren Kopf durch den Vorhang, der die hinteren Räume abteilte, und lächelte, als sie ihn erblickte. »Tut mir leid wegen gestern Abend. Wie ein Taifun sind sie herein gebraust, um genauso schnell wieder zu verschwinden. Jaja, so eilig hatten sie's!«

»Verstehe.«

»Aber trotzdem, wenn so junge Mädchen kommen, dann wird es hier immer schlagartig hell und freundlich.«

Ohne ihm davon zu erzählen, dass ein Mädchen zurückgeblieben war, ging sie wieder nach hinten, um *Miso*[10]-Suppe für ihn zu holen. Er erinnerte sich daran, dass die Wirtin eine Tochter etwa im selben

Alter hatte. Eine Studentin, die wegen ihres Katers zurückgeblieben war, konnte ihr kaum sympathisch sein.

Auch ihm passte es nicht, dass er seinen letzten Tag hier in dem Bewusstsein verbringen sollte, dass ein weiterer, ihm unsympathischer Gast hier weilte. Schließlich war es ein wertvoller Urlaubstag seiner ersten und letzten luxuriösen Reise seines Studentenlebens.

»Wenn alle abgereist sind, wird es hier für lange Zeit wieder einsam. Solange junge Leute hier sind, fühl auch ich mich gleich jünger, und alles geht mir leichter von der Hand.«

Die Wirtin stellte die *Miso*-Suppe auf sein Tischchen und ließ sich neben ihm nieder.

»Im Winter wird es hier immer auf einen Schlag lebendig, dann hab auch ich alle Hände voll zu tun. Das nächste Mal sollten Sie zum Skilaufen her kommen. Dann sind hier nur Stammgäste, und alle kennen sich.«

»Ja … Es ist schön hier bei Ihnen, so ruhig.«

Er hatte es sich zur Gewohnheit gemacht, auf freundliche Worte mit ebenso freundlichen Worten zu reagieren. Hörte er jedoch eine Stichelei heraus, ignorierte er schweigend das Gesagte. Da ein Großteil der Worte, den die Mütter seiner Schüler von sich gaben, abgesehen von den Gesprächen über deren Leistungen, aus Komplimenten, Nörgelei oder bissigen Bemerkungen bestand, die wohl als Unterhaltung dienen sollten, blieb ihm gar nichts anderes übrig, wenn er seine Arbeit reibungslos fortsetzen wollte. Die Worte der Wirtin erinnerten ihn an sein Leben in Tokyo, das ab morgen wieder beginnen würde.

»… ich würd schon gern wiederkommen.«

»Aber unbedingt! Gäste, die schon mal hier waren, sind für uns wie Familie und kommen uns gar nicht mehr vor wie Fremde. Unsere Tochter haben wir nach Tokyo gehen lassen, aber dafür kommen, sobald es Winter wird, jede Menge Söhne und Töchter zurück. Darauf freuen wir uns immer.«

Sie band ihr lilafarbenes Kopftuch neu und steckte geschickt lose herabhängende Haare darunter. Auf ihrem mageren Gesicht mit den etwas scharf geschnittenen Zügen erschien ein leutseliges Lächeln, als würde sie sich gern in aller Ruhe unterhalten.

»Wo kann man denn hier Ski laufen?«

»Ach, unser ganzer Garten sei ein einziges Skigelände, loben unsere Gäste. Er sei so wunderbar groß, sagen sie immer.«

Vom Fenster aus war weder ein Lift noch etwas Ähnliches zu

entdecken. Lächelnd zog die Wirtin mit ihren Armen einen weiten Kreis und erklärte, die ganze Umgebung hier sei Skigelände. Allerdings schienen auf den Abhängen auf der entgegengesetzten Seite der ineinander verschachtelten Berge, in deren Mitte das Dorf M lag, zahlreiche berühmte Skipisten zu liegen. Sämtliche Pisten seien vom »Haus zur Kiefer« aus gleichermaßen in zwanzig, dreißig Minuten mit dem Auto zu erreichen, erklärte die Wirtin, sichtlich stolz.

»In letzter Zeit werben ja die Hotels mit Skipisten direkt vor ihrer Haustür, doch unsere Stammkunden sind sich alle darin einig, dass es ihnen dort überhaupt nicht gefällt. Sie sagen, die Hotels seien zu komfortabel, und es gebe viele Gäste, die nur ihren Spaß haben wollen, den ganzen Abend Platten dudeln lassen, tanzen und herum lärmen. Und weil die Übernachtung dort auch noch sündhaft teuer ist, kommen sie für jemanden, der zehn Nächte bleiben und ernsthaft Skilaufen will, einfach nicht in Frage. Unsere Gäste sagen immer, unser Haus sei ein Geheimtipp und ich solle nicht so viel Werbung machen. Sie würden dafür garantiert jedes Jahr wiederkommen und nichts tun, was dem «Haus zur Kiefer» schaden könnte. Sie kümmern sich immer sehr um uns. Obwohl wir tatsächlich überhaupt keine Werbung machen, kommen nun schon über zehn Jahre immer nur solche Gäste her, die hier auch das Neujahrsfest verbringen ... Wenn sie heiraten und Kinder bekommen, bringen sie die dann auch immer mit ...«

Auch zum Mittagessen ließ Ryôko sich nicht blicken.

Mikio hob sich die letzten wenigen Arbeiten für den Abend auf und verbrachte den Nachmittag an jenem sonnigen Fleckchen auf dem Berg hinter der Bushaltestelle.

Sowohl sein Groll Professor T gegenüber als auch der Gedanke, nicht auf ein Leben an der Uni verzichten zu können, verblassten mit einer Geschwindigkeit, dass es ihn selbst verwunderte. Ob es wohl daran lag, dass er nun seine Masterarbeit, wenn auch nicht gut, so doch aber immerhin fertiggestellt hatte?

Sein Bedürfnis, Zuflucht an der Universität oder einem Unternehmen zu suchen, war nicht mehr zu spüren. Es gab doch dieses sonnige Fleckchen hier!

Wenn er hier war, schien alles andere in weiter Ferne zu liegen.

Früher wusste niemand etwas mit ihm anzufangen. Er wiederum zerbrach sich den Kopf darüber, wo er die Gebeine seines Vaters lassen sollte. Bei dem Gedanken daran, dass er nicht wusste, wo seine

Mutter war, spürte er eisige Kälte.

Als könnte er so vor den anderen Menschen weglaufen, hatte er sich eine Bleibe an einem möglichst schäbigen und ungemütlichen Ort gesucht.

G, der gekommen war, sich seine Wohnung anzuschauen, stand das Entsetzen ins Gesicht geschrieben.

Er wollte für Mikio ein Zimmer zur Untermiete mit Verpflegung bei einer Wirtin mit heiterem Gemüt suchen, die gern für andere sorgte. Aber gerade solch ein Ort kam für Mikio am wenigsten in Frage. Sie gerieten darüber in einen heftigen Wortwechsel.

Jetzt verstand Mikio sowohl Gs als auch sein eigenes Gefühl von damals. Hätte er an jenem Tag nicht in einem fort gelächelt, so dass es ihm schon peinlich wurde, hätte er G nicht überzeugen können. Eigentlich war er immer der Auffassung gewesen, dass er sich dieses einschmeichelnde Lächeln vor allem bei seiner Arbeit als Nachhilfelehrer angeeignet hätte, doch viel früher schon, nämlich, als sein Vater gestorben war und er nicht mehr so recht gewusst hatte, wo er eigentlich hingehörte, hatte er es sich in den Gesprächen mit G zu eigen gemacht.

»Nie sagst du, was du wirklich denkst. Das macht es schwierig. Wenn du mein Sohn wärst, würd ich dir am liebsten eine langen«, schimpfte G aufgebracht über Mikios undurchsichtiges Lächeln.

»Von mir aus«, erwiderte Mikio immer noch lächelnd. Vor lauter Lächeln drohte sich sein Gesicht zu verkrampfen.

Wenn er mich schlägt, schlag ich zurück, dachte er. Er hätte das gern getan. Daher hoffte er, dass G die Hand ausrutschen würde, und lauerte nur darauf.

G schlug ihn nicht. Im Gegenteil, mit beiden Händen packte er ihn an den Schultern, schien ihn umarmen zu wollen und blickte ihm ins Gesicht.

»Red doch nicht wie ein Versager! Du bist jetzt in einem Alter, in dem die Kräfte sprießen. Du musst stärker werden! Treib Sport oder mach sonst was!«

Mikio hätte G am liebsten verprügelt. Noch nie hatte er jemanden geschlagen, noch war er selbst je geschlagen worden. Daher konnte er jetzt auch nicht einfach loslegen, ohne vorher selbst etwas abbekommen zu haben.

Lediglich ein schmeichlerisches, unterwürfiges Lächeln entrang sich ihm. Auf Gs Gesicht zeigte sich traurige Verzweiflung, und er nahm seine Hände von Mikios Schultern.

»Wo auch immer du bist, dein Vater sieht dich! Vergiss das nicht!«

Ob G wohl von diesem Moment an die Aufsicht über Mikio seinem ›Vater‹ überlassen hatte? Denn seitdem hatte G Mikio nie wieder in seiner Wohnung besucht. Nachdem dieser sie zu seinem Zuhause erklärt hatte, hatte er aufgehört, außerhalb dieser Wohnung und der Uni nach einem Ort für sich zu suchen und tiefer über die Dinge nachzudenken.

Tatkräftig entwickelte er seine Arbeit als Nachhilfelehrer zu seinem Beruf und machte sich dadurch jene Dreistigkeit zu eigen, mit der er ungeniert in fremden Familien ein- und ausging. Das hing wahrscheinlich damit zusammen, dass er auf das, was man Familie nannte, herabsah.

Jetzt aber gab es niemanden mehr, der sich über seine Zukunft den Kopf zerbrach. Stattdessen machte nun er selbst sich Sorgen: Wohin soll ich denn gehen, wenn mir an der Uni die Tür gewiesen wird? Irgendetwas hat sich verändert. Ob ich es will oder nicht: Irgendetwas geht zu Ende, und irgendetwas nimmt seinen Anfang.

Es war zur Abendbrotzeit. Drei kleine Esstischchen waren gedeckt, an einem saß »Ryôko«. Sie wandte ihm, dem später Gekommenen, ihr leicht blasses Gesicht zu, das bar jeden Ausdrucks war, und grüßte ihn kühl. Als er die beiden anderen Plätze gegeneinander abwog und sich nicht dazu entschließen konnte, sich zu setzen, öffnete Ryôko ihren ausdruckslosen Mund und erklärte:

»Die Wirtin isst auch mit, hat sie gesagt.«

Die drei Esstischchen standen jedes für sich an drei Seiten der Feuerstelle. Dort, wo sonst sein Platz war, saß bereits Ryôko. Er entschied sich für den am weitesten von ihr entfernten Platz. Damit saß er ihr zwar gegenüber, aber da zwischen ihnen der Kesselhaken herunterhing, fühlte er sich nicht so befangen, als wenn er ihr direkt ins Gesicht geschaut hätte.

Zum Essen gab es gedämpften Klebreis mit roten Adzuki-Bohnen, ein Festgericht.

»Ich wollt Ihnen heut Abend eine kleine Freude machen. Schließlich feiern wir nicht nur Abschied. Deshalb setz ich mich auch zu Ihnen.«

Damit meinte sie wohl, dass sie auch seine fertig gestellte Masterarbeit feiern wolle. Sie setzte sich auf den freien Platz zwischen ihnen.

»Herzlichen Glückwunsch!«, sagte Ryôko etwas gekünstelt mit einer Miene und einer Stimme, die nach wie vor jeden Gefühls entbehrten.

»Danke«, murmelte er vor sich hin und deutete eine Verbeugung an.

»Worum geht es denn in deiner Arbeit?«, sprach Ryôko ihn erneut an, als er gerade den Mund voller Klebreis hatte. Dafür dass sie so distanziert ist, redet sie aber viel, dachte er. Sie wird es ohnehin nicht kapieren, selbst wenn ich es ihr sage. Etwas boshaft ließ er sich Zeit dabei, seinen Reis hinunterzuschlucken, um dann zurückzufragen, was sie denn studiere. Anglistik, lautete die Antwort.

»Ich bin kein Geisteswissenschaftler. Außerdem passt das Thema nicht zum Essen.«

Ohne weiter zu fragen, setzte sie eine trotzige Miene auf und begann zu rauchen. Fast die Hälfte ihres Essens stand noch da.

Den Mund voller *hôji*-Tee[11], den die Wirtin ihm eingeschenkt hatte, schaute er gedankenverloren dem Zigarettenrauch hinterher. Zu diesem Zeitpunkt glaubte er bereits, wenn auch noch vage, dass Ryôko das Mädchen jener Nacht war. Sie hatte sich mit ihren Jeans bequem hingesetzt und rauchte so, als wollte sie ihre eigenen Blicke in sich hinein saugen. Es schien ihr gar nichts auszumachen, dass sie gesehen wurde. Im Vergleich zu vorhin, als sie bescheiden und aufrecht in förmlicher Haltung auf ihrem Platz gekniet hatte, wirkte sie völlig verwandelt und auf eine Art geistesabwesend, als glaubte sie, ganz allein zu sein. Während er zuschaute, wie die roten Funken ihrer Zigarette zwischen ihren Fingern aufleuchteten, um sich dann in schwarze Asche zu verwandeln, hatte auch er vergessen, dass die Wirtin neben ihnen saß.

»Wenn du Interesse an meiner Arbeit hast, könnt ich dir etwas darüber erzählen. Soll ich? Ich glaub zwar, dass es dich langweilen wird, aber …«

Sie hob nur ihren Blick und nickte. Dabei zog sie ein Gesicht, als ob es ihr egal sei.

»*Single cell* – weißt du, was das ist?«

»… ein Einzeller? Ich bin selbst einer und hab von schwierigen Dingen keine Ahnung.«[12]

»Es geht um einzelne, isolierte Zellen. Wir lösen das Körpergewebe von Pflanzen oder Tieren so weit auf, dass jede Zelle einzeln für sich existiert. Wenn man all das Drumherum ausschaltet und nur die reine Zelle übrig lässt, werden die Mechanismen des Lebens deutlich erkennbar.«

»Aber die sterben doch dann?«

»Wer?«

»Na die Tiere oder Pflanzen…, von denen das Gewebe stammt.«

»Aber die Zellen leben. Die Bedingungen herauszufinden, unter denen ich sie am Leben erhalten kann, das ist mein Forschungsthema. Aus nur einer einzigen Zelle müsste man eigentlich das ursprüngliche Tier oder die ursprüngliche Pflanze wieder neu züchten und seine Form und seine Funktionen rekonstruieren können. Die ersten Lebewesen auf der Erde waren nämlich Einzeller. Es gibt doch auch geklonte Pflanzen, oder? Noch nie was davon gehört?«

»… nein, aber eine einzelne Zelle – das klingt für mich nicht wie *single cell*, sondern eher wie *lonely cell*… Und was passiert dann mit dem, was du da erforscht hast?«

Sie schien an etwas ganz anderes zu denken, war zuweilen völlig in Gedanken versunken, um im nächsten Augenblick plötzlich wieder provozierende Fragen zu stellen. Mit anderen Worten, sie begriff rein gar nichts. Sie hatte sicher auch gar kein Interesse.

»Tja, vielleicht wird irgendjemand diese Forschungsarbeit lesen und auf die Idee kommen, etwas anderes, damit im Zusammenhang Stehendes zu erforschen, die Methode der Isolierung der einzelnen Zellen nutzen, darauf aufbauende Forschungen betreiben, und das geht dann immer weiter so, bis dann vielleicht jemand den Nobelpreis bekommt. Es kann aber auch sein, dass niemand meine Arbeit beachtet.«

Er bereute seinen Versuch, dieser emotional irgendwie instabil wirkenden Anglistikstudentin ernsthaft etwas zu erklären.

»Ihr schreibt doch auch eine Arbeit, um euer Studium abzuschließen, oder? Hauptsache ist, dass ihr sie schreibt. Dann haben alle bestanden. Das ist genauso wie bei den Aufnahmeprüfungen. Wenn man sich den Kopf darüber zerbricht, wofür das gut sein soll, kann man sie nicht bestehen.«

Unversehens war er in einen spöttischen Ton verfallen. Sie wollte irgendetwas sagen, schwieg aber und starrte ihn an. Dann drehte sie sich zur Seite und ein Flüstern war zu vernehmen: Diesen Tonfall mag ich nicht. Die Wirtin tat so, als hätte sie nichts gehört. Auch ihm war es plötzlich peinlich. Er folgte dem Beispiel der Wirtin und konzentrierte sich auf sein Essen. Die Einzige, die nicht aß, war Ryôko. Gedankenverloren schaute sie dem Dampf des über der Feuerstelle hängenden Teekessels nach. Von ihren Fingern schwebte der Rauch ihrer kürzer gewordenen Zigarette hinüber zum Dampf, wurde von diesem aufgewirbelt, um dann zu entschwinden.

Und was passiert dann mit dem, was du da erforscht hast?

Ihre Frage hat eigentlich nicht ablehnend geklungen, hing er seinen Gedanken nach. Und doch gingen ihm ihre Worte jetzt seltsam nahe. Am liebsten würde er erwidern: Du hast doch gar keine Ahnung, also stell auch keine Fragen!

Ohne sie beide einander vorzustellen, zog sich die Wirtin schließlich, kaum dass sie rasch aufgegessen hatte, sofort in die hinteren Räume zurück. Ihre ungehobelte Art machte ihm aus irgendeinem Grund gerade an diesem Abend zu schaffen. Das Verhalten des Mädchens hat der Wirtin wohl nicht gefallen, dachte er, doch zugleich litt er unter dem Gefühl, dass auch er selbst sich nicht gerade beliebt gemacht hatte. Zu einer anderen Zeit hätte ihn das nicht gestört, doch jetzt kratzte ihn jede Kleinigkeit, vielleicht weil er meinte, sein letzter Abend sei ihm verdorben worden. Selbst was das Gelingen seiner Masterarbeit anging, war er sich auf einmal nicht mehr sicher.

Seitdem sie zu zweit waren, aß er schweigend weiter, nur auf seine Teetasse oder den Reis starrend, damit sich bloß nicht ihre Blicke trafen. Der Klebreis wurde überhaupt nicht weniger, so dass er sich schon wunderte, wie die Wirtin nur alles so schnell hatte aufessen können.

Als Ryôko plötzlich ihr Gesicht hob und ihn ansprach, hatte er endlich seine Schale leergegessen.

»Die Zellen leben also auch dann noch, wenn sie einzeln und getrennt sind. Heißt das, dass dann jede einzelne auch für sich als ein Lebewesen bezeichnet werden kann?«

Er war verblüfft. Sie hatte also gar nicht geschmollt, sondern offenbar über das nachgedacht, was er vorhin gesagt hatte, obgleich ihr Gesicht sich nach wie vor keinerlei Gemütsregung anmerken ließ und sogar verdrossen wirkte. Er starrte ihr ins Gesicht.

»Hab ich was Dummes gesagt?«

»Nein, eigentlich nicht. Aber ihr habt die Zelle doch auch in der Mittel- und Oberschule behandelt, oder?«

Unwillkürlich hatte er schon wieder begonnen, sie zu necken, was wohl daher rührte, dass sie auf ihn nun eher wie ein Kind wirkte. Wenn sie im ersten oder zweiten Studienjahr war, konnte sie kaum älter als seine Schüler sein. Da sie eine Frau war, hatte er unwillkürlich bislang ihr Alter völlig außer Acht gelassen. Seine Schüler verhielten sich meist ebenso wie sie: Kaum waren sie scheinbar missgestimmt verstummt, so dass er schon glaubte, irgendetwas passe ihnen nicht in den Kram, verfielen sie plötzlich in kindische Geschwätzigkeit.

Er fühlte sich etwas erleichtert. Aber er hatte keine Lust, jetzt hier auch noch den Nachhilfelehrer zu spielen.

In Wahrheit bestand das Ziel seiner, das heißt eigentlich Professor Ts *single cell*-Forschung darin, nicht aus pflanzlichen Fortpflanzungszellen, sondern aus einer einzigen Körpergewebezelle unendlich viele vollkommene pflanzliche Individuen einer bestimmten Qualität zu erschaffen. Industrielle Züchtung von Agrarprodukten. Im Hinblick auf zukünftig zu erwartende Lebensmittelkrisen ... Eine Zeit könnte kommen, da die ärmlichen Felder des Dorfes M nicht mehr mühevoll bestellt werden müssen. Wenn man in einem Land mehrere solcher Fabriken errichten würde ...

Als Ryôkos Frage unbeantwortet blieb, schien das erneut ihre Laune zu verderben, und sie verfiel in Schweigen, doch bald darauf nahm sie ihn erneut direkt ins Visier.

»Ich hab nur einfach mal darüber nachgedacht, ob es dann vielleicht irgendeinen Zusammenhang zwischen dem Gefühl, das ich manchmal hab, nämlich dass mein Körper in seine Einzelteile zu zerfallen droht, und dem gibt, was du gesagt hast. Selbst die Menschen spüren doch, kaum dass sie sich zu einer großen Menge zusammengeballt haben, ein unbändiges Verlangen, wieder allein zu sein. Bestimmt ist das Leben schon von Natur aus so«, meinte sie. Wie ein Hauch breitete sich auf einmal eine Vielfalt von Gefühlen auf ihrem Gesicht aus.

Mehrdeutig lächelnd nickte er. Sicher hatte auch sie unterwegs auf ihrer Gruppenreise das unbändige Verlangen gespürt, allein zu sein. Schließlich hatte sie die anderen früher nach Hause geschickt und war allein im »Haus zur Kiefer« zurück geblieben. Sie hatte seine Worte wohl auf ihr eigenes Verhalten bezogen und darüber nachgedacht.

Aber nun versuchte sie in einem fort mit ihm zu reden. Obgleich sie doch jetzt endlich allein war!

Soll ich es ihr erklären? überlegte er.

Auch die durch ein chemisches Verfahren isolierten Zellen bildeten, wenn man sie sich selbst überließ, wieder Zweier-, Dreier- und noch größere Gruppen, um sich letztendlich doch wieder zusammenzuballen. Um das zu verhindern, musste man sie daher ununterbrochen umrühren.

Es gab noch ein Problem. Die isolierten Zellen lebten in der Tat auch einzeln weiter, wenn alle Bedingungen stimmten, weshalb man von unabhängigen Lebewesen sprechen konnte. Doch nach einer gewissen Zeit wurden die Zellwände ungewöhnlich fleischig, das heißt die das Leben schützende Schale wurde zu dick, so dass die Zellen schließlich erstickten, weil sie keine Nährstoffe mehr von draußen aufzunehmen vermochten. Das Verdicken der Zellwände war eine übertriebene Abwehrmaßnahme, um den empfindlichen Inhalt zu schützen.

Damit einhergehend verlor die Zelle auch ihre Fähigkeit zur Teilung. Das Prinzip war das gleiche wie bei einem Ei, dessen Schale zu dick geworden ist und daher nicht mehr ausgebrütet werden kann.

Die isolierten Zellen starben bei dem jetzigen Stand der Dinge schon in der ersten Generation. Darüber hinaus wurden sie auch nicht alt.

Was für ein Gesicht würde sie wohl machen, wenn er ihr das erzählte?

Doch er schwieg. Denn auch er selbst kam sich immer mehr vor wie eine *single cell*. Oder auch wie eine *lonely cell*, wie Ryôko einfach übersetzt hatte.

Gekränkt stand Ryôko kurz darauf auf und entfernte sich, ohne sich zu verabschieden. Ganz wie er vermutet hatte, durchquerte sie den Vorhang auf dem Korridor, der zur Küche führte, öffnete die Tür auf der linken Seite des Flurs und verschwand. Dort war also das Zimmer der Frauen. Da, wo Ryôko gesessen hatte, schwebte noch der bittere Geruch ihrer Zigarette.

Morgen muss ich wieder zurückfahren. Auch mit der *single cell* hat es dann ein Ende, lächelte er still vor sich hin.

Die Dinge lagen nun nicht so, dass er besonders tief über diese Frau nachgedacht hätte. Er kannte ja nicht einmal ihren vollständigen Namen, wusste lediglich, dass sie Ryôko hieß. Ein einziges Mal hatten sie zusammen gegessen, weil es sich so ergeben hatte, sie würden sich nie wieder sehen. Ohne einen Gedanken des Bedauerns schlief er in der letzten Nacht wider Erwarten tief und fest.

Am nächsten Morgen stieg er wesentlich früher als sonst, kurz nach acht Uhr mit seinem Gepäck ins Erdgeschoss hinunter.

»Ach herrjeh! Gerade eben ist sie abgefahren! Sie haben sie knapp verpasst.«

Die Wirtin stand am Eingang und drehte sich zu ihm um.

Sie wollte damit wohl sagen, dass Ryôko abgereist war.

»Wenn Sie nur noch ein kleines bisschen warten, kommt bestimmt gleich Herr Shiiba herunter, hab ich zu ihr gesagt, doch Reisende soll man nicht aufhalten, das ist auch unser Motto hier im

›Haus zur Kiefer‹. Bitte nehmen Sie es mir nicht übel!«

»Übelnehmen? Nicht die Bohne.«

»Was für ein reizendes Mädchen sie war!«

Die Wirtin war, warum auch immer, bei strahlender Laune und schwatzte munter drauflos:»Bedauern Sie es denn gar nicht?« Plötzlich schien auch er gegen seinen Willen in den Kreis der Stammkunden eingereiht worden zu sein, von denen die Wirtin so oft sprach. Er ging jedoch nicht darauf ein.

Als er schließlich den Eingang zum »Haus zur Kiefer«, wo er zwei Wochen verbracht hatte, zum letzten Mal passierte, wurde ihm doch etwas wehmütig zumute und er schaute auf das gedielte Zimmer zurück. Von draußen blickte er hinauf zu jenem Zimmer im ersten Stock, in dem er gewohnt hatte.

Ein zweites Mal würde er wohl nicht hierher kommen, ahnte er. Undeutlich streiften ihn Erinnerungen: an jenen Augenblick, als er sein Vaterhaus aufgegeben und verlassen hatte, und an jenen Moment, als er aus dem Haus des alten Stadtratsabgeordneten in der Präfektur N davongelaufen war. Frei ein- und ausgehen kann ich im Grunde genommen nur in den fremden Familien, in denen ich Nachhilfeunterricht gebe, verscheuchte er sich selbst verspottend seine Erinnerungen, doch verflog auch dieser Gedanke sofort wieder.

»Ich hoffe, Sie bereuen es nicht, uns besucht zu haben. Sie müssen unbedingt wiederkommen! Sie sind uns jederzeit willkommen.«

Zum Schluss verbeugte sich die Wirtin ausgesprochen höflich und tief. Doch als er nach ein paar Schritten zurückblickte, war ihre Gestalt bereits verschwunden.

Noch am selben Tag, kurz vor Mittag sollte er Ryôko erneut begegnen. Bis dahin hatte er sie vollkommen vergessen. Als er das Dorf M verließ, war es kurz nach neun, eine Stunde lang etwa wurde er vom Bus hin und her geschaukelt und kam schließlich am Regionalbahnhof an, wo er nach vierzig Minuten Wartezeit in den Zug stieg. Dieser fuhr um viertel nach elf in jenen Bahnhof ein, an dem er in einen Zug der Hauptstrecke umsteigen wollte. Vom Fenster des bremsenden Zuges aus schaute er auf den Bahnsteig. Plötzlich fiel sein Blick auf ein unruhig umherblickendes Mädchen, das auf einer Bank saß und auf jemanden zu warten schien. Es war Ryôko.

Der Zug hielt an. Als die nicht sehr zahlreichen Fahrgäste sich daranmachten auszusteigen, zog Ryôko eine Zigarette aus ihrer Tasche und begann zu rauchen. Ihr Gesicht war leicht nach unten geneigt, so als wollte sie den Blicken der Menschen ausweichen. Reglos verharrte sie in dieser Haltung.

Sie eingehend musternd schickte er sich an, an ihrer Bank vorbeizugehen, da er sie weder ansprechen noch selbst angesprochen werden wollte. Gewiss würde sie ihn ohnehin ignorieren. So verhielten sich Studentinnen nun einmal. Auch an der Universität gab es einige, die miteinander kichernd zu ihm kamen und ihn baten, ihnen bei ihren Versuchen zu helfen. Doch kaum hatten sie diese beendet, gingen sie an ihm vorbei, als hätten sie jegliches Interesse an ihm verloren. Auch er schaute sie zwar an, wenn sie in sein Blickfeld kamen, doch mehr tat er nicht. Konnte er auch nicht. Wollte er auch nicht.

Aber Ryôko blickte plötzlich auf.

»Oh!«

Sie hatte ihn sofort entdeckt. Ihre Stimme klang überrascht. Völlig anders als am vergangenen Abend lächelte sie ihn ganz vertraut an, was auch ihn zu einem Lächeln verleitete.

»Was machst du denn hier? Bist du mit jemandem verabredet?«

»Nein. Warum?«

Sie schüttelte den Kopf. Ihre Antwort war wie aus der Pistole geschossen gekommen und wirkte etwas überstürzt. Das erinnerte ihn daran, wie rastlos sie vorhin gewirkt hatte, als er sie vom Zug aus gesehen hatte, und er erwiderte:

»Ach, nichts weiter.«

Es lag nicht in seiner Absicht, sie neugierig auszufragen.

»Und du? Fährst du nach Tokyo zurück?«, fragte sie.

»Ja. Mein Zug kommt gleich. Also dann«, verabschiedete er sich. Als er sich, da keine Antwort kam, anschickte weiterzugehen, erhob sie sich plötzlich von der Bank.

»Ich muss dir etwas gestehen. Ich habe die ganze Zeit hier gewartet, in der Hoffnung, dass du kommen würdest.«

Sie lächelte leicht gezwungen. Das Sprechen schien ihr schwer zu fallen, doch schaute sie ihm offen und unbefangen direkt ins Gesicht. Das verwirrte ihn, doch die ganze Sache wurde ihm irgendwie immer lästiger. Ryôko wirkte ganz und gar nicht so, als hätte sie womöglich auf ihn gewartet, weil sie sich für ihn interessierte.

»Worum geht's denn? Kann ich dir irgendwie helfen?«, erkundigte er sich vorsichtig. Er konnte sich beim besten Willen nicht vorstellen, dass sie wegen seiner neckenden Worte im Gespräch über die *single cell* am vergangenen Abend hier war, doch verstand er nicht, was sie von ihm wollte.

Als er dann hörte, worum es ging, war er aber doch enttäuscht.

Nachdem sie im »Haus zur Kiefer« ihre Übernachtungskosten bezahlt habe, habe ihr Geld nicht mehr für die Fahrkarte gereicht, erklärte sie ihm.

»Ich hab gedacht, ich könnt es dir ja in Tokyo zurückgeben. Tut mir leid! Eine Fahrkarte für den Bummelzug würde mir schon reichen.«

»Den Bummelzug?«

»Ja. Mit dem würd ich auch heute noch ankommen. Wenn du mir deinen Namen und deine Adresse sagst, komm ich morgen zu dir und geb dir das Geld zurück.«

Er war sich unschlüssig. Geld zum Verleihen hatte er eigentlich. Es machte ihm auch nichts aus, es ihr zu geben. Es fehlte ihm ohnehin der Mut, ihr die Bitte abzuschlagen. Aber er konnte sich nicht entscheiden, ob er gemeinsam mit ihr mit dem Schnellzug zurückfahren sollte, oder ob er ihr eine Fahrkarte für den Bummelzug kaufen und großspurig erklären sollte, das könne doch jedem einmal passieren und sie brauche nichts zurückzuzahlen, und sie dann sich selbst überlassen sollte. Als Reisebegleiterin war sie etwas anstrengend. Wenn er ihr allerdings nur eine Fahrkarte für den Bummelzug kaufte und dann erklärte, sie bräuchte ihm nichts zurückzugeben, lief er trotzdem Gefahr, als Geizkragen abgestempelt zu werden.

»Wie fährst du denn? Mit dem Superexpress?«

Diese Frage von ihr führte schließlich dazu, dass er zwei Fahrkarten für den Superexpresszug kaufte. Eine davon gab er ihr, doch waren es fortlaufende Nummern.

In dem Zug, in den sie stiegen, fielen, da es werktags war, die vielen freien Plätze auf, doch wich Ryôko in seltsam demütiger Weise nicht von seiner Seite. So blieb ihm nichts anderes, als sich neben sie zu setzen, nachdem er ihr den Platz am Fenster angeboten hatte.

»Danke. Ich hab schon gedacht: Was mach ich nur, wenn ich dich nicht treffe. Ich konnte dich doch nicht vor den Augen der Wirtin um Geld bitten!«

»Und deshalb bist du schon vorgefahren und hast hier gewartet?«

»Genau. Aber ich war gefasst darauf, dass du mir meine Bitte vielleicht abschlagen würdest.«

»Wieso?«

»War halt mein Eindruck von dir.«

Bislang hatte er immer nur lustlos geantwortet, doch bei diesen Worten drehte er sich zu ihr um. Direkt unter seinen Augen, so dicht, dass er es fast zu berühren schien, erblickte er ihr weiches flaumiges Haar. Überstürzt nahm er wieder seine vorherige Haltung ein.

Er stellte sich schlafend. Irgendwie herrschte in seinem Kopf Chaos. Ihre Worte ergaben für ihn keinen rechten Sinn. Sobald er die Augen schloss, überkamen ihn immer wieder neue Zweifel.

Zum ersten müsste sie eigentlich gewusst haben, was die Übernachtung kostet, da sie ja wenige Tage vorher erst im »Haus zur Kiefer« übernachtet hatte. Außerdem waren da auch noch ihre Freundinnen. Und am Vorabend hatte sie so viel getrunken, dass sie am nächsten Tag einen Kater hatte.

Übernachtete denn jemand, ohne den Inhalt seines Portemonnaies zu überprüfen, allein in einer Herberge?

Warum konnte sie nicht die Wirtin des »Hauses zur Kiefer« fragen, und weshalb glaubte sie wohl, sie könne mich um den Gefallen bitten, obwohl ich doch angeblich eher so wirkte, als könnte ich ihre Bitte abschlagen? Was hätte sie denn vorgehabt, wenn ich tatsächlich abgelehnt hätte? Wenn sie schon wartete, warum dann an einem Ort, an dem so viele Menschen herumliefen, und nicht an der Bushaltestelle oder an einem Regionalbahnhof, wo sie mich sicherer hätte treffen können? Als sie mich auf dem Bahnsteig erblickte, wirkte sie wirklich überrascht. Sah so das Gesicht eines Menschen aus, der denjenigen entdeckt, auf den er gewartet hat …?

Noch nicht einmal vorgestellt hat sie sich bisher und weder nach meinem Namen noch nach meiner Adresse gefragt!

Vielleicht hat sie mich ja zufällig getroffen und ist plötzlich auf die Idee gekommen, auf diese Weise Reisekosten zu sparen.

Mit Bedacht und dem allergrößten Fragezeichen versehen, erwog er schließlich den Gedanken, was wäre, wenn sie sich womöglich für ihn selbst interessierte.

Hätte er ihr vorhin nur ein wenig Geld gegeben, sie mit dem Bummelzug fahren lassen, ihr auch seine Adresse nicht gegeben und sich von ihr verabschiedet, … Oder hätte er ihr ihre Bitte abgeschlagen, dann …

Doch diese fiktiven Spekulationen führten zu nichts. Denn er saß ja bereits neben ihr im Superexpress.

Dieser Art Gedanken hing er allerdings nicht lange nach. Sie war eine Frau. Ohnehin lag es nicht in seiner Absicht, ihr Fragen zu stellen und Antworten zu erhalten. Eigentlich wollte er auch nur halb, dass sie ihm das Geld zurückgab. Wenn sie es tat, würde er es annehmen. Hätte sie aber keine Lust dazu, würde er wohl darauf verzichten.

Er begriff nicht warum, doch hatten Frauen auf ihn solch eine Wirkung. Schon immer hatte er so gehandelt. Denn anders hätte er seine Arbeit als Nachhilfelehrer nicht fortsetzen können. In Wirklichkeit bestand für ihn das Problem gar nicht darin, ob er seinen Job verlor, sondern in der Tatsache, dass er je nach Laune der Mütter seiner Schüler zuweilen das Gefühl hatte, es nicht mehr aushalten zu können, zu anderen Zeiten aber alles in Ordnung zu sein schien.

Im Zug verhielt sich Ryôko ganz ruhig. Er schaute sie sich noch einmal an. Ihre Gesichtszüge waren tatsächlich hübsch.

Zuerst hatte er geglaubt, ihr bescheidenes Verhalten hänge damit zusammen, dass es ihr peinlich sei, sich bei einem wildfremden Menschen Geld geliehen zu haben, doch allmählich machten sich Zweifel in ihm breit.

Sie sprach kaum ein Wort und starrte unverwandt auf die Landschaft hinter dem Fenster. Unwillkürlich betrachtete auch er über ihren Kopf hinweg dieselbe Landschaft. Hin und wieder drehte sie sich jedoch zu ihm um, so als wäre ihr etwas eingefallen, um sogleich aber mit einem schüchternen Lächeln ihren Blick wieder in die ursprüngliche Richtung zurück zu lenken.

Allmählich empfand er es immer mehr als angenehm, zusammen mit einer jungen Frau zu reisen.

8

Wenn er es recht bedachte, hatte sich ihr Verhalten, seit sie sich Tokyo näherten, nach und nach seltsam verändert. Ihre Augen hielt sie nun fest geschlossen, so als sinne sie über irgendetwas nach, und ihre Gesichtszüge wirkten starr. Weder versuchte sie aus dem Fenster zu schauen noch lächelte sie ihn an.

Er wiederum dachte an das kalte triste Zimmer seiner Wohnung, in die er nun zurückkehren würde und in der es weder etwas zu essen noch ein Bad gab. Seine Reise ging zu Ende.

Die Tatsache, dass er sich bald von Ryôko trennen würde, fand er schon ein wenig bedauerlich, aber er war nicht der Typ, der in tiefes Grübeln verfiel, wenn eine Frau, von der er sich ohnehin nach dem Passieren der Bahnsteigsperre verabschieden würde, auf einmal ganz in sich gekehrt wirkte. Wenn er erst einmal wieder in Tokyo war, war an Muße für solche Dinge ohnehin nicht mehr zu denken.

Wann Ryôko beschlossen hatte, ihn bis zu seiner Wohnung zu begleiten, war unklar. Vielleicht, als sie im Zug in Schweigen versunken war, oder als sie merkte, dass er sie nicht wegschicken würde, oder etwa schon damals, als sie im »Haus zur Kiefer« übernachtete?

Ihm war zwar so, als hätte er ihr nie gesagt, dass er allein in einer Mietwohnung lebe, doch genau erinnerte er sich nicht. Möglicherweise hatte er es der Wirtin des »Hauses zur Kiefer« gegenüber erwähnt. Und sie hatte es dann vielleicht Ryôko weitererzählt.

Zumindest hätte sie diesen Entschluss nicht fassen können, ohne zu wissen, dass er alleinstehend war.

Wenn nun all das – ihre Bitte um Fahrgeld, ihr Auflauern, eventuell auch ihre Rückkehr ins »Haus zur Kiefer« und auch, dass sie als Einzige zurückgeblieben war, nachdem sie einen Kater vorgetäuscht hatte – wenn nun all das von vornherein geplant gewesen war …

Er hatte keinen blassen Schimmer, was ihr an ihm so gefiel.

Allerdings spielte das überhaupt keine Rolle. Auch dass er letztendlich Ryôko nie direkt danach gefragt hatte, war nicht wichtig.

Kurz gesagt, akzeptierte er Ryôko in ihrer Rätselhaftigkeit, und auch nachdem sie ihn verlassen hatte, tat er schließlich nichts anderes, als dieses Rätsel zu genießen.

Er selbst hatte sich in Ryôko verliebt.

Alles andere versank in Bedeutungslosigkeit.

Als der Zug hielt, huschte über Ryôkos Gesicht ein letztes Lächeln, und sie murmelte:

»Jedes Mal, wenn ich in einen Zug einsteige, hoffe ich, dass er nie am Ziel ankommt. Aber immer kommt er an.«

»Wär doch schlimm, wenn er das nicht täte.«

Mikios Gedanken konzentrierten sich allein auf das Ausladen des Gepäcks.

»Mhm …«

Sie nickte einfach und nahm ihm das Gepäck aus der Hand.

»Für euch, die ihr nach Herzenslust herumreisen könnt, ist es ja vielleicht egal. Doch unsereins will schnell irgendwohin und schnell wieder zurück. Dafür gibt es ja den Superexpress.«

Um die Stimmung zum Abschied etwas aufzuheitern, hatte Mikio einen scherzenden Ton angeschlagen und gelacht.

Sie schien auch zu lächeln. Das beruhigte ihn. Nur dass sie ihn bisher weder nach seiner Adresse noch nach seinem Namen gefragt noch irgendwie zu verstehen gegeben hatte, dass sie ihm das Geld zurückgeben wolle, machte ihm ein wenig Sorgen. Aber wenn er bedachte, dass er dafür das Vergnügen einer weiblichen Reisebegleitung hatte genießen können, machte es ihm nichts mehr aus. Es kam ihm vor wie eine Verlängerung jenes Gefühls von Luxus, das ihn erfasst hatte, als er die Übernachtungen im »Haus zur Kiefer« bezahlt hatte.

»Mit dem Bummelzug wären wir immer noch unterwegs. Wo wir jetzt wohl gerade wären?«

Mit diesen Worten passierte Ryôko die Sperre.

Ihm kam die Idee, sie zum Essen einzuladen. Er hatte nämlich gespürt, dass ihr der Abschied schwer fiel.

Erfreut willigte sie ein.

Selbst zu diesem Zeitpunkt ließ sie sich nicht im Geringsten anmerken, was sie als nächstes zu tun gedachte. Daher mochte er sich nur höchst ungern von ihr verabschieden und zögerte nun seinerseits die Trennung immer weiter hinaus. Die Situation schleppte sich träge dahin. Kein Wunder, dass er bald so erschöpft war, dass er nicht mehr wusste, wem der Abschied eigentlich schwerer fiel.

Als sie die Gaststätte verließen, dämmerte es bereits. Mikio lud Ryôko, die nicht den Eindruck machte, als wolle sie nach Hause, in ein nahe gelegenes Café ein. Zwei Stunden lang saßen sie einander gegenüber und schwiegen sich an. Kein einziges Wort drang mehr aus Ryôkos Mund. Dabei hatte sie weder eine betont nachdenkliche Miene aufgesetzt, noch wirkte sie steif, und wenn sie von Zeit zu Zeit wie zufällig zu Mikio herüberschaute, versäumte sie nicht, ihm zu signalisieren, wie wohl sie sich fühlte, indem sie in ihren Augen ein Lächeln durchschimmern ließ.

Dann schluckte er jedes Mal seine Abschiedsworte wieder hinunter.

Als der Kellner zum wer weiß wievielten Mal kam, um Wasser in ihre Gläser zu gießen, stand Mikio schließlich auf.

»Sonst sitzen wir morgen früh noch hier.«

Da nickte sie einfach und entfernte sich still von ihrem Platz. Nun ist es aus, dachte er. Sie sagt und fragt nichts, weil sie sich nicht mehr mit mir treffen will, interpretierte er auf seine Art kurzerhand ihr Verhalten. Deshalb schwieg auch er. Normalerweise hätte man wohl an dieser Stelle darüber geredet, wie man in Kontakt bleiben könne, und sich für das nächste Mal verabredet, dachte er.

Doch sie ging einfach mit ihm mit. Zum Bahnhof zurückgekehrt fragte er sie, mit welcher Bahn sie fahre, um eine Vorstellung davon zu bekommen, wo ihre Wege sich trennen würden. Ohne ein Wort zu sagen, schüttelte sie nur leicht den Kopf. Sie beobachtete genau, wie er eine Fahrkarte für sich selbst kaufte, holte ihre Geldbörse heraus und steckte Münzen in denselben Fahrkartenautomaten. Die Fahrkarte, die herauskam, war genauso teuer wie seine.

»Was denn? Dieselbe Richtung?«

Sie lächelte schweigend.

Sich nicht weiter darum kümmernd, passierte er die Sperre und bestieg die Bahn, die gerade gekommen war, ohne dabei die ihm unmittelbar folgende Ryôko aus den Augenwinkeln zu verlieren. Auch Ryôko stieg ein. Es war gerade Hauptverkehrszeit. In der Bahn herrschte starkes Gedränge. Ryôko bahnte sich einen Weg bis in seine Nähe und wich ihm dann nicht mehr von der Seite.

Beim Aussteigen verhielt sie sich ganz genauso.

Im Vertrauen darauf, dass es ja noch nicht allzu spät war, ging Mikio, in sich eine leichte Anspannung – halb Unsicherheit halb Erwartung – spürend, ganz langsam und absichtlich ohne sich umzudrehen, das erste Mal seit zwei Wochen wieder den abendlichen Weg entlang. In diesem Tempo würde er zwölf, dreizehn Minuten bis zu seiner Wohnung brauchen.

Mal sehen, bis wohin sie mir folgt.

Selbstredend hatte er nicht den blassesten Schimmer von Ryôkos Gefühlen. Er fand es nur irgendwie nicht ganz geheuer und aufregend, dass eine Frau ihm folgte. Warum in ihm das Gefühl aufkam, sich allen Ernstes mit ihr messen zu wollen, war ihm selbst ein Rätsel.

Wer würde wohl als erster sprechen? Als ginge es um eine Wette, beschleunigte er seine Schritte. Bis zu seinem Wohnblock war es nicht mehr weit. Die Straße war wie ausgestorben.

Sein Wohnblock kam in Sicht. Noch war kein einziges Fenster erleuchtet. In diesem Augenblick fasste er einen Entschluss.

Wie sich die Dinge auch entwickeln würden, fürs erste stand ihm doch nichts im Weg. Hauptsache er konnte seine Abhandlung in der Universität abgeben und ab morgen oder übermorgen wieder seiner Arbeit nachgehen. Ansonsten gab es nichts, worum er sich Sorgen machen müsste.

Er war fünfundzwanzig, und zum ersten Mal folgte ihm eine Frau…

Da brauchte er doch nicht davonzulaufen!

Gelassenheit überkam ihn, so dass ihm sogar ein verlegenes Lächeln gelang.

Vor dem Wohnblock blieb er kurz stehen. Als er sich umsah, stand zehn Meter entfernt von ihm Ryôko, die ebenfalls angehalten hatte.

Er stieg die Treppe hinauf, hielt vor seiner Wohnung eine Zeit lang inne und lauschte. Hier oben war es dunkel. Auch in den anderen Wohnungen war noch niemand zu Hause.

Da er keine Schritte zu hören vermeinte, drehte er sich um. Da stand sie, einem Schatten gleich, mit nichtssagendem abgewandtem Blick auf dem obersten Treppenabsatz.

Ihre erste Begegnung im »Haus zur Kiefer« kam ihm wieder in den Sinn, jene winzigen roten Funken in der Dunkelheit.

Er öffnete die Tür und ging hinein. Die Tür ließ er halboffen stehen.

Im Begriff, nach dem Lichtschalter zu greifen, zögerte er.

Das von draußen herein dringende Licht hatte das Zimmer schwach erleuchtet. Es war gar nicht so unaufgeräumt, wie er insgeheim befürchtet hatte. In diesem Moment fiel ihm ein, dass er saubergemacht hatte, bevor er abgereist war, und ihm fiel ein Stein vom Herzen.

Ryôko kam nicht herein.

Unwillkürlich erschrak er und spähte nach draußen. Sie war noch da. Da stand sie in der Dunkelheit und schaute ihn, der Hals über Kopf auf den Flur gestürzt war, an. Sein Gesicht rötete sich, und er zog sich zurück, so als wolle er sagen: Komm rein!

»Machst du kein Licht an?«

Endlich sprach sie. Sie schien darauf gewartet zu haben, dass das Licht anging. Als er die Neonlampe anschaltete, betrat Ryôko sich neugierig umblickend seine Wohnung.

Bei Licht besehen, wirkte ihr Gesichtsausdruck auf ihn so unschuldig, dass es ihn aus dem Konzept brachte. War sie denn noch so kindlich gewesen? Irgendwie war sie eine Frau, deren Eindruck sich bei jedem Hinschauen veränderte.

»Da bin ich«, sagte sie mit koketter Stimme und blickte sich, mit dem Gepäck in der Hand, im Zimmer um.

»Setz dich!«, knurrte er sie an. Da ließ sie sich auf der Stelle nieder und kniete sich in förmlicher Haltung aufrecht hin.

»Hör mal, es ist schon spät!«

Wieder klang seine Stimme, als sei er ernstlich ungehalten, doch diesmal blieb die Reaktion aus. Er schaute auf die Uhr. Es war kurz vor neun.

Er stand vor dem Spülbecken. Seitdem sie hereingekommen war, hatte er sich dorthin zurückgezogen, weil er das Gefühl hatte, so irgendwie Schwierigkeiten vermeiden zu können. Seitdem Ryôko mitten im Zimmer saß, wirkte es allein dadurch schon übervoll und es schien nirgendwo mehr einen Platz für ihn zum Sitzen zu geben.

Auf ihren brav geschlossenen Knien hielt sie eine große Stofftasche mit ihren Armen umfasst. Sie war zwar aufgeregt, doch unwohl schien sie sich nicht zu fühlen. Um seinen Blicken nicht zu begegnen, schaute sie mit leicht geneigtem Kopf nach unten und wirkte irgendwie so, als schmollte sie. Während er ihre kindliche Gestalt betrachtete, löste sich unversehens seine eigene innere Anspannung auf. Die dicke heiße Luft, die er bis eben noch eingeatmet hatte, war langsam und stillschweigend entschwunden, und sein eigener Körper, mit dem er nicht wusste wohin, fühlte sich irgendwie unbeholfen und plump an.

Er atmete schwer aus, ging mit extra großen Schritten auf sie zu und blickte direkt von oben auf sie hinunter. Er hatte gesehen, dass sie sich in dem Augenblick, da er den ersten Schritt ins Zimmer machte, erschrocken leicht bewegt und ihren Blick, den sie gerade eben anzuheben im Begriff gewesen war, rasch wieder abgewandt hatte.

Geräuschvoll pflanzte er sich im Schneidersitz so dicht vor ihr auf, dass er ihren Atem zu spüren glaubte.

Dabei dachte er darüber nach, was er tun könnte, um sie nicht zu verärgern. Wenn er nur mit ihr klar käme, ohne dass sie die Beherrschung verlor, dann war es ihm wirklich egal, ob er sein Verlangen befriedigte oder sie nach Hause schickte.

Worauf sie wartete, wie sie so mit steifen Schultern dasaß, so viel war ihm schon klar.

»Hey!«

Er versuchte ein Lächeln und schob sein Gesicht direkt vor ihres.

»Was ist denn?«

»Das möchte ich dich fragen. ... kannst du dir das nicht denken?«

»Nein.«

Von ihrem Blick getroffen, erlosch sein Lächeln. Es sind jene Augen, dachte er. Jene Augen, die mich aus der Dunkelheit hasserfüllt angestarrt und in deren Tiefe rote Funken gesprüht haben. Er legte seinen Arm um ihre Schulter. Wie von ihm angesaugt, neigte sie sich ihm zu.

In jener Nacht übernachtete Ryôko in seinem Zimmer.

Es gab nur ein Bettzeug. Es kam ihm so vor, als hätte er, während sie schliefen, die ganze Zeit geträumt, sie im Arm zu halten.

Er entsann sich auch, in der Nacht mehrmals ihren Körper, der sich aus seiner Umarmung zu lösen gesucht hatte, wieder zurückgeholt und erneut umarmt zu haben. Da sich etwas Sanftes, Warmes entfernt hatte, hatte er es instinktiv zurückholen wollen. Sie hat sich fast gar nicht gesträubt, dachte er. Er war sich nicht sicher, doch schien sie gut geschlafen zu haben.

Am nächsten Morgen wachte er früh auf. Ryôko war, ohne dass er es bemerkt hatte, seinen Armen entschlüpft, hatte sich auf die andere Seite gedreht und schlief noch. Im nächsten Augenblick hatte er – ohne Muße für einen einzigen Gedanken – Ryôkos Körper gewaltsam wieder zu sich herumgedreht und sich rittlings auf sie gesetzt.

Als alles vorbei war und er völlig erschöpft auf ihr lag, kam er wieder zu sich, da er die Kraft spürte, mit der sie von unten versuchte ihn wegzuschieben. Sie zog ein Gesicht, als würde sie jeden Augenblick in Tränen ausbrechen. Als er überstürzt zur Seite rückte, drehte sie ihm rasch den Rücken zu, kroch bis zum Ende des Bettzeugs, wo sie seinen Körper nicht mehr berührte, und machte sich ganz klein. Ein Schluchzen war zu vernehmen.

Als hätte man ihn plötzlich mit kaltem Wasser überschüttet, war auf einen Schlag sein Realitätssinn wieder zum Leben erwacht.

In die einzige Bettdecke seines Zimmers hatte sich eine Frau eingewickelt und weinte. Über diese Frau wusste er außer, dass sie eine Studentin war und Ryôko hieß, rein gar nichts.

Das war fürs erste die Realität.

Ebenfalls Realität war dieses Zimmer, aus dem, wenn man nur mit leicht gehobener Stimme sprach, alles in der Nachbarwohnung zu hören war. Zuweilen kam es vor, dass aus irgendeinem Raum Stimmen und Laute zu hören waren, denen man klar entnehmen konnte, dass jemand eine Frau mitgebracht hatte. Da die Bewohner des Hauses keinen Umgang miteinander pflegten, wusste er nicht, aus welcher Wohnung es kam, doch in solchen Momenten spitzte irgendwie auch er die Ohren und hielt, bis es vorbei war, den Atem an. Die haben Nerven! Sie wissen doch, dass man alles hören kann, hatte er verächtlich über diese Leute gedacht, deren Gesichter er nicht einmal richtig kannte. Doch seit gestern Abend bis heute Morgen hatte er mit keiner Silbe daran gedacht. Er schaute auf die Uhr und lauschte erneut. Im Wohnblock schienen alle noch in tiefem Schlaf versunken. Außer dem Brummen eines Autos in der Ferne war es vollkommen still.

Die Uhr zeigte kurz nach sechs.

Ryôko hatte aufgehört zu schluchzen, doch wandte sie ihm nach wie vor den Rücken zu und rührte sich nicht. Solange sie nicht mit lauter Stimme losschrie, brauchte er sich fürs erste keine Sorgen zu machen.

Als nächstes ging es darum, wie er sie besänftigen und dazu bringen konnte nach Hause zu gehen.

Leise stahl er sich aus dem Bett und zog sich mit einem verstohlenen Seitenblick rasch an. Sie rührte sich nicht. Er wusste nicht, ob sie wütend war oder sich schämte. Um sie möglichst nicht zu reizen, sprach er den unbeweglichen Bettdeckenberg mit fast flüsternder Stimme an.

»Tut mir leid, aber ich muss heute früh gleich weg.«

Ihre Haare zitterten kaum merklich.

»Und du, was machst du?«

Eine Weile herrschte Schweigen. Dann drehte sie sich langsam zu ihm um und ließ nur ihre Augen unter der Bettdecke hervor lugen.

»Lass mich noch ein wenig schlafen«, murmelte sie. Ihre Augen waren leicht gerötet.

»Aber ich weiß nicht, um wie viel Uhr ich zurück sein kann. Vielleicht komm ich erst in der Nacht.«

Weit geöffnet schwebten ihre Augen in der Luft. Als sie sich nach einer kurzen Weile wieder schlossen, begannen leise Atemgeräusche ihrem Mund zu entweichen. Sie schien wieder zu schlafen.

Kurz darauf hängte er sich seine dicke schwere Tasche um, in der seine Abhandlung und Unterlagen steckten, und schlich auf Zehenspitzen aus dem Zimmer.

Er hatte ihr einen Zettel hingelegt: Schreib mir bitte deine Adresse auf oder wann und wo wir uns treffen können. Sollte es etwas zu bereden geben, können wir das ja dann tun. Wenn du die Wohnung verlässt, brauchst du nicht abzuschließen. Wahrscheinlich komme ich erst spät nach Hause.

In seinem Zimmer hielt er es jedenfalls nicht mehr aus. Nachdem er es fluchtartig verlassen hatte und mit eiligen Schritten losgelaufen war, dachte er darüber nach, was er an diesem Tag alles erledigen wollte: Zuerst geh ich in die Uni. So früh am Morgen dürfte noch niemand im Institut sein. Wenn die anderen kommen, macht die Bibliothek auf, also zieh ich dann dorthin um und lese meine Abhandlung noch mal durch. Irgendwie muss ich die Zeit bis heute Nachmittag totschlagen. Am Abend kann ich dann meine Runde bei meinen Schülern machen. Dort wartet man bestimmt schon sehnsüchtig auf mich. Wenn ich bei drei Schülern vorbeischaue, kann ich meine Heimkehr bis Mitternacht hinauszögern. Zur Not könnt ich ja auch im Institut übernachten.

Hier und da tauchten an den Ecken Angestellte auf, die auf dem Weg zur Arbeit waren, nach und nach wurden es immer mehr, die zum Bahnhof eilten, als liefen sie mit ihm um die Wette. Mit ausdruckslosen Gesichtern, schnellen Schritten und miteinander wetteifernd. Ob er wohl auch bald einer von ihnen sein würde? Er beschleunigte seine Schritte weiter und überholte einen Mann. Dann noch einen. Der Dritte warf einen flüchtigen Blick auf ihn und überholte ihn selbst wieder, kaum dass er an ihm vorbei war.

Den Tag verbrachte er nahezu so, wie er es vorgehabt hatte. Im Laufe des Vormittags rief er bei seinen Schülern an und verabredete sich bei dreien von ihnen, die alle dicht beieinander und in der Nähe wohnten. Damit stand fest, dass er zumindest bis dreiundzwanzig Uhr dort nicht wegkommen würde.

Er begegnete weder Professor T noch sonst irgendjemandem seines Instituts. Nach neun Uhr betrat er eine Einzelkabine der Bibliothek. Diese Kabinen, die nicht mehr Platz boten als eine Toilettenzelle, hatte er bislang nur selten genutzt, doch zufällig hatte er eine leer stehen sehen und einfach Lust bekommen hineinzugehen. Sie war mit Schreibtisch und Stuhl für eine Person ausgestattet, und es gab eine Tür aus Furniersperrholz. Zehn dieser Kabinen, deren Trennwände aus Furnierholz bestanden, reihten sich im hinteren Teil des Büchermagazins aneinander.

Er hörte, wie sich von hinten Schritte näherten und wieder entfernten. Da er rundherum lediglich von türhohen Wänden umgeben und die Kabine nach oben hin offen war, wirkte die Decke extrem hoch, und die näher kommenden Schritte klangen, als stürzten sie direkt von oben auf ihn herab. Wider Erwarten nahmen die Schritte auf der Suche nach Büchern und jene, die sich näherten, um eine Kabine zu nutzen, kein Ende. Nach zehn Uhr schienen alle Kabinen belegt, dann hörte er, sobald sich Schritte genähert hatten, hin und wieder ein Zungenschnalzen oder einen kurzen Laut der Unzufriedenheit oder Enttäuschung, bevor sie wieder ihrer Wege gingen.

Gab es denn tatsächlich so viele Studenten, die niemandem begegnen wollten? Wohl wissend, dass der Lesesaal mit mehreren großen benutzerfreundlichen Tischen und bequemen Stühlen ausgestattet war?

Da er anfangs immer wieder darüber nachdachte, ob er nicht lieber dorthin umziehen sollte, kam er einfach nicht zur Ruhe. Schließlich waren hinter ihm ja nur noch ganze 50 Zentimeter Platz, so dass ihm die Schritte ziemlich dicht auf den Pelz rückten. Obwohl am Türdrehgriff ein Pappschild mit der Aufschrift ›Besetzt‹ hing, gab es Typen, die es erst zur Kenntnis nahmen, nachdem sie den Griff gedreht hatten.

Da das jedoch extrem oft passierte, war er es bald leid und er brummte ›Blödmann!‹ und ähnliches vor sich hin. Nach einiger Zeit fand er es sogar zum Lachen.

Am Nachmittag hielt er in dieser Furnierholzkabine ein Schläfchen.

An Ryôko dachte er so gut wie nie. Es hätte auch nichts gebracht. Bei Frauen, die beleidigt oder zugeknöpft waren, beschränkte er sich darauf, sie mit verschränkten Armen aus der Ferne zu beobachten. Oder aber er machte sich unauffällig aus dem Staub, einen anderen Rat wusste er sich nicht.

Das Gefühl hingegen, eine Frau in den Armen gehalten zu haben, lebte immer wieder heftig in ihm auf. Aber auch das erinnerte ihn letzten Endes nur daran, das öffentliche Badehaus aufzusuchen. Das ›Besetzt‹- Schild an der Tür ließ er hängen, als er hinausschlich. Seine Abhandlung schob er in ein Schließfach der Bibliothek, um sich dann in ein Badehaus in der Nähe der Universität zu begeben. Anschließend hielt er dann seinen Mittagsschlaf.

Bei jedem seiner drei Schüler blieb er zwei volle Stunden, zweimal erhielt er Abendbrot, beide Male aß er alles auf. Als er total erschöpft den Heimweg antrat, war es nach elf Uhr. Kurz vor Mitternacht langte er bei seiner Wohnung an.

Wie könnte er nur sein Erstaunen beschreiben, das ihn erfasste, als er sah, dass in seiner Wohnung Licht brannte? Wäre sein verstorbener Vater plötzlich vor ihm aufgetaucht, hätte er sich wahrscheinlich genauso gefühlt.

Für eine Weile ließ ihn sein Denkvermögen im Stich, und er stand steif in der Dunkelheit des Weges. Er zählte die Fenster. Mit vorsichtigen Schritten stieg er die Treppe hinauf und blieb vor seiner eigenen Wohnung stehen. Er vergewisserte sich davon, dass Licht unter der Tür hindurch nach draußen drang. Leise klopfte er an. Es kam keine Antwort. Plötzlich überkam ihn Enttäuschung. Ryôko hatte also nur das Licht angelassen, als sie ging.

Ausgeschlossen, dass sie noch da war! Völlig unwahrscheinlich! Sein Herz hingegen begann wie wild zu schlagen. Wär doch schön, wenn sie da wäre, aber wenn sie wirklich war, hatte er ein Problem …

Sie war da. Sie ist tatsächlich da, dachte er und traute seinen Augen nicht. Das wilde Klopfen in seiner Brust ließ auf einmal nach. Sie kniete in derselben förmlichen Haltung auf demselben Platz wie am Abend zuvor, nachdem sie sein Zimmer betreten hatte. Lange brachte er keinen Ton heraus.

Von da an wohnte sie bei ihm. Genauer gesagt, ging sie einfach nicht fort – das traf es wohl besser.

Sie sprach fast nie. Ging es um nebensächliche Dinge, antwortete sie ihm zwar auf seine Fragen, doch selbst da behalf sie sich meist nur damit, dass sie nickte oder den Kopf schüttelte. Dann, wenn sie offenbar überhaupt nicht antworten wollte, verschleierte sie das mit einem Lächeln oder tat so, als hätte sie nichts gehört. Es kam auch vor, dass sie ihm einen durchdringenden Blick zurückwarf. Oder aber sie fiel ihm plötzlich, sich gleichsam auf ihn stürzend, um den Hals, drängte sich ungestüm an ihn und brachte ihn so zum Schweigen.

»Ganz wie ein Tier …«

Auf seine Worte hin, die er eher aus Verblüffung als aus Unbehagen von sich gegeben hatte, ließ sie ihre Augen aufleuchten und nickte heftig.

Da er davon überzeugt war, dass sie nicht allzu lange bleiben würde, verzichtete er darauf, allzu hartnäckig nachzubohren. Er dachte auch, dass er es ohnehin bald erfahren würde, wenn es einen Grund für ihr Verhalten gab. Auf jeden Fall würde sie wieder gehen. Daran gab es keinen Zweifel.

Er wusste, dass sie an irgendeiner Universität studierte. Auch hatte sie Freundinnen, mit denen sie sich so gut verstand, dass sie gemeinsam mit dem Auto herumreisten. Natürlich besaß sie irgendwo auch ein Zuhause und eine Familie.

Dorthin würde sie wohl zurückkehren. Jetzt ging sie ja doch nur einer Laune nach. Er hatte noch die Worte ihrer Freundinnen im Ohr, die er im »Haus zur Kiefer« halb im Traum vernommen hatte.

›Mit ihren Launen führt uns Ryôko doch nur an der Nase herum!‹

Nur war er nicht wie ihre Freundinnen gereizt und unzufrieden damit, dass Ryôko ihn an der Nase herumführte.

Nicht vergessen durfte er auch, dass Ryôko von sich aus mitgekommen war, also würde sie auch einfach, sobald ihr danach zumute war, wieder gehen.

Wenn sie es denn so wollte, konnte auch er sich vorstellen, dass eine Katze, die eigentlich einer anderen Familie gehörte, aus einer Laune heraus zu ihm gekommen war. Diese Katze schien ihn zufälligerweise zu mögen. Also dürfte auch keinerlei Notwendigkeit bestehen, sie überstürzt aus dem Haus zu jagen.

Die Vorstellung, in seiner Wohnung heimlich eine Katze versteckt zu halten, versetzte ihn in Erregung. Diese Katze konnte er in den Arm nehmen, wann immer er wollte. Es war zwar nicht so, dass sie dann übermäßig erfreut schnurrte, doch ließ sie sich brav umarmen und hatte ihn bisher noch kein einziges Mal gekratzt.

Bleib hier, murmelte er jedes Mal, wenn er ihr weiches Fell streichelte. Auch morgen kannst du ruhig noch bleiben. Nur, wie es ab übermorgen weitergehen würde, davon hatte er nicht den blassesten Schimmer.

Dass sie nicht sprach, empfand er eher als einen glücklichen Umstand.

Ryôko schwieg nicht nur, sie tat auch nichts.

Entweder beobachtete sie ihn oder sie schlief. War beides nicht der Fall, lag sie in seinen Armen.

Eine Frau, die nicht sprach, sich um nichts kümmerte, sein Interesse geweckt hatte und nun nicht lockerließ, war eine ausgesprochene Seltenheit, wie sie ihm zum ersten Mal begegnete.

In der Tat war sie eine geheimnisvolle Frau.

Daher hatte er nun wahrscheinlich vollends den Kopf verloren. In dem Augenblick, da er morgens seine Wohnung verließ, begann er bereits, an seine Heimkehr zu denken. Den ganzen Tag war er nur unterwegs, um in seine Wohnung zurückzukehren. Von morgens bis abends hielt ihn seine innere Unruhe auf Trab.

Da Ryôko ohnehin wieder entschwinden würde, musste er die Zeit nutzen, bevor es zu spät war. Aus solcherart total berechnenden niederen Beweggründen heraus war ihm jeder Tag wichtig.

Doch sein Realitätssinn, das Einzige, von dem sich sagen ließ, dass er sich darauf verlassen konnte, schien seit seiner Zeit im »Haus zur Kiefer« irgendwelchen Verwerfungen und Verschiebungen unterworfen zu sein, die nach seiner Rückkehr nach Tokyo nun sogar noch eskalierten. Sein Körper spielte ebenfalls verrückt.

Das war wohl die Strafe auch dafür, dass er sich im »Haus zur Kiefer« zu wenig bewegt und zu viele unnütze Gedanken gemacht hatte. Kaum zurückgekehrt, hatte unmittelbar sein merkwürdiges Zusammenleben mit Ryôko begonnen, das sich jeden Tag aufs Neue verlängerte. Darüber hinaus nahm ihn seine Arbeit als Nachhilfelehrer weitaus länger als sonst in Anspruch, denn die Lücken, die durch seine Reise entstanden waren, wollten wieder gefüllt werden. Die Mütter verhielten sich leicht distanziert.

Er fühlte sich völlig erschöpft. Nichtsdestotrotz brummte der Motor in seinem Innern auf Hochtouren. Selbst wenn er es gewollt hätte, hätte er es nicht geschafft sich auszuruhen. Er kam gar nicht erst auf die Idee sich zu erholen. Aus freien Stücken erhöhte er Schlag auf Schlag sein Arbeitspensum. Zu den Schülern, bei denen er bisher einmal pro Woche gewesen war, ging er jetzt zweimal, jenen, denen er bisher zwei Stunden Nachhilfeunterricht erteilt hatte, gab er nun drei Stunden, und seinen jüngeren Kommilitonen an der Universität stand er mit Rat und Tat bei ihren Experimenten zur Seite.

Schließlich – war es nach der ersten Woche? – merkte er, dass sich Ryôkos Aufenthalt bei ihm wider Erwarten in die Länge zu ziehen schien. Jedes Mal, wenn er nach Hause zurückkam, staunte er: Auch heute Abend ist sie noch da! Auch heute Abend sitzt sie da! Dieses Gefühl verwandelte sich jedoch allmählich in eines der Erleichterung: Sie hat mich auch heut noch nicht verlassen! Dann dachte er: Heute Abend ist sie bestimmt noch da! Und dann: Sei da! Nun staunte er nicht mehr, wenn sie da war.

So ergab es sich von selbst, dass er sich im Laufe der Zeit an ihre Anwesenheit gewöhnte. Auf der anderen Seite vertieften sich seine Befürchtungen, dass sie am nächsten Tag nicht mehr da sein könnte. Irgendwie passte das nicht recht zusammen.

Ryôkos Verhalten deutete in keiner Weise darauf hin, dass sie weggehen würde. Trotzdem hatte er das Gefühl, sie könnte jeden Augenblick verschwinden. Die Widersprüche lagen in ihm selbst. Doch Ryôko glänzte einfach allzu sehr durch Nichtstun. In diesem Punkt übertrieb sie es wirklich. Obgleich sie nach so langer Zeit immer noch nicht fortgegangen war, verhielt sie sich ganz und gar nicht wie jemand, der mit in seiner Wohnung wohnte.

Morgens schlief er immer bis zum letzten Moment. Vorher schaffte er es einfach nicht, die feuchte wohlige Wärme seines Betts zu verlassen. Obgleich er am Vorabend Ryôko – gleich einer sich festklammernden Ranke – umschlungen hatte und anschließend in dieser Haltung auch eingeschlafen sein dürfte, hatte Ryôko sich meist unbemerkt wieder aus seinen Armen gestohlen und ihm den Rücken zugewandt. Streckte er seinen Arm nach ihr aus, drehte sie sich ohne aufzuwachen widerstandslos wieder zu ihm um und schmiegte sich an ihn. Gleich nach dem Aufstehen ging er zur Universität. Dass er die Zeit, zu der er morgens in die Uni aufbrach, allmählich immer weiter nach hinten hinausschob, verunsicherte ihn in hohem Maße. Finge er erst einmal damit an, die Uni oder seine Nachhilfejobs zu schwänzen, wäre seine weitere Existenz gefährdet.

Wenn er sich auf den Weg machte, schlief Ryôko noch. Oder aber sie stellte sich nur so. Es kam auch vor, dass sie ihre Augen öffnete, doch dann schaute sie ihn nur gedankenverloren an. Sein hektischer Aufbruch kam ihm manchmal wie die Flucht aus einer Räuberhöhle vor, auch hielt er es für möglich, dass Ryôko vielleicht sogar darauf wartete, dass er ging. Ihre Augen, die ihm gelegentlich nachblickten, waren ausdrucksleer, und es zeigte sich nicht einmal der Schatten eines Anzeichens, das auf Einsamkeit hätte schließen lassen können, oder einer Unzufriedenheit darüber, dass er wegging. Würde Ryôko nicht die Flucht ergreifen, wenn er den ganzen Tag über immer nur in seiner Wohnung hocken würde? Plötzlich stand er im Begriff, der Illusion zu erliegen, nicht mehr zu wissen, wessen Wohnung das eigentlich war.

Er hatte das Gefühl, dass in dem Augenblick, in dem er seinen Tagesablauf, morgens loszugehen und gegen Mitternacht zurückzukehren, änderte, irgendetwas zerbrechen könnte, was nicht wieder zu reparieren war. Tatsächlich hatte er sich nach ein paar Tagen daran erinnert, dass sie ja eigentlich gar kein Geld bei sich hatte, doch aus Furcht vor Veränderungen diesen Gedanken ignoriert.

Was das Geld anbelangt, muss ich ihr noch etwas erklären.

Man konnte durchaus sagen, dass er, in erster Linie von Natur aus geizig, Ryôkos Schweigsamkeit ausnutzte und sich ahnungslos stellte. Ängstlich hütete er sich davor, finanzielle Lasten zu übernehmen. Dass das schäbig war, gestand er sich selbst sogar ein. Sein Unbehagen war der Hauptgrund auch dafür, dass es für ihn etwas leicht Heikles an sich hatte, dass Ryôko so lange bei ihm blieb. Ehrlich gesagt, wollte er das Geld, das er im »Haus zur Kiefer« ausgegeben hatte, schnell wieder ansparen. Dabei war es nun ganz und gar nicht so, dass er kein Geld mehr übrig gehabt hätte. Nur hatte er sich solch ein Verhalten eben angewöhnt und konnte es nun nicht mehr ablegen. Er schämte sich dessen auch gar nicht. Im Gegensatz zu anderen Menschen verfügte er nur über eine einzige Geldquelle – seinen eigenen Geldbeutel. Zum Beispiel hätte er sich auch niemals so verhalten können, wie Ryôko es getan hatte. Das heißt, welche geheimen Absichten er auch immer gehegt hätte, wäre er doch niemals dazu fähig gewesen, jemanden um Geld zu bitten, der nur zufällig im selben Gasthof übernachtet hatte.

Apropos geheime Absichten: ganz frei war auch er nicht davon. Denn es war ja durchaus nicht so, dass er nicht auf den Gedanken gekommen wäre, dass Ryôko sich ohne Geld gar nicht aus seiner Wohnung entfernen konnte. Von sich aus würde er ihr keines geben. Wenn es gar nicht mehr anders ging, würde sie ihn schon darum bitten. Um mit diesem Geld dann wegzugehen.

Diesen Zeitpunkt wollte er hinausschieben, und wenn es nur für einen Tag war. Und diese etwas naive Rechnung ging auf.

Aber es war doch ziemlich zweifelhaft, ob Ryôko tatsächlich ohne einen einzigen Yen dastand. Wenn sie überhaupt kein Geld hatte, dürfte sie sich vor lauter Hunger in seinem Zimmer schon längst nicht mehr bewegen können.

Mikio aß nie in seiner Wohnung. In der Mensa der Studentenkooperative nahm er eine Art Brunch zu sich und abends wurde er von den Müttern seiner Schüler bewirtet. Daher lagerten auch keine Lebensmittel in seiner Wohnung.

Es war nicht nur das Essen. Auch das Baden oder Wäschewaschen, wie bewerkstelligte sie das nur? Weder ließ sie irgendein Wort darüber fallen, noch machte sie irgendwelche Andeutungen.

Ohne klare Absicht begann er, sie und sein Zimmer heimlich zu beobachten.

Bisher hatte er, wenn er seine Wohnung betrat, nur Ryôko wahrgenommen. Er vermochte nicht einmal sich daran zu erinnern, was für Kleidung Ryôko trug.

Als er genauer hinschaute, hatte sie fast immer dieselben Sachen an. Zu einem dünnen grauen Pullover mit einem kompliziert gestrickten farbigen Muster im Brustbereich und Jeans trug sie eine Jacke in hellem Pink. Diese Jacke hatte er auch im Zug an ihr gesehen, doch den Pullover? Er wusste es nicht. Es war seiner Erinnerung entfallen.

Anstelle des grauen Pullovers hatte sie manchmal ein weißes Sweatshirt an.

Nicht ein einziges Mal hatte sie am Fenster Wäsche zum Trocken aufgehängt. Es gab auch keinerlei Anzeichen dafür, dass sie etwas gegessen hatte.

Zusätzlich hinzugekommen waren in diesem Zimmer nur Ryôko und ihre Tasche. Ansonsten gab es keinerlei sichtbare Veränderung.

Einmal hatte er sie im Bett gefragt:

»Wie machst du das mit dem Essen?«

Wahrscheinlich fand sie es komisch, dass er diese Frage stellte, nachdem bereits eine ganze Woche vergangen war, denn sie brach in Lachen aus und gab letzten Endes keine Antwort. Dann sprachen sie nicht mehr darüber.

Daraus schlussfolgerte er, dass sie im Augenblick über genügend Geld verfügte, um sich etwas zu Essen zu kaufen und ins Bad zu gehen. Außerdem vermutete er nun, dass ihre Bitte, ihr Geld zu leihen, nicht mehr als ein Vorwand gewesen war, um ihn anzusprechen. Auf jeden Fall besaß sie eine gewisse Summe Geld.

Dennoch verspürte er tief in seinem Innern den Wunsch, sich den Spielraum für den Gedanken, dass sie ohne einen Yen dastand, zumindest noch ein Weilchen erhalten zu können.

Seitdem Ryôko ihn am Bahnhof um Geld gebeten hatte, hatte sie nicht ein einziges Bedürfnis angemeldet, obwohl bereits einige Tage ins Land gegangen waren. Sie sagte nicht einmal: Ich möchte Wasser trinken. Irgendwie schien ihm etwas zu fehlen. Zwar war es ganz hilfreich, dass sie ihm nicht zur Last fiel, doch übertrieb sie es damit.

Ganz allmählich regte sich in ihm die Neugier, welche Wünsche, Vorlieben und was für einen Geschmack sie wohl hatte. Ob er darauf eingehen würde, stand allerdings auf einem ganz anderen Blatt.

Noch etwas hatte er bemerkt.

Wenn er nicht bei ihr war und an sie dachte, dann tauchte vor ihm meist nur ein Bruchteil ihres Körpers auf, fast nie ihr Gesamtbild. Sah er sie im Ganzen vor sich, dann nur in der Gestalt, wie sie einsam und kerzengerade mitten im Zimmer kniete. Brüste, Nase, Arme, Beine, Bauch, Ohren usw. Und Augen. Am häufigsten kamen ihm die Augen in den Sinn. Aber das waren nicht Ryôkos, sondern jene Augen, in deren Tiefe rote Funken loderten, die im »Haus zur Kiefer« in der Dunkelheit aufgetaucht waren und von denen er nicht wusste, wem sie gehörten. Er hielt sie für Ryôkos, auch wenn sie es nicht gewesen sein sollten.

Ihre Augen und ihr Gesicht hatten sich aus seiner Erinnerung gestohlen. Sobald es ihm einmal nicht gelang, sie sich ins Gedächtnis zurückzurufen, ging ihm das nicht mehr aus dem Sinn und er dachte den ganzen Tag an nichts anderes. In dem Augenblick, da er die Tür öffnete und er von ihrem lächelnden Gesicht begrüßt wurde, dachte er: Ach ja, genau, so sieht ihr Gesicht aus. Warum hab ich mich nur nicht daran erinnert?

Aber auch am nächsten Tag konnte er es sich plötzlich nicht mehr vor Augen rufen. Solche Dinge passierten ihm am laufenden Band.

Obgleich ihre Gesichtszüge feiner und regelmäßiger geschnitten waren als die anderer Menschen und man sie eine Schönheit nennen konnte, hinterließen sie keinen Eindruck bei ihm. Vielleicht, weil er immer nur an ihren Körper dachte.

Das, was sich ihm näherte und nicht von seiner Seite wich, war nicht ihr Gesicht, sondern ihr Körper.

Als er sie daraufhin beobachtete, stellte er fest, dass Ryôko ihn nur selten anschaute. Ihr Gesicht hatte sie an seine Brust gepresst oder aber es blickte in eine völlig andere Richtung, manchmal waren auch ihre Augen geschlossen. Wenn sich aber doch einmal ihre Blicke trafen, zog er sie aus einem inneren Trieb heraus an sich, und dann ging es ganz eindeutig nicht mehr darum, ihren Gesichtsausdruck zu beobachten.

Andererseits richteten sich nun, wenn er draußen herumlief, seine Blicke ganz von selbst auf vorbeigehende Frauen. Ihm selbst war das gar nicht bewusst, doch eines Tages neckte ihn ein Freund, der mit ihm durch den Campus lief:

»Hey, du bist ja ganz hingerissen von der Frau eben. Soso, das ist also dein Typ. Sieh mal einer an …«

Mikio behalf sich mit einem Lächeln. Doch einmal darauf aufmerksam gemacht, stellte er fest, dass es in der Tat einen Typ Frau gab, zu dem seine Augen wanderten: es waren einsame und verlassene Frauen mit eher ausdruckslosem Gesicht und verschlossenem Mund. Er schaute ihnen nach und verglich sie selbstvergessen mit Ryôko. Ryôko gefällt mir besser, stellte er fest.

Er hatte keine besonderen Kriterien. Er wollte lediglich ausprobieren, ob er sich von jenen Frauen mehr angezogen fühlte als von ihr.

Ryôko objektiv zu beurteilen, fiel ihm schwer. Sie war, weiß der Himmel, irgendwie schwer fassbar, er kannte sonst keine Frau, die so war wie sie. Und vor allem, er hatte sie nicht selbst gewählt. Sie war, warum auch immer, wie aus heiterem Himmel bei ihm hereingeschneit …

Sobald er sie sah, überfiel ihn reflexartig ein stechender Schmerz und sie verknäuelten sich ineinander, ohne dass er ihr Gesicht gesehen hätte.

Es war zweifelhaft, ob er diesen Trieb gespürt hätte, wenn er gewusst hätte, dass er sie nicht bekommen kann. Von den Frauen, die er in der Stadt sah, reizte nicht eine einzige seine Sinne. Aber immer öfter sah er nun – gleichsam wie ein Nebenprodukt seiner Liaison mit Ryôko – auch viele Frauen, die mit ebenso vielen Männern paarweise durch die Stadt spazierten.

Er stellte sich vor, wie er neben Ryôko durch die Stadt bummelte. Da erinnerte er sich daran, wie er gemeinsam mit ihr den ganzen Weg vom »Haus zur Kiefer« bis in seine Wohnung gekommen war. In Gedanken malte er sich aus, wie es wohl wäre, wenn er sie einmal dort heraus lockte und durch die Universität führte. Die Leute aus seinem Institut würden wohl alle darüber reden und ihn hänseln, wenn sie erführen, dass er mit dieser Frau zusammenlebte. Was für ein Gesicht würde Professor T wohl machen?

Aber solche Dinge stellte er sich nur vor. Ryôko existierte lediglich in seinem Zimmer. Wenn er sie erst einmal anderen Menschen zeigte, könnte sie spurlos verschwinden. Denn Ryôko war eine *lonely cell*.

9

Seine Masterarbeit gab er am vierten Tag nach seiner Rückkehr ab. Da Professor T sie ihm am nächsten Tag mit Korrekturen in roter Schrift versehen zurückgab, musste er sie binnen zwei Tagen noch einmal ins Reine schreiben. Als sie dann schließlich offiziell angenommen worden war, ging es nun darum, eine Anstellung zu finden.

»Fürs Erste habe ich die Zahl der Unternehmen, bei denen ich Sie empfehlen möchte, auf drei beschränkt …«

Immer wieder wurde Mikio ins Büro des Professors gerufen und über den Fortgang der Dinge auf dem Laufenden gehalten.

Ernst und konkret wurden die Gespräche über seine zukünftige Stelle Anfang Dezember.

Normalerweise fiel die inoffizielle Entscheidung für die Studenten der Agrarwissenschaftlichen Fakultät viel später als bei den anderen Studenten, nämlich erst im Spätherbst oder im Winter. Nicht selten wurde es Februar oder März, knapp vor dem Universitätsabschluss. Dafür kam es so gut wie nie vor, dass jemand keine Arbeit fand. Die Zahl der Studenten war klein, und das Spektrum der Berufe und der sie aufnehmenden Unternehmen eingeschränkt. Zudem kannten sich die Mitarbeiter der Personalbüros der Unternehmen und die Professoren persönlich. So klein war diese Welt.

Auch in Mikios Fall konnte man nicht von einem besonders späten Start sprechen. Es lief halt bei Professor T immer in dieser Art und Weise ab, die Unternehmen wussten Bescheid, hielten Stellen frei und verließen sich auf ihn.

Die große Hälfte der Studenten der Agrarwissenschaftlichen Fakultät legte die Beamtenprüfung für den Dienst in der Forschung ab: das Staatsexamen im Juni und die Prüfungen in den verschiedenen Präfekturen im Juli. Bis zum Sommer lernten sie mit Volldampf dafür. Die gute Hälfte der Studenten erlangte auch die Lehramtsbefähigung. Der Arbeitsmarkt bot folgende Stellen: Forschungsmitarbeiter des Ministeriums für Land- und Forstwirtschaft und Fischereiwesen, des Ministeriums für Gesundheit, Arbeit und Wohlfahrt, der Landwirtschaftlichen Versuchsanstalten in allen Präfekturen. Lehrer für Naturwissenschaften oder Mathematik. Forschungsinstitute von staatlichen Unternehmen und Körperschaften des öffentlichen Rechts. Mitarbeiter der Forschungsinstitute privater Unternehmen. Universitätsinstitute. Magister- und Doktorkurse an der Universität. Wenn man da durch die Maschen fiel, blieb einem noch die Arbeit als Verwaltungsmitarbeiter oder als Geschäftsmann.

Die freien Zeiten zwischen den Prüfungen nutzten die Studenten, um die Pläne für ihre Abschlussforschungsarbeiten zu erstellen.

Am wichtigsten war es dabei, die für die Versuchsvorhaben benötigten Pflanzen rechtzeitig heranzuziehen. Standen zu der Zeit, in der man die Versuche durchführen wollte, keine Pflanzen im richtigen Entwicklungsstadium zur Verfügung, war ein ganzes Jahr verloren. Zudem durften die Jahreszeit, in denen die Forschungsversuche stattfanden, und jene, die günstig für das Pflanzenwachstum war, nicht auseinanderklaffen. Waren die Studenten auf Grund der Prüfungen und der Einstellungsgespräche nicht bei der Sache, vergaßen sie oft die Aussaat oder das Gießen. Sie konnten sich die Wachstumsverhältnisse der Pflanzen zwei oder drei Monate später einfach nicht vorstellen. Im Herbst wuchsen die Pflanzen langsamer. Jedes Jahr gab es zwei oder drei Studenten, die alles überstürzten und den Kopf verloren, sobald es dann Ernst wurde. Auch wenn die extra aufgezogenen Pflanzen vertrockneten oder von einer Krankheit angesteckt wurden, war alles verloren.

Tatsächlich fehlte den Studenten die Zeit für Besuche in den Unternehmen, in denen sie später arbeiten wollten, weshalb ihnen nichts anderes übrig blieb als alles den Professoren zu überlassen.

Wenn man das nicht wollte, musste man eben die Stellenanzeigen in den Zeitungen studieren.

Das Unternehmen, an das Mikio in Kürze offiziell vermittelt werden sollte, war eine schlichte, aber solide Lebensmittelfirma. Sollte er dort anfangen, hätte er zwar mit Pflanzen nichts mehr zu tun, doch Mikroorganismen könnten vielleicht zu seinem Arbeitsgebiet gehören.

»Allerdings ist diese Firma in Bezug auf die Personalien der Bewerber relativ kritisch, ich denke gerade darüber nach, ob ich vorsichtshalber noch einmal nachhaken sollte.«

Mikio blieb nichts anderes übrig, als Professor T seine Zukunft anzuvertrauen, doch um die Zukunft seiner Schüler, deren Aufnahmeprüfungen näher rückten, musste er sich selbst kümmern. Denn vorläufig war dies noch seine Einkommensquelle.

Seine Schüler strebten an die Universität, jenen Ort, den zu verlassen er sich gerade anschickte.

Nach all den Jahren war Mikio ihr Anblick vertraut, doch irgendwie nahm er sie jetzt ganz anders wahr. Die rechte Stimmung, um seine Schüler anzuspornen, wollte in ihm nicht aufkommen. Sein Tonfall kippte ins Sachliche. Die Schriftzeichen in den Aufgaben, mit deren Lösung sich seine Schüler abquälten, schienen winzig und wie in weite Ferne gerückt. Völlig geistesabwesend dachte er, während er neben seinen Schülern saß, an Ryôkos Körper. Diesem fehlte nach wie vor das Gesicht.

Was hatte Ryôko nur vor? Über einen Monat wohnte sie nun schon bei ihm. Nichts hatte sich an ihrer Situation verändert.

In letzter Zeit tauchte in Mikios Erinnerung des Öfteren schemenhaft die »Geschichte von der nichts essenden Ehefrau« auf.

Ein geiziger armer Mann verzichtet darauf zu heiraten, da er niemanden versorgen will. Da erscheint eines Tages eine Frau bei ihm, die sagt: Heirate mich, denn ich arbeite gut, ohne zu essen. Versuch es eine Weile mit mir!

Die Frau hat die Wahrheit gesagt. Sie arbeitet tüchtig, ohne ein einziges Körnchen Reis zu verzehren. Erfreut nimmt der Mann sie zur Frau. Doch bald beginnt er, misstrauisch zu werden. Denn er hat festgestellt, dass es auf der Welt keine Frauen geben kann, die nichts essen. Heimlich beobachtet er seine Frau.

Da …

Wenn Mikio sich recht besann, wurde der Mann von seiner Frau letztendlich aufgefressen. Oder konnte er doch noch sein nacktes Leben retten und bereute dann, dass er so geizig gewesen war …?

Aber wahrscheinlich war er selbst noch viel gemeiner als jener Mann. Wohl wissend, dass es auf dieser Welt keine Frauen gab, die nichts essen, tat er so, als glaubte er, dass es sie gäbe. Das hätte wohl jener Mann auch tun sollen. Ein wahres Gesicht, das sich nicht offenbarte, solange man alles so beließ, wie es war, hatte doch nichts zu bedeuten! In Wahrheit war die Frau doch anspruchslos, arbeitete fleißig und tat alles für ihren Mann. Das Ungeheuer war vielmehr ihr Mann.

Das, was Mikio in letzter Zeit zu fürchten begonnen hatte, war nicht Ryôkos wahres Wesen, sondern dass sie es ohne sein Dazutun von sich aus zeigen könnte. Seit kurzem hatte sie begonnen, sich nach und nach zu verändern. Die Zahl ihrer Worte nahm, wenn auch nur in geringem Umfang, allmählich zu, und sie ließ ihn ein wenig spüren, was sie in der Zeit seiner Anwesenheit getan hatte. Das Bettzeug duftete nach Sonne, ihre Haare waren nass, oder ein kleines

Taschenbuch lag aufgeschlagen auf dem Tisch. Es gab Augenblicke, da schaute sie ihn fragend an, und solche, in denen sie ihren Blick abwandte. Irgendwie sagte ihm sein Gefühl, dass sich allmählich der Zeitpunkt näherte, an dem sich alles entscheiden würde.

Zudem machte er sich Sorgen wegen der Andeutungen von Professor T, dass das anvisierte Unternehmen seine näheren Lebensumstände überprüfen könnte. Womöglich war Ryôko ein von irgendeiner Familie oder einer Universität als vermisst gemeldetes Mädchen …? Warum nur war sie hier? Doch auf die Frage, ob er es wirklich wissen wolle, hätte er nicht antworten können. Das ging ihm nicht nur mit Ryôko so. Irgendwie begann er in jenen Tagen eine vage Unsicherheit hinsichtlich seiner selbst zu verspüren, dem es allzu sehr an Wissen über die Dinge mangelte und der sich nicht im Geringsten darum bemühte, etwas in Erfahrung zu bringen.

Menschen tauchten vor ihm auf und verschwanden wieder. Eine Gemütsstimmung überkam ihn, als würde er sich mit diesem seinem Schicksal abfinden. Ein Gefühl erfasste ihn, dass es nicht anging, die Menschen zu fragen, woher sie kamen und wohin sie gingen. Sowie eine leichte Unruhe, als könnten ihn jeden Augenblick Erinnerungen flüchtig streifen. All dies rief Ryôko in ihm wach.

Es kam ihm so vor, als hätte er Ryôko schon viel früher gekannt. Selbstredend war das nicht Ryôko, sondern die Sinneswahrnehmung einer Frau, die Ryôko ähnelte, wahrscheinlich seiner Mutter. Vielleicht erinnerte er sich ja auch an Yukiko, die eine Zeit lang mit ihnen zusammengelebt hatte.

Warum nur war er von Kindesbeinen an fest davon überzeugt gewesen, dass er seinen Vater nicht nach seiner Mutter fragen durfte, wunderte er sich. Ob er wohl von seinem Vater einmal heftig gescholten worden war, als er etwas von ihm wissen wollte? Hatte sein Vater seine Mutter etwa gehasst?

Er hatte seinen Vater nichts fragen können. Auch Ryôko konnte er nichts fragen.

In seiner Erinnerung tauchte das Bild des Stadtratsabgeordneten auf. Wenn irgendjemand etwas wusste, dann kein anderer als er.

Eine ungewöhnliche innere Unruhe hatte Mikio erfasst, was wohl auch daran lag, dass das Ende des Jahres näher rückte.

Die Gespräche bezüglich seiner Einstellung kosteten Professor T offenbar mehr Zeit und Mühe als erwartet. Schon seit langem hatte er Mikio nicht mehr zu sich ins Büro gerufen. Er vermochte nicht einmal, dem Professor die selbstverständliche Frage nach dem Stand der

Dinge zu stellen. Denn weniger auf Grund des Drängens von Seiten Mikios als vielmehr um das Ansehen der Uni und sein eigenes Gesicht zu wahren, dürfte Professor T für ihn eine Stelle sichern, die bessere Bedingungen als die üblichen bot, und das unabhängig davon, welche Probleme es gab. Seine Familiensituation, sein Lebenswandel, seine Fähigkeiten in der Forschung … Zum Problem werden könnten er selbst, Ryôko und seine Mutter. Nein, seine Mutter spielte keine besondere Rolle. Sie hatte ihn zur Welt gebracht und war fünf Jahre später gestorben. Das war alles. Dass auch Ryôko irrelevant war, war ihm klar. Welches Unternehmen würde so weit gehen zu untersuchen, ob die Lebensgefährtin eines Stellenanwärters eine vermisst gemeldete Frau war? Dass ein fünfundzwanzigjähriger Mann mit einer Frau zusammenlebte, hatte doch nichts Verwerfliches an sich!

Vielleicht war es ja auch gar nicht so, dass das Unternehmen die Antwort über seine Einstellung hinauszögerte, sondern dass Professor T selbst unzufrieden mit Mikios unentschlossener Haltung war. In letzter Zeit war er ja sogar im Institut meist geistesabwesend gewesen. Auch litt er leicht unter Schlafmangel, wurde aus den unterschiedlichsten Gründen nervös und aufbrausend.

Wie sollte er mit Ryôko die Feiertage zum Neuen Jahr verbringen? Auch darüber machte er sich Sorgen. Vielleicht sollte man besser sagen: Hoffnungen. Zu den Feiertagen vom Jahresende bis zum neuen Jahr würde sein Wohnblock bis auf seine Wohnung menschenleer werden. Bisher hatte er noch nie einen ganzen Tag mit Ryôko zusammen verbracht.

Aber er wusste nicht, wie sie Neujahr zu verleben gedachte. Zum Neujahrsfest zogen sich die Menschen schlagartig in ihre Häuser zurück, wer ein Zuhause hatte, kehrte heim. In seiner Umgebung herrschte dann vollkommene Leere. Anders als an anderen Feiertagen war auch die Universität menschenleer. Lebensmittelgeschäfte und Gaststätten blieben geschlossen. Da es sich jedes Jahr wiederholte, war Mikio daran gewöhnt, doch konnte er sich der Sorge nicht erwehren, dass auch Ryôko verschwinden könnte.

Kurze Zeit später kam an einem Nachmittag Professor T, der gerade von einem Auswärtstermin zurückgekehrt war, eigens ins Institut, um nach Mikio zu sehen. Er war gut gelaunt.

»Herr Shiiba, können Sie mal in mein Zimmer kommen?«

»Aber ja.«

Augenblicklich folgte Mikio Professor T in sein Büro.

»Ich habe Sie ganz schön warten lassen. Mir war schon klar, dass Sie sich Sorgen machen, doch mein Ansprechpartner ist ein überaus beschäftigter Mann, und ich hatte ziemliche Mühe ihn zu erwischen. … Setzen Sie sich doch erst mal!«

»Ja.«

»Wie sieht's aus, haben Sie nicht Lust, zur Firma OO zu gehen? Dagegen haben Sie doch sicher nichts einzuwenden, oder?«

Die Firma OO war eine Düngemittelfirma und eines der Unternehmen, zu denen Professor T Beziehungen hatte. Allerdings hatte Mikio geglaubt, dass der Professor für ihn eine Lebensmittelfirma ins Auge gefasst hätte. Die Zentrale der Firma OO befand sich in der Präfektur N. Da ihr Forschungsinstitut am Stadtrand von Tokyo lag, würde Mikio wahrscheinlich dann dort arbeiten, doch in der Präfektur N, dem Standort der Zentrale, lebte auch jener alte Mann … in der Heimat seines Vaters, die dieser verlassen hatte …

Professor T teilte ihm mit, dass er für den übernächsten Tag einen Termin für ein Vorstellungsgespräch mit dem Direktor des Forschungsinstituts ausgemacht habe, und bat ihn, diesen ohne Zögern wahrzunehmen. Dann senkte Professor T seine Stimme.

»Sie brauchen sich keine Sorgen zu machen, denn das Vorstellungsgespräch ist nur noch reine Formsache. Ich habe für Ihre Person und Ihre Fähigkeiten gebürgt. Nur, wissen Sie, er hat bei der Schaffung der Stelle ein wenig nachgeholfen, weshalb wir ihm sozusagen etwas schuldig sind. Natürlich müssen Sie sich deswegen in keinster Weise minderwertig fühlen, aber, nun ja, man erwartet jetzt von Ihnen auch einiges, darüber sollten Sie sich schon im Klaren sein.«

Wenn er dem Leiter des Forschungsinstituts beim Vorstellungsgespräch gefiel, würde dieser ihn der Personalabteilung empfehlen. Übermorgen um zehn Uhr vormittags. Ob er wollte oder nicht. Aber irgendeine Frage müsste er schon mindestens stellen, sonst würde man an seiner festen Entschlossenheit zweifeln. An dieser mangelte es ihm zwar, doch er brauchte ja die Stelle.

»Kann es sein, dass ich auch mal zur Zentrale in die Präfektur N fahren muss? Nicht was Sie denken, es würde mir nichts ausmachen.«

»Das hängt von der Situation in der Firma ab, das kann ich Ihnen nicht sagen. Doch wenn man für ein Unternehmen arbeitet, sollte man auch bereit sein, überall hinzugehen. Ach wissen Sie, wenn das Forschungsinstitut nicht gerade seinen Standort wechselt, brauchen Sie sich wohl keine Sorgen zu machen. Aber Sie sind doch nicht an Tokyo gebunden, oder?«

»Nein. Wie Sie wissen, bin ich da ganz flexibel. Übrigens, hat es denn bei dem Unternehmen, von dem Sie früher gesprochen haben, irgendwelche Probleme meinetwegen gegeben? Wenn ja, dann hätt ich Ihnen ja ziemliche Unannehmlichkeiten bereitet, und ich denke, ich sollte zumindest darüber Bescheid wissen.«

Das ging ihm ganz locker von der Zunge, was sogar ihn selbst verwunderte. Professor T erwiderte, dass es nichts dergleichen gegeben habe.

»Zum einen schienen auch Sie nicht besonders interessiert, und zum anderen gab es in dem Unternehmen auch noch einige firmeninterne Dinge. Aber dass Sie sich darüber Sorgen machen – das hätte ich nicht gedacht. Auf jeden Fall sollten Sie nun bei dem Vorstellungsgespräch Ihr Bestes geben. Bei der Firma OO werden Sie jedenfalls mit Sicherheit nicht gleich nach der Einstellung in irgendwelche Schwierigkeiten verwickelt werden.«

Es gebe nämlich auch Unternehmen, in denen mehr als die Forschung das Gerangel um Machtpositionen im Vordergrund stehe, fügte Professor T schmunzelnd hinzu.

Am Morgen des ersten Tages der Winterferien an der Universität fuhr Mikio zum Forschungsinstitut der Firma OO und traf sich mit dem Direktor.

Das Vorstellungsgespräch fiel unerwartet kurz aus. Nach dreißig Minuten erklärte der Direktor, er habe noch eine Verabredung, und verließ überstürzt den Raum.

Gefragt hatte er Mikio lediglich nach dem Inhalt seiner Masterarbeit. Noch bevor sich dieser überhaupt eine Vorstellung davon machen konnte, ob das Gespräch nun erfolgreich war oder nicht, wurde ihm schon der Weg zum Ausgang gewiesen:

»Kommen Sie doch nach dem Jahreswechsel mal vorbei, um sich alles anzuschauen! Wissen Sie, ich hab heute einfach noch so viele andere Dinge zu erledigen. Wenn alles offiziell entschieden ist, können wir uns ja mal in aller Ruhe unterhalten.«

Für den Hinweg zum Forschungsinstitut hatte er zwei Stunden gebraucht. Wenn er die Stelle bekäme, müsste er natürlich in die Nähe des Instituts umziehen.

Er nahm sich die Zeit und machte einen Spaziergang in der näheren Umgebung. Es war noch nicht abzusehen, ob es hier einmal viel Grün geben würde, doch in überraschender Nähe erhoben sich Berge. Die ganze Gegend machte den Eindruck eines Gebietes, dessen Erschließung gerade begonnen hatte, rund um das Forschungsinstitut herum erstreckten sich noch ausgedehnte Reisfelder.

»Dass man die Berge hier sehen kann, das gefällt mir …!«

Vom Bahnhof aus reihten sich entlang der Bahnlinie nagelneue Häuser aneinander. Auch Werbeschilder für Baugrundstücke standen da. Eine Anhöhe kam in Sicht, auf der gerade Bauland neu parzelliert wurde.

Mikio berichtete Professor T alles, so wie es gewesen war.

»Ach wissen Sie, der Mann scheint das ganze Jahr über ständig auf Achse zu sein. Ich frage mich, wann er überhaupt noch Zeit zum Forschen findet, doch er leistet, wie auch immer, gute Arbeit. Vielleicht hat er ja gute Mitarbeiter, oder aber er lässt sie hart für sich arbeiten, nun ja, Sie sind ja bald einer von ihnen.«

Aha, wenn nicht noch ein riesiger Skandal passierte, schien also alles so gut wie beschlossen zu sein. Mikio lobte die Umgebung des Forschungsinstituts und bedankte sich.

Nachdem alles vorbei war, verspürte er ein Gefühl der Befreiung, als sei ihm ein Stein vom Herzen gefallen.

Er wollte es auch Ryôko erzählen. Sie hatte sich, während er auf dem Rücken lag, wie immer mit dem Gesicht nach unten sanft an seine Schulter geschmiegt.

»Wollen wir nicht mal ernsthaft miteinander reden?«

Er hatte die Hand um ihre Hüfte gelegt, damit sie sich ihm nicht entziehen konnte. Es kam keine Antwort.

Im Kopf fügte er verschiedene Worte aneinander. Worte, die er noch nicht einmal gedacht hatte, die aber seinem Mund zu entschlüpfen drohten. Worte, die, obgleich er sie aussprechen wollte, keinerlei Anstalten trafen, seinen Mund zu verlassen. Meine Frau. Wer bist du? Warum bist du hier? Ich verspreche dir auch, dass ich dich nichts fragen werde. Bleibst du dann für immer bei mir? Nein, so geht das nicht! Das sind doch nicht meine Gedanken! Die sind so: Schnell, geh dorthin zurück, wo du hingehörst!

»Warum redest du nicht? Hast du einen Grund dafür, dass du nichts sagen willst?«

Ryôko schüttelte den Kopf, den Blick nach wie vor nach unten gewandt.

»Ja, warum denn dann? Vorher hast du doch auch viel geredet! Über die *single cell* und so … Und mit deinen Freundinnen hast du doch auch munter drauflos geschwatzt, oder etwa nicht?«

Die Ereignisse von M schienen in einer sehr fernen Vergangenheit zu liegen.

Plötzlich hob Ryôko ihren Kopf und starrte ihn direkt von oben an. Da waren sie wieder – diese Augen! Wenn er von ihnen derartig herausgefordert wurde, fühlte er in sich den inneren Drang, Ryôko zu umarmen. Jedes Mal aufs Neue. Sie wusste das längst, und wenn ihr etwas nicht passte, schaute sie ihn mit ihren Augen, in deren Innern rote Funken glommen, tief an und ließ nicht locker.

Er schloss seine Augen.

»Wenn du etwas sagen würdest, könnte ich dir vielleicht irgendwie helfen! Von mir aus kann ja alles so bleiben, wie es ist. Aber das ist doch nur meine Sicht der Dinge. Ich würd schon gern wissen, ob es auch für dich gut so ist …«

Was er eigentlich sagen wollte, verschwamm im Dunkel und verschwand. Wozu brauchte es eine derart weitschweifige Einleitung, nur um ihr mitzuteilen, dass er eine Stelle in Aussicht hatte? Er verstummte. Eigentlich wollte er ihr doch überhaupt nichts sagen. Er spürte, wie die Kraft in seinen Armen, mit denen er Ryôko umfangen hielt, nachließ und sie ihm entglitt.

»Ich habe geglaubt, du lebst nur für dich allein«, murmelte Ryôko. Ihre Stimme erklang direkt über seinem Gesicht.

»Dabei hast du dir solche Sorgen um mich gemacht. Und ich hab gedacht, dass du nicht einmal merkst, dass ich da bin!«

Ihre Stimme lachte. Er umfing ihre Hüften und drückte sie mit aller Kraft. Als er seine Augen öffnete, traf er erneut auf Ryôkos durchdringenden Blick.

»Sag das noch einmal!«

Ohne seinen Griff zu lockern, erwiderte er ihren Blick. Ryôkos Körper wehrte sich. Das war neu.

»Alles Lüge!«

»Was ist Lüge?«

Ryôko, die auf ihm lag, zappelte, um sich loszureißen. Sie versuchte nicht mehr, ihm in die Augen zu schauen. Er packte noch fester zu und ließ sie, selbst als sie laut stöhnte, nicht los. Einige Zeit später vergrub sie, offenbar völlig erschöpft, ihr Gesicht an seiner Schulter. Allmählich lockerte sich sein Griff.

»Dass ich nicht reden will«, begann Ryôko mit heiserer Stimme. »… kommt daher, dass ich gemerkt habe, dass nur das, was ich zu mir selbst sage, auch ankommt … Ich wusste, dass du dir Sorgen machst. Dafür, dass du mich nichts gefragt hast, war ich dir dankbar … Aber wenn ich, so wie jetzt, versuche, dir etwas zu erklären, versteh ich auf einmal gar nichts mehr. Deshalb will ich nicht reden!«

Er begriff nicht, wovon sie sprach. Das wollte er doch gar nicht wissen. Viel konkretere Dinge …

Plötzlich richtete Ryôko ihren Oberkörper auf, mit einem solchen Schwung, dass seine Arme abgeschüttelt wurden.

»Worte … – die bringen doch nichts, will ich damit sagen. Je mehr man redet, umso weniger kommt doch beim andern an. Du hast ja keine Ahnung davon, weil du allein lebst.«

Ryôkos unerwartete Erregung brachte ihn aus der Fassung. Ungestüm hatte sie die letzten Worte hervorgestoßen, und ihre Augen standen voller Tränen.

Er konnte es nicht fassen, dass sie auf einmal so aufgebracht reagierte, und war einfach nur bestürzt.

Weinend fuhr Ryôko fort:

»Wenn du es mit Worten erklären kannst, dann versuch es doch! Warum hast du denn eine Frau, die ganz ungeniert mit einem Mann zusammenlebt, den sie gar nicht kennt, einen ganzen Monat, ja sogar zwei Monate lang hier bei dir wohnen lassen, ohne sie irgendetwas zu fragen? Und warum fragst du sie denn jetzt auf einmal? Na los, sag's doch!«

Das war alles, was sie von sich gab, während sie sich nackt an seinen Körper drängte. Dann begann sie, ihren Blick nach wie vor auf ihn gerichtet, zu schluchzen. Da war nichts zu machen. Auf einmal wurde ihm das alles irgendwie lästig. Eigentlich hatte er doch nur wissen wollen, ob Ryôko mitkommen würde, wenn er seine neue Stelle antrat und umzog. Er könnte Ryôko doch dann ernähren, hatte er sich nur versuchsweise und ganz flüchtig in einem Winkel seines Herzens überlegt. Und das ist nun das Ergebnis, dachte er.

Da ihm nichts anderes einfiel, nahm er Ryôko in seine Arme, um sie zu trösten.

Am nächsten Morgen wurde er von Ryôko wachgerüttelt. Kaum hatte sich eine nervöse Anspannung seiner bemächtigt, weil er dachte, es sei etwas passiert, entschuldigte sie sich für das, was am vergangenen Abend passiert war.

»Mach dir keine Sorgen! Sobald ich merke, dass du mich nicht mehr magst, werde ich ohne ein Wort gehen. Das verspreche ich dir. Wirklich!«

Um Himmels willen! Er sprang auf. Er musste sie dazu bringen, ihm zu versprechen, ihn, egal was passierte, niemals ohne ein Wort zu verlassen.

10

Jenen Brief schrieb er, damit Ryôko ihn nicht zu Gesicht bekam, in einer Kabine der Universitätsbibliothek, die er seit langem einmal wieder aufgesucht hatte. Am liebsten hätte er den Anblick eines solchen Schreibens nicht nur Ryôkos, sondern auch seinen eigenen Augen erspart.

Es war eine Anfrage an jenen alten Mann.

Als erstes musste er sich jedoch für sein jahrelanges Schweigen entschuldigen. Dann musste er Abbitte für sein eigenes unhöfliches Verhalten bei ihrer Begegnung vor neun Jahren leisten. Damals sei er so aufgeregt und ganz nervös gewesen, dass sein Kopf ihm einen Streich gespielt habe, fügte er hinzu. Dann bedankte er sich noch für die Bürgschaft und das Geld zum Zeitpunkt seiner Immatrikulation und bat um Verzeihung dafür, dass die Entschuldigung und der Dank erst so spät kämen… Und schließlich die Mitteilung über den inoffiziellen Einstellungsbescheid. Das alles waren nur Vorwände für sein eigentliches Anliegen.

Hiermit frage ich Sie, ob Sie vielleicht etwas über meine Eltern wissen. Ich selbst kann mich insbesondere an meine Mutter überhaupt nicht erinnern, und da ich auch von meinem Vater nichts erfahren habe, gerate ich oft in Verlegenheit. Zum Beispiel weiß ich nicht einmal, woran meine Mutter gestorben ist. Wenn Sie irgendetwas über ihr Leben, ihr Grab und anderes wissen sollten, könnten Sie mich bitte darüber in Kenntnis setzen?

Das frage ich keineswegs aus Neugier oder aus Sehnsucht nach meiner Mutter, die mir völlig fremd ist. Da ich nun selbst erwachsen geworden bin und fest steht, dass ich jetzt auch den Schritt ins öffentliche Leben gehen werde, möchte ich die tatsächlichen Verhältnisse in Erfahrung bringen, und ich denke, dass ich das auch tun sollte. Ohne diese Kenntnisse gerate ich hin und wieder auch in Schwierigkeiten. Möglicherweise gibt es Dinge, an die Sie sich nicht erinnern wollen, doch für mich sind es lebenswichtige Fragen, und es gibt keinen anderen als Sie, meinen Großonkel, den ich fragen könnte. Ich bitte Sie sehr, mir zu helfen.

Dies war in groben Zügen der Inhalt des Briefes. Mikio verstand nicht, weshalb er plötzlich auf den Gedanken gekommen war, solch einen Brief zu schreiben. Diese Fragen hatten zwar schon immer in einem Winkel seines Herzens gelauert, doch der Wunsch, mit jenem Alten kein zweites Mal in Beziehung zu treten, war immer viel stärker gewesen.

Eine positive Antwort war auch gar nicht zu erwarten. Doch plötzlich, und zwar an jenem Morgen, nachdem Ryôko derart erregt außer sich geraten war, hatte er den Gedanken nicht unterdrücken können, dass er keine Chance mehr haben würde, etwas in Erfahrung zu bringen, wenn der Lebensfaden jenes Alten abriss.

Dass seine Eltern eine glückliche Ehe geführt hatten, konnte Mikio sich nicht vorstellen. Das interessierte ihn daher auch nicht sonderlich.

Was ihm Kopfzerbrechen bereitete, war die Frage, weshalb er sich nicht einmal bruchstückhaft an seine Mutter erinnerte, obgleich er doch bis zu seinem fünften Lebensjahr mit ihr zusammengelebt hatte. Und dann war da noch er selbst als kleines Kind in einer völlig fremden Landschaft, woran er sich nur ganz selten in seinen Träumen erinnerte. Wo war das nur gewesen?

Irgend ein Stück fehlte. Darin verbarg sich irgendein Teil seines Selbst, das er nicht kannte.

Der Brief war plump und steif geraten. Mikio fehlte der Mut, ihn noch einmal durchzulesen. Tat er es dennoch, lief er Gefahr, ihn zu zerreißen und wegzuwerfen. Mikio steckte ihn in einen Umschlag der Universität und klebte ihn zu. Dann warf er ihn in einen Briefkasten auf dem Universitätsgelände. Als Absender hatte er das Institut angegeben.

Kaum war der Brief abgeschickt, war Mikio, aus welchem Grunde auch immer, überzeugt davon, dass keine Antwort kommen würde. Auch seine Eltern waren ihm auf einmal egal. Gleichsam wie im Gegenzug dachte er nun voller Liebe an Ryôko und beschloss, ernsthaft Vorbereitungen für ein gemeinsames Leben in Angriff zu nehmen. Es gab zwar eigentlich nichts vorzubereiten oder in Angriff zu nehmen, doch hielt er es kaum aus, so schnell wollte er nun nach Hause und sich davon überzeugen, ob sein Entschluss Ryôko ohne Worte überhaupt erreichte, und ob er stark genug war, bis zu ihr durchzudringen.

Ryôko verschwand, und zwar am Silvestertag. Auch an diesem Tag hatte er seine Schüler aufgesucht, um ihnen Nachhilfeunterricht zu geben. Als er am Abend zurückkehrte, war Ryôko weg, auch ihre Sachen waren nicht mehr da. In jener Nacht kam sie nicht wieder.

Das ereignete sich, kurz nachdem sie beide, wenn auch auf unerklärlichen verschlungenen Pfaden, irgendwie zu einer Form des Zusammenlebens gefunden hatten. Seit einigen Tagen hatte er es sich zur Gewohnheit gemacht, seinen Nachhilfeunterricht – ganz wie ein Firmenangestellter seine Arbeit – am Abend zu beenden und zu Hause gemeinsam mit Ryôko das von ihr zubereitete Abendessen einzunehmen. In dem Glauben, sie würde sich darüber freuen, und froh darüber, dass der Stadtratsabgeordnete seinen nicht gerade sehr männlichen Brief schweigend zu ignorieren schien, hatte er zuversichtlich angenommen, dass sein Leben nun in dieser Weise für eine Weile seinen Lauf nehmen würde.

Bis tief in die Silvesternacht hinein suchte er alles nach Ryôkos Habseligkeiten ab. Obgleich die Wohnung ordentlich aufgeräumt war, so dass es eigentlich gar keinen Ort gab, an dem er hätte suchen können, wühlte er immer wieder aufs Neue an denselben Stellen, bis ihn zu guter Letzt alle Kräfte verließen und er einfach sitzenblieb. Er konnte es nicht fassen, dass sie keine einzige Nachricht hinterlassen hatte.

Nicht einmal eine Spur davon, dass sie in dieser Wohnung gewesen war, gab es.

Nachts, als er nicht schlafen konnte, hörte er in der Ferne die Silvesterglocken läuten, und da er es nicht mehr aushielt, stürzte er hinaus ins Freie. Steif stand er auf der Straße und sah gedankenverloren den laut lachend vorbeiströmenden Menschen nach, die offenbar zum ersten Schreinbesuch im Neuen Jahr unterwegs waren.

Die ersten drei Tage im neuen Jahr hatte er sich für Ryôko freigenommen. Wäre es so wie in den vergangenen Jahren, hätte er sich nur einen Tag Urlaub gegönnt und ab dem zweiten Januar seine Besuche bei seinen Schülern wieder aufgenommen. Dort wäre er dann mit Neujahrsessen bewirtet und Geschenken bedacht worden. In diesem Jahr war alles samt Ryôko entschwunden.

Die bittere Erfahrung, dass die Menschen Wesen waren, die sich plötzlich aus seinem Leben stehlen konnten, hatte er, unachtsam wie er war, vergessen, was sich nun rächte. Ob Ryôko vielleicht so wie andere Menschen zum Neujahrsfest nach Hause zurückgekehrt war?

Er wandte seinen Blick von den vorbeiwandernden Menschen ab und kehrte in sein verlassenes Zimmer zurück. Die anderen Bewohner des Wohnblocks waren alle in ihre Heimatorte gefahren, und es herrschte vollkommene Stille. Er hatte das Gefühl, dass ihn angesichts dieser Stille und der unablässig an seinem Fenster vorbeiströmenden Schritte und lebhaften Stimmen ein Wutanfall zu überkommen drohte. Während er auf seiner Wut herum kaute, schien es ihm, als schliffen sich allmählich seine Sehnsucht nach Ryôko und sein Ärger wie an einem Schleifstein Schicht für Schicht ab.

Genauso wie sein Vater und seine Mutter war auch Ryôko wieder verschwunden, noch ehe er überhaupt etwas über sie in Erfahrung gebracht hatte. Wenn sie gar nicht erst aufgetaucht wäre, hätte er jetzt keine Probleme…

Am ersten Tag des neuen Jahres erhielt er zusammen mit einigen wenigen Neujahrskarten einen dicken Umschlag. Er kam vom Stadtratsabgeordneten. Einen halben Tag lang ließ Mikio ihn links liegen. Lebenszeichen von Menschen, die nicht mehr da waren und auch nie wiederkommen würden, brachten gar nichts. Starrköpfig wollte er sich fern von allen Menschen halten. Den ganzen Tag über blieb er in seinem Zimmer und schlief so lange, bis er nicht mehr schlafen konnte. Wachte er auf, schlief er wieder ein, bis er am Abend schließlich der Wärme seines Bettes überdrüssig war. Da riss er den Umschlag auf.

Als er die Briefbögen auseinanderfaltete, flatterte ein Scheck herab. Er belief sich über denselben Betrag wie beim letzten Mal. Es sei ein Geschenk zum Neuen Jahr, stand in der Einleitung des Briefes. Unsicher und ängstlich machte sich Mikio daran weiterzulesen. Denn aus dem Text heraus war das Schriftzeichen für »Mutter« flimmernd vor ihm aufgetaucht. Unwillkürlich hatte er sich an Ryôkos Körper erinnert.

Niemand wisse etwas Genaues über seine Mutter. Es hieß, sie stamme aus Tokyo, wo sich auch ihr Hauptwohnsitz befunden habe. Doch das sei auch schon alles. Auch der Stadtratsabgeordnete selbst habe seine Mutter nie gesehen. Sie habe keine Verwandten gehabt und man nehme an, dass sie in einer Bar oder einem Nachtlokal gearbeitet oder einem ähnlichen Gewerbe nachgegangen sei. Sein Vater habe aber, wahrscheinlich aus diesem Grund, alle Bindungen zu seiner Heimat abgebrochen und sie geheiratet. Dem Gerücht nach lief es zwischen den beiden nicht gut, offenbar sei es auch vorgekommen, dass sie getrennt voneinander lebten.

Es gab in dem Brief Andeutungen auf Männerbekanntschaften seiner Mutter.

Im Dorf gehe das Gerede, seine Mutter habe ihrem Leben selbst ein Ende gesetzt, doch wie es wirklich gewesen sei, wisse niemand.

Was Mikios Berufseinstieg angehe, werde er, der Stadtratsabgeordnete, seinen Einfluss nutzen, da brauche Mikio sich keine Sorgen zu machen. Mit Fürsprache des Ministers ginge alles in Ordnung, so viel Einfluss habe er schon. Über die Universität habe er bereits Erkundigungen über Mikios Lebenswandel und seine Leistungen eingezogen. Ohne jeden Zweifel sei er ein tüchtiger Sohn seines Vaters. Auch in Zukunft werde der Stadtratsabgeordnete es nicht an Unterstützung mangeln lassen, und Mikio solle ihn doch auch in der Heimat besuchen.

Der Inhalt des Briefes war diffus und erinnerte an eine Wahlkampagne. Kaum hatte Mikio ihn zu Ende gelesen, feuerte er ihn auch schon beiseite und legte sich hin. Mit anderen Worten dachte man dort in der Provinz nichts anderes, als dass sein Vater in Tokyo einer unredlichen Frau ins Garn gegangen sei und sich damit sein ganzes Leben ruiniert habe. Nicht einen einzigen konkreten Fakt bezüglich seiner Mutter enthielt der Brief.

Ohne jeden Zweifel ganz der Sohn meines Vaters?

Mikio lachte lautlos. Er nahm den Scheck in die Hand und blies dagegen, so dass er davonflog. Den Brief zerriss er in winzige Schnipsel, die er vor dem Fenster verstreute. Den Scheck zu zerreißen – dazu fehlte ihm der Mut.

Der Minister bürgt für meinen Berufseinstieg? Was für ein Schwachsinn! Wer hat ihn denn darum gebeten? Was denkt der sich eigentlich?

Ich brauch das nicht mehr! Die Mühe hätten Sie sich sparen können. Takezawa Ryôko ist längst verschwunden. Onkel, es ist zu spät ... Auch ich habe mich in eine undurchsichtige Frau unbekannter Herkunft verliebt und bin von ihr verlassen worden. Bin ich da nicht, mit Ihren Worten, ohne jeden Zweifel ganz der Sohn meines Vaters?

Doch plötzlich schnürte ihm ein Gedanke die Kehle zu: Im Gegensatz zu seinen Eltern lebte Ryôko! Ihm blieb fast die Luft weg und er musste husten. Just in diesem Augenblick war Ryôko irgendwo und atmete dieselbe Luft wie er. Ihm war, als fände bei diesem Gedanken sein Herzschlag allmählich zur Ruhe, als dehnte und streckte sich die Welt und gewänne immer mehr an Weite. Wo Ryôko auch immer sein mag, es ist mir egal, dachte er, um sich selbst zu beschwichtigen. Undeutlich hatte ihn eine Ahnung erfasst, dass es, was Takezawa Ryôko anging, ja gar nicht so war, dass er sich nach ihr sehnte, weil sie unersetzlich für ihn war. Er war lediglich schockiert, weil die Frau, die ihm gefolgt und bei ihm geblieben war und an die er sein Herz gehängt hatte, ihn verraten hatte, kaum dass er sich daran gewöhnt hatte, dass es sie gab. Das war alles.

Unterdessen waren die Schritte draußen verklungen. Er wunderte sich über sich selbst, dass er so lange ans Fenster gelehnt in Gedanken versunken zugebracht hatte, verspürte jedoch keine Lust sich zu bewegen.

Ryôko war ein Mensch und keine Pflanze, und wenn sie irgendwohin gehen wollte, dann machte sie sich mit Hilfe ihrer Füße dorthin auf den Weg. Sie war anders als die Topfpflanzen im Gewächshaus.

Er erinnerte sich an seine eigene ungeheuerliche Wut, die ihn überkommen hatte, als eines Tages eine Pflanze, die er für Versuche selbst gesät und aufgezogen hatte, durch die Unachtsamkeit eines jüngeren Kommilitonen samt Topf in unzählige Einzelteile zerschmettert worden war. Einer seiner Kommilitonen, die im Gewächshaus miteinander herumgealbert hatten, war mit seiner Hand an Mikios Versuchspflanze, die kurz vor ihrem Einsatz stand, geraten, so dass sie herunterstürzte. Im Fallen schlug sie noch gegen einen anderen Topf, wodurch sie samt dem Wurzelwerk herausquoll, ihre Blätter zerquetscht wurden und alles in einem heillosen Durcheinander endete. Für seine Versuche verwandte Mikio die Oberfläche der Blätter. Damit sie von Wasser oder Erde unberührt blieben, hatte er seine Pflanzen auf das oberste Brett des Regals gestellt. Die jungen Studenten, die erst seit kurzem am Seminar waren, schienen zu denken, dass doch nur ein einziger der vielen unordentlich aufgereihten einander ähnelnden Töpfe zufällig heruntergefallen sei, und mit einem Gesicht, als würde sie das nicht weiter bekümmern, verwiesen sie mit Nachdruck auf das Chaos im Gewächshaus. Als Mikio bleich vor Wut aus der Haut fuhr, warfen sie sich wie vor den Kopf geschlagen betroffene Blicke zu. Auf Anweisung des Professors kamen sie später mit missmutigen Gesichtern zu ihm, um sich zu entschuldigen. Er brüllte sie an und setzte sie an die Luft.

»Wenn sie ihm so wichtig sind, sollte er sie besser den ganzen Tag lang bewachen. An dem Platz da fegt sie ja schon ein Windstoß herunter.«

Als diese zwar verstohlen, aber unüberhörbar gemurmelten Worte an sein Ohr drangen, vergaß er sich und stürzte sich auf den Studenten, wurde aber im letzten Moment von den anderen zurückgehalten. Diesmal wurde der Student bleich und entschuldigte sich. Ich hab es ja nicht mit Absicht getan, fügte er hinzu.

»Idiot …! Die Pflanzen im Gewächshaus sind alle ohne jede

Ausnahme wichtig. Wenn du nicht einmal das kapierst, dann hör lieber auf, hier am Institut zu studieren.«

Danach raunten sich seine jüngeren Kommilitonen eine ganze Zeit lang zu, dass man sich vor ihm in Acht nehmen solle, da er arglistig sei, doch nicht einmal er selbst verstand so recht, weshalb er derart ausgerastet war, sich auch danach seine Wut nicht legte und er so nachtragend war, dass er ihnen nicht verzeihen mochte.

Er brauchte drei Monate, um eine neue Pflanze aufzuziehen, so dass sich auch seine Versuche um denselben Zeitraum verspäteten, was ihn, der ohnehin alle Hände voll zu tun hatte, in seiner Arbeit außerordentlich beeinträchtigte, doch hatte es ihn wohl weniger deshalb geärgert, weil er dies vorausgesehen hatte, sondern vielmehr war es auf Grund seiner eigenen Hilflosigkeit angesichts dessen, dass die mit viel Mühe aufgezogene Pflanze von Ignoranten so einfach zerschmettert worden war, zu diesem Gefühlsausbruch gekommen.

Damals war er wesentlich schockierter gewesen als jetzt.

Den nächtlich schwarzen feuchten Luftzug an seinen Wangen verspürend, versuchte Mikio halbherzig, sich selbst anzutreiben: »Willst du ihr nicht nachlaufen? Hast du denn keine Lust, Ryôko zu suchen?« Doch schien seine Bindung an sie so schwach zu sein, dass er sich albern dabei vorkam.

Er könnte sie einfach vergessen, dann war die Sache ausgestanden. Überhaupt hatte er noch nie erlebt, dass jemand, der ihn verlassen hatte, jemals wieder zurückgekehrt wäre. Verschwand jemand, war auch schon bald der nächste nicht mehr da. Und wenn im Laufe der Zeit dann alle von ihm gegangen sein würden, würde als letztes er selbst sich von dieser Welt verabschieden, und dann wäre alles aus und vorbei.

In zwei, drei Monaten würde er seine Schüler aus der Hand geben. In diesem Jahr brauchte er, egal wie die Ergebnisse ausfielen, keine neuen Schüler zu suchen. Auch sein eigenes Studentenleben ging zu Ende.

Gedankenverloren schob er seine eigene Zukunft in die draußen vor dem Fenster herrschende trübe Dunkelheit. Gleichzeitig dachte er darüber nach, was Ryôko wohl mit den Worten gemeint haben könnte, dass er ein typischer Fall eines Singles sei.

Was auch immer passierte, selbst wenn seine Gefühle tobten, fand sein aufgebrachtes Gemüt, während er noch allein vor sich hin brummte, stets ganz von selbst wieder zur Ruhe. Suchte er etwas zu vergessen, gelang ihm dies, wollte er sich beruhigen, vermochte er auch das. Ob Ryôko wohl das gemeint hatte?

Sie war ja selbst genauso. Nicht ein einziges Mal hatte sie ihn um seinen Rat gefragt. Alles entschied sie selbst und sprach dann nicht darüber. Bat sie um etwas, dann nur, wenn es für den anderen leicht zu erfüllen war. Da Ryôko ihm auf diese Weise in ihrer ganzen Art zu leben so ähnlich war, hatte er sich weder darüber gewundert noch sich selbst geändert.

Es wäre besser gewesen, wenn sie ihn verändert hätte. Das wäre ihm lieber gewesen. Genau das war es, was ihm in seinem Zusammenleben mit ihr gefehlt hatte. Sie hätte besser mit ihm umspringen sollen, wie es ihr gefiel.

Die Feiertage zum Neuen Jahr vergingen einer nach dem anderen, ohne sich klar voneinander zu unterscheiden. Er suchte nicht nach Ryôko. Auch vermisste er sie nicht so stark, wie er erwartet hatte. Er schlief sich ausgiebig aus, und trotz des Gefühls, dass seine Erschöpfung wuchs, je mehr er schlief, legte er sich immer wieder hin, um sich von seiner Müdigkeit zu erholen. Es war schon seltsam, dass er derart lange zu schlafen vermochte. Die gesamte Erschöpfung seines Lebens, seit er allein geblieben war, und der Zeit seines Zusammenlebens mit Ryôko schien mit einem Schlag aus seinem Körper hervorgebrochen zu sein. Gelegentlich hatte er im Traum das Gefühl, von jemandem umarmt zu werden, dann wiederum spürte er leichten Widerstand, als ob er jemanden umarmte. Er wollte gar nicht aufwachen.

Als er am vierten Tag aufstand und ein paar Schritte ging, schwankte er leicht. Doch angetrieben von der Freude, an diesem Tag wieder zur Arbeit gehen zu können, machte er sich schon früh am Morgen auf den Weg zum Gewächshaus der Universität und verbrachte den ganzen Vormittag inmitten des menschenleeren botanischen Gartens, umgeben vom feuchten lauwarmen Geruch der Pflanzen. Die Pflanzen waren von einem viel kräftigeren Grün als sonst, strömten einen intensiveren Duft aus und wirkten frischer und lebendiger. Ob es wohl daran lag, dass sonst kein Mensch weiter da war?

»Vielleicht bin ich ja fälschlicherweise als Mensch geboren, obwohl ich eigentlich als Pflanze auf die Welt hätte kommen sollen! Denn bei den Pflanzen haben Eltern und Kinder keine Bindung zueinander, genauso wenig wie männliche und weibliche Pflanzen, und selbst wenn sie eine haben, sind sie niemals wählerisch. Außerdem gehen sie nie von sich aus irgendwohin, greifen nie jemanden an oder schwatzen drauflos. Ich glaube, da ist, wie schon gesagt, bestimmt etwas schief gelaufen. Wenn ich hier bin, fühle ich mich ganz wie einer von euch. Sobald ich nur einen Schritt nach draußen gehe, bin ich ein Single, mag es dort auch noch so viele Menschen und Tiere geben. Eine Menschenfrau, die mit mir zusammen gelebt hat, hat das auch zu mir gesagt. Denn die Pflanzen, wisst ihr, sind zwar Einzelwesen und andererseits doch wieder keine Einzelwesen. Eine ist eins und alle zusammen ergeben auch eines. Das ist genauso wie bei der Erde und der Luft. Zwar stehen sie in untrennbarer Beziehung zueinander, doch gibt es weder Eltern noch Kinder. Vielleicht ist die Nachbarpflanze ja die Mutter oder aber das Kind, doch wie auch immer, es läuft auf dasselbe hinaus. Denn es gibt nur einen Ursprung. Das ist bei den Menschen anders. Zwei Menschen sind zwei völlig voneinander verschiedene Wesen … Es gibt nichts, das sie miteinander verbindet. Erklärt jemand, dass ihm jede Frau recht sei, wird er ausgelacht. Und wenn er zu jemandem sagt: Wer mein Vater ist oder ob du mein Vater bist, das ist mir egal. , will der nichts mehr mit ihm zu tun haben. Die Pflanzen hingegen, die wachsen immer gleich, egal ob ich sie aufgezogen habe oder so ein Blödmann von den jüngeren Studenten …«

Mikio reckte seine Hand ins Sonnenlicht. Sie schimmerte grünlich, wie er mit Genugtuung feststellte. Wenn er sich nun einfach eine Zeit lang überhaupt nicht rührte, konnte es dann nicht passieren, dass er, wieder zur Besinnung gekommen, auf einmal feststellte, als Pflanze wiedergeboren zu sein?

Als er nach unten blickte, kam eine schwarze Ameise hereingekrabbelt. Sie kroch über die nasse Erde, was ihr offenbar außerordentlich schwer fiel. Mikio streckte ihr seine grünlich verfärbte Hand behutsam entgegen und verhielt sich ganz ruhig. Bald darauf kletterte die Ameise, bemüht, dem Meer aus Schlamm zu entkommen, auf seine Fingerspitze. Ohne eine Spur von Angst krabbelte sie immer weiter, zuerst auf seinen Handrücken und dann auf sein Handgelenk.

Sie lief den Arm entlang und setzte dann ihren Rundgang auf seinem Rücken fort, wodurch sie ihm aus dem Blickfeld geriet. Er glaubte, dass er selbst nun still und rein wie eine Pflanze Kohlendioxid ein- und Sauerstoff ausatmete.

Am Nachmittag – die Ameise hielt sich nach wie vor irgendwo an seinem Körper verborgen – verließ Mikio die Universität und machte sich auf den Weg zu seinen Schülern, suchte drei von ihnen nacheinander auf, um spät in der Nacht wieder nach Hause zurückzukehren.

Die Ameise war auf den Kuchen gekrabbelt, der ihm beim dritten Schüler angeboten worden war, von diesem mit den Fingern gepackt und an Ort und Stelle getötet worden.

»Wie eklig! Wieso gibt's denn mitten im Winter sowas wie Ameisen?!«

Mikio äußerte sich nicht, da er sich nicht sonderlich berührt fühlte.

»Los, lass uns noch einmal üben!«

»Ja.«

Irgendwann würden wahrscheinlich irgendwoher riesige Finger auftauchen und ihn oder seinen Schüler zwischen den Fingerspitzen zerquetschen.

»Bestimmt schaffst du die Prüfung. Mach dir keine Sorgen!«

Dieser Schüler würde bei seiner Erstwunsch-Universität mit Sicherheit durchfallen. Das sagte Mikio seine Erfahrung. Bei der zweiten Universität würde er es schaffen. Das hieß, er würde sich nach dem niederschmetternden Schlag wieder erholen.

Obgleich Mikio eigentlich frischen Mutes zu seiner ersten Arbeit im Neuen Jahr aufgebrochen war, versuchte er dann nicht einmal, die seltsam gehässigen Gefühle zu unterdrücken, die ihn bei der Begegnung mit seinen Schülern überkamen. Nach längerer Pause wieder Zeit mit anderen Menschen zu verbringen, erschöpfte ihn über alle Maßen. In den drei Feiertagen zum Neuen Jahr waren die Gesichter der Menschen rund geworden, ihre Mienen ausdruckslos und platt und ihre Sprechweise nachlässig. Selbst der Wind war lauwarm. An diesem Tag ermahnte Mikio seine Schüler immer wieder, sich schnell von ihrer Festtagsstimmung zu lösen. Obgleich die Schüler das mit einem Gesicht an sich vorbeirauschen ließen, als könne bei ihnen von Festtagsstimmung gar nicht die Rede sein, vermochte Mikio sich des Eindrucks nicht zu erwehren, ein jeder sei trunken und in gelöster Stimmung.

Als er in seine Wohnung zurückkehrte und sich hinlegte, bemerkte er, dass sich auf den Tatami eine dünne Schicht Staub angesammelt hatte. Obgleich kaum ein paar Tage vergangen waren, waren die Tatami unter dem Staub so kühl, als hätten sie lange Zeit keine menschliche Körperwärme mehr aufgenommen, weshalb sie drauf und dran zu sein schienen, ihm gewaltsam seine Körperwärme zu entziehen.

Sowohl am nächsten als auch am übernächsten Tag konnte er den Tagesanbruch kaum erwarten, um zum Gewächshaus aufzubrechen.

Noch bevor ihm jemand begegnen konnte, verließ er die Universität wieder und setzte noch einmal alle Kraft in seine letzten Stunden als Nachhilfelehrer. Bei Arbeiten, die ihm vertraut waren, kam er am besten zur Ruhe. Aber jetzt, da er seine Abhandlung abgegeben hatte, gab es keine Versuche mehr, um die er sich kümmern musste, auch die von ihm aufgezogenen Pflanzen im Gewächshaus hatten ihre Versuche bereits hinter sich und befanden sich sämtlich in einem Zustand kurz vor dem Absterben, und über kurz oder lang musste er sie entsorgen. Im Frühling würden seine jüngeren Kommilitonen ihn mit zahlreichen Töpfen im Arm auffordern, seine Stellplätze zu räumen.

Mit einer Schaufel hob er hinter dem Gewächshaus eine Grube aus. Dabei blieb er an vertrockneten Wurzeln hängen und traf auf Topfscherben. Hier befand sich der Abfallort für Generationen von Pflanzen, die nach ihren Versuchen hier entsorgt wurden. Gleichzeitig war es aber auch der Ort, von dem Erde für die Aufzucht neuer Pflanzen geholt wurde. Man vergrub hier die toten Überreste der mit verschiedenen Krankheitserregern geimpften Pflanzen sowie die mit Keimen kontaminierte Erde und ließ sie zu Humus reifen. Für den Gebrauch wurde die durch ein Sieb gestrichene Erde mehrere Stunden bei hohen Temperaturen erhitzt und sterilisiert. Ebenso verfuhr man mit den unglasierten Töpfen. Auf diese Weise wurde eine Grabstelle wieder zum Leben erweckt und dazu gebracht, zu neuem Leben beizutragen. Auf dem Grund lagen ganze Töpfe ohne jede Schlagstelle über- und durcheinander, die sicher von nachlässigen Studenten, die jede Mühe gescheut hatten, mitsamt der Pflanze in die Grube geworfen worden waren. Sogar Plastikschilder kamen zum Vorschein. Als Mikio kräftig daran zog und sie herausholte, standen Namen darauf, die er nicht kannte. Sie stammten wohl aus weiter zurück liegenden Zeiten.

Auch wenn hier über viele Jahre Erde entsorgt und wieder zu Tage gefördert worden war, schien doch bisher noch niemand so tief gegraben zu haben. Als Mikio sich dessen bewusst wurde, warf er erneut einen Blick auf die Größe der von ihm ausgehobenen Grube und den Berg von Erde, den er angehäuft hatte. Angesichts dessen, dass er es dermaßen übertrieben hatte, verschlug es ihm selbst die Sprache. Ihm stand der Schweiß auf der Stirn. Die Grube war so tief, dass er sich völlig darin verbergen konnte, wenn er sich hinhockte. Da die Erde weich war, hatte er jedoch nicht das Gefühl, besonders schwer gearbeitet zu haben.

Während er aus der Grube kroch und dann von oben hinunterschaute, kam ihm der Gedanke, dass dort unten auf dem Grund doch ein geeigneter Platz für die Urne seines Vaters sein könnte, die sich nach wie vor in der Obhut des Tempels befand. Schon seit Jahren war er nicht mehr dort gewesen. Zur zweiten Wiederkehr des Todestags seines Vaters hatte er auf Anraten von G lediglich Sutren rezitieren lassen. Das lag nun schon sechs, sieben Jahre zurück. Kaum dass ihm dies in den Sinn gekommen war, machte er sich auch schon Sorgen, dass die Urne im Tempel womöglich als störend empfunden werden könnte, und verspürte Lust, sie tatsächlich hier zu vergraben.

Gedankenversunken schaute er eine Zeit lang auf den Grund der Grube, um nach einer Weile dann doch seine Gewächse aus dem Gewächshaus zu holen und sie nach und nach samt Topf auf den Boden der Grube zu schleudern. Beim Werfen zielte er jeweils nach den bereits unten gelandeten Töpfen und lauschte zufrieden dem scheppernden Klang, wenn sie zerbrachen. Obendrauf warf er die alten Töpfe, die er vorhin erst herausgeholt hatte, und nachdem auch diese in möglichst viele Scherben zerschmettert waren, griff er zur Schaufel und füllte die Grube wieder mit Erde.

Mit der Schaufel Erde zu bewegen, tat ihm gut. Von diesem angenehmen Gefühl verleitet hatte er eine größere Grube gegraben, als notwendig gewesen wäre.

Ich sollte vielleicht Bauer werden.

Während er spürte, wie ihm der Schweiß den Rücken hinunter rann, dachte er an den Stadtratsabgeordneten in der Präfektur N. Ob er mich wohl zum Landwirt macht, wenn ich ihn darum bitte? Ich bräuchte ja nur ein Stück Land. Als er sich allerdings daran erinnerte, dass jenes Haus in der Präfektur N mitten in der Stadt stand und Feldern ähnliche Grundstücke, große Bäume und Wiesen weit und breit nicht zu sehen gewesen waren, schaufelte er, ohne weiter darüber nachzudenken, immer weiter. Wenn er erst einmal Angestellter in jener Firma war, würde er den Duft der Erde nicht mehr genießen können.

Seinen Gedanken nachhängend, sann er darüber nach, dass wahrscheinlich der Vater seines Vaters oder aber dessen Vater als Bauer in der Präfektur N gelebt hatte, und er träumte davon, Geld zu sparen, um Landwirt zu werden.

Ende Januar wurden die Abschlussarbeiten beurteilt, und auch Mikios Arbeit bestand die Prüfung. Selbstredend schafften es alle abgegebenen

Arbeiten. Der Professor teilte ihnen die Ergebnisse mit und beauftragte sie im gleichen Atemzug mit der Aufsicht für die baldige Aufnahmeprüfung. Es war so üblich, dass die Graduierten diese Aufgabe übernahmen.

»Ach übrigens, Herr Shiiba ...«

Als Mikio, der als einziger angesprochen wurde, zurückblieb, wurde er gefragt, ob jemand von seinen Schülern die Aufnahmeprüfung an dieser Universität machen würde. Kaum hatte Mikio geantwortet, dass es zwei seiner Schüler betreffe, zog der Professor verdrießlich die Stirn in Falten und stöhnte:

»Das ist, ähm, etwas problematisch ...«

»Warum?«

»In letzter Zeit ist man da in manchen Dingen etwas strenger geworden. Wie sieht es aus, könnten Sie in diesem Jahr auf diesen Job verzichten?«

»Im letzten Jahr war doch auch ein Schüler von mir hier. Er wollte zwar an eine andere Fakultät, doch er hat die Prüfung mitgemacht und bestanden.«

»Ach so ... Ehrlich gesagt, haben wir in diesem Jahr einen leichten Überhang an Graduierten, einer ist zu viel. Wegen der Verwaltungsreform muss auch die Uni Sparmaßnahmen treffen, wissen Sie. Da ich die Oberaufsicht habe, würden sich die anderen beschweren, wenn ich das Problem nicht mit meinen eigenen Graduierten regelte. Ich finde, dass es auch etwas schwierig ist, die Aufsicht über seine eigenen Schüler zu führen, und deshalb wollte ich Sie nach Ihrer Meinung fragen, aber ... kommen Sie etwa in Schwierigkeiten, wenn Sie diesen Job nicht machen?«

Mikio starrte den Professor an. Warum hatte er eigentlich diesen alten Mann früher so verehrt? Seine fleckige schlaffe Haut glänzte schmutzig.

Sicher, diese Arbeit war ein recht einträglicher Job, doch verspürte Mikio nicht die geringste Lust, sich deswegen auch noch irgendwelche langwierigen Bedenken anzuhören. Bisher hatte er diese Arbeit ja auch nur gemacht, weil es so Brauch war, dass die Graduierten sie übernahmen.

»Schon gut. Es hilft mir sogar, wenn Sie mich von dieser Arbeit freistellen.«

»So? Bitte seien Sie nicht gekränkt! Ansonsten sollten Sie sich möglichst bald in Ihrer zukünftigen Firma blicken lassen. Am besten zeigen Sie sich dort möglichst oft. Sie können auch schon jetzt für ein

Entgelt dort arbeiten. Daher sollten Sie gleich nach den Aufnahme-prüfungen einmal dort vorbeischauen und mit ihnen darüber reden. Wenn Sie sich allzu unbeteiligt geben, könnten Sie nämlich Missfallen erregen. Schließlich geht es hier um zwischenmenschliche Bezie-hungen. Der Eindruck, den man auf andere macht, ist wichtig, hören Sie. Und vergessen Sie nicht, dass auch ich ja für Sie gebürgt habe! Alles klar?«

»Ja. Vielen Dank!«

Also hatte er die Stelle bekommen, weil der Professor die Bürgschaft übernommen hatte. Der Stadtratsabgeordnete glaubte bestimmt, es habe geklappt, weil er den Namen des Ministers angeführt hat.

Wahrscheinlich hatten beide auf ihre Weise dazu beigetragen, dass die Entscheidung auf ihn gefallen war.

Für Mikio gab es nun nichts mehr zu sagen. Ihm blieb nur noch, sich zu verbeugen, zu bedanken und vom Professor zu verabschieden.

Fast neun Jahre nach dem Tod seines Vaters hatte dessen Einfluss seine Kraft verloren. Sein Kollege G, der sich bei der Trauerfeier und danach um Mikio gekümmert hatte, hatte sich schon lange nicht mehr gemeldet.

11

An einer Privatuniversität, die ihre Aufnahmeprüfungen vor allen anderen Universitäten durchführte, ließen sich auch zwei von Mikios Schülern prüfen. An diesem Tag wollte Mikio die Beiden bei ihrer Heimkehr abpassen, um ihre Prüfungsantworten grob mit den Fragen abzugleichen und dann Vermutungen über die Ergebnisse anzustellen. Zwar nahmen beide Schüler nur vorsichtshalber, um ganz sicherzugehen, an dieser Prüfung teil, da jedoch die Konkurrenz stärker war als erwartet, konnte er, insbesondere was den einen der beiden anbetraf, nicht ganz so optimistisch sein.

Zunächst begab sich Mikio zum Haus jenes Schülers, von dem anzunehmen war, dass er es ohne schwerwiegende Fehler geschafft hatte. Es war abends gegen 17 Uhr. Sowohl der Schüler, der ihm entgegenkam, als auch seine Mutter, die ihn bis zum Prüfungsort begleitet hatte, strahlten ihm glücklich entgegen.

Da war auch Mikio, der ähnliches doch eigentlich jedes Jahr erlebte, erleichtert und er lächelte dem Schüler zu. Wenn am Ende kein gutes Ergebnis heraussprang, konnte ein Jahr der Zusammenarbeit einen unangenehmen Nachgeschmack hinterlassen. Er seinerseits könnte das Ganze zwar nüchtern sehen und einfach zusammen mit dem Job vergessen und abhaken, doch für die Familie des Schülers entschied sich an diesem Punkt, ob man dem Menschen namens Shiiba Mikio grollen oder danken, ob man auf ihn herabsehen oder zu ihm aufblicken würde. Auch wenn es sich nur um eine einjährige vorübergehende Beziehung handelte und man sich wohl kein zweites Mal über den Weg laufen würde, war es doch das Beste, man ersparte sich die Vorstellung, irgendwo sein ganzes Leben lang gehasst zu werden.

»Geschafft! Die erste Hürde hast du genommen!«

Der Vergleich der Antworten des Schülers mit den Fragen hatte ergeben, dass er auf jeden Fall bestanden hatte. Er wollte sich noch drei weiteren Prüfungen unterziehen.

Als Mikio sich von dessen Mutter, die viel freundlicher als sonst gewesen war, verabschiedete und sich auf den Weg zu seinem zweiten Schüler machte, war es gegen 19 Uhr. Eine unangenehme Vorahnung beschlich ihn, weshalb er unterwegs ein einfaches Lokal aufsuchte, um dort hastig etwas hinunterzuschlingen. An den Tagen, an denen er als

Nachhilfelehrer arbeitete – im Grunde genommen jeden Tag –, brauchte er sich normalerweise nicht selbst um sein Essen zu kümmern. Einzig in dieser Zeit des Jahres, die er immer der sogenannten Nachsorge zu den Aufnahmeprüfungen widmete, kam es hin und wieder vor, dass er intuitiv und aus seiner Erfahrung heraus bereits vorher ahnte, dass er wohl nichts zu essen bekommen würde. Zu siebzig, achtzig Prozent traf das dann auch zu. Insbesondere bei jenen Schülern, die sich mehreren Aufnahmeprüfungen unterzogen und gleich bei der ersten scheiterten, war die Nachsorge am mühsamsten. Da die erste Prüfung lediglich zur Sicherheit und erst danach jene bei der favorisierten Uni abgelegt wurde, erlagen unsichere Studenten, wenn sie schon bei der ersten Prüfung zu Fall kamen, rasch dem Hang zum Verlieren, und nicht selten lagen sie dann psychisch am Boden. Da sie, von Natur aus viel zu schwach, die Prüfungen ohne jegliches Selbstbewusstsein und nur zögerlich antraten, gerieten sie in große Schwierigkeiten, da sie sich Sorgen machten statt nachzudenken, weshalb sie schließlich scheiterten.

Ob man ihnen nun Trost spendete oder sie ermutigte, setzten ausgerechnet diese Schüler ein Gesicht auf, als wollten sie sagen: »Du hast gut reden, du bist ja auch schon an der Uni und hast schon einen Abschluss. Im Grunde genommen ist es dir doch ohnehin egal!« Wenn sie dann mit viel Glück und Ach und Krach die zweite Prüfung schafften, änderte sich ihr Verhalten schlagartig. Im Handumdrehen verwandelten sie sich in unbekümmerte junge Männer, die glaubten, sie hätten es auf Grund ihrer eigenen Fähigkeiten geschafft und die sagen zu wollen schienen, die Welt sei doch gar nicht so hoffnungslos, und sie begannen Mikio wie einen guten Freund zu behandeln.

Als er auf den Klingelknopf an der Tür drückte, hörte er überstürzte Schritte von drinnen. Mit den Worten »---, bist du's?!« öffnete sich die Tür. Da wusste er, dass er mit seiner Ahnung richtig gelegen hatte. In diesem Hause würde er heute Abend wohl keinen Tee bekommen, geschweige denn ein Abendessen …

Dass ihr Sohn nicht nach Hause kommen und am Eingang klingeln würde, hätte diese Mutter eigentlich wissen müssen.

Kaum hatte sie Mikio erblickt, stand sie mit entsetzter Miene wie versteinert da, versperrte den Eingang und traf keinerlei Anstalten ihn hereinzubitten.

»Ist --- noch nicht da?«

Während er noch fragte, obgleich er die Antwort längst wusste, mied er den vorwurfsvollen Blick der Mutter und schaute zurück auf den nächtlichen Weg.

»Er ruft nicht mal an. Obwohl die Prüfung längst vorbei ist …«

»Es müsste einen Mitschüler von ihm geben, der mit ihm zusammen zur Prüfung gegangen ist. Wie wär's, wenn Sie dort einmal anrufen?«

»Als wäre er jemand, der mit anderen zusammen geht! Sie interessieren ihn nicht, hat er gesagt, jawohl. Überhaupt kann doch auch dieser Mitschüler unmöglich etwas wissen …«

Mikio verstand. Wahrscheinlich befürchtete die Mutter, dass ihr eigener Sohn durchgefallen war und sein Klassenkamerad die Prüfung bestanden hatte. Mit argloser Miene erkundigte sich Mikio:

»Benachrichtigen Sie die Polizei?«

»Na hören Sie …«

»Ich hab's. Bestimmt amüsiert er sich jetzt, nachdem die Prüfung vorbei ist, oder wenn die Prüfung nicht so gut gelaufen ist, bummelt er irgendwo herum, um sich zu beruhigen.«

»Reden Sie doch nicht so unverantwortlich daher! Wenn ihm nun etwas zugestoßen ist, übernehmen Sie dann die Verantwortung?«

»… Selbst wenn ich anstelle Ihres Sohnes zur Prüfung hätte antreten wollen, ist letztendlich immer noch Ihr Sohn derjenige, der sie ablegt. Die Verantwortung übernehmen – das ergibt doch keinen Sinn. … Jetzt geh ich erst mal nach Hause und schau mich dabei hier in der Gegend ein wenig um. Ich komme später wieder.«

Es war nach 20 Uhr. Er floh vor der Mutter, die jeden Augenblick zu explodieren drohte, und kehrte direkt in seine Wohnung zurück. Obgleich er in anderen Jahren mit einer solchen Mutter gemeinsam gebangt, sie beschwichtigt und ihr aufrichtig und ehrlich seine volle Aufmerksamkeit geschenkt hätte, war ihm das heute unmöglich. Selbst als die Mutter unzufrieden gemurrt hatte, dass sie ihren Sohn wohl besser hätte begleiten sollen, hatte er insgeheim höhnisch gegrinst.

Dieser Schüler hatte schon immer über die ihm lästige übertriebene Fürsorge seiner Mutter gejammert, und je mehr sie sich um ihn gesorgt hatte, desto einsilbiger, ausdrucksleerer und verdrießlicher war er geworden. Als Mikio nach M fuhr, hatte diese Mutter ihm die größten Schwierigkeiten bereitet. Wenn sie in der Nähe war, öffnete ihr Sohn so gut wie nie den Mund und zog dabei ein Gesicht, als hätte er keinen eigenen Willen mehr. Nie äußerte er seine eigene Meinung. Vielleicht wirkte er auf seine Mutter nur schwach und folgsam, denn sie redete selbst sehr viel, schrieb ihm alles vor und mischte sich ein, so als wollte sie ihn, der größer war als sie selbst, behüten.

Mikio nahm sich diese Angelegenheit nicht allzu sehr zu Herzen. Wahrscheinlich hatte dieser Schüler, der immer vorgab, er würde alles tun, was seine Mutter ihm sagte, tatsächlich keinen eigenen Willen mehr. Und zusätzlich zu seinem Versagen in der Prüfung belastete ihn nun der Gedanke an das Gesicht seiner Mutter, weshalb es ihm wohl schwer fiel, nach Hause zurückzukehren.

(Jedenfalls weiß er selbst, dass er ohne seine Mutter ohnehin ein hoffnungsloser Fall ist. Bestimmt wartet er irgendwo hier in der Nähe darauf, dass sie ihn verzweifelt sucht. Doch hör mal, wenn du dich zu gut versteckst, dann kann sie dich auch nicht finden! Du solltest dich rechtzeitig wieder blicken lassen!)

Als ich achtzehn war, war ich schon an ein Leben ohne Mutter und Vater gewöhnt und stand bereits auf eigenen Füßen, dachte er. Jetzt bin ich nicht mehr so gutmütig, dass ich mich in Mutter-Kind-Konflikte anderer Leute verwickeln lasse.

Früher konnte er sich, wenn auch nur dem äußeren Anschein nach, fürsorglich wie ein echtes Familienmitglied verhalten. Er empfand es als angenehm, dass man sich auf ihn verließ und sich ihm gegenüber dankbar zeigte. Einzig in dieser Form konnte er mit dem, was man Familie nannte, jenem Wesen, nach dem er sich zum einen wehmütig sehnte und vor dem er sich zugleich ängstigte, in Berührung kommen. Wie gut er sich in den Familien anderer Menschen einlebte und ob er wie ein Familienmitglied behandelt wurde, empfand er wie ein Spiel mit einem gewissen Nervenkitzel.

Doch nun war er dessen überdrüssig geworden.

Wälzt die Lösung eurer Mutter-Sohn-Probleme doch nicht auf mich ab!

Sein eigenes Grummeln hörte sich an wie ein Stöhnen. Kaum hatte er gedacht ›Ich sollte wohl besser aufhören, Selbstgespräche zu führen‹, verwandelte sich auch dieser Gedanke in Worte, die an sein Ohr klangen.

Das Fenster seiner Wohnung war erleuchtet. Kaum hatte er das bemerkt, rannte er auch schon los, um schließlich keuchend vor seiner Tür innezuhalten.

»---!«

Unwillkürlich den Namen jenes Schülers rufend, fasste er mit der Hand nach dem Türgriff. Die Tür ließ sich nicht öffnen.

»Hallo! Du bist's doch, ---, oder? Ich bin's.«

Es war ihm völlig entfallen, dass in den sechs Jahren seiner Arbeit als Nachhilfelehrer noch nicht ein einziges Mal ein Schüler bei ihm aufgetaucht war.

In diesem Augenblick glaubte er in seinem Innern, dass sein Schüler nicht zu seiner Mutter nach Hause hatte zurückkehren wollen und deshalb bei ihm Zuflucht gesucht hätte. Jeder, der keinen Ort mehr hat, an den er gehen kann, findet instinktiv jemanden, der noch weniger Zufluchtsmöglichkeiten hat, und versteckt sich dort, dachte er und spürte sogar sein Herz aufgeregt in seiner Brust klopfen. Unter seinen Schülern gab es also einen, der sich so verhielt, als beneide er ihn, der ohne einen Verwandten dastand. Von seinen Eltern dazu gezwungen, die Aufnahmeprüfung an der Uni abzulegen, glaubte jener Schüler wohl, ohne seine Eltern größere Freiheiten im Studium genießen zu können.

Selbstredend war es nun nicht so, dass Mikio, als von drinnen keine Antwort kam, nicht den Verdacht schöpfte, seine übermäßige innere Erregung könnte ihn in die Irre geleitet haben und er selbst am Morgen losgegangen sein, ohne das Licht auszuschalten. Wie um sich selbst zu überzeugen, brummte er mit leicht theatralischer Stimme:

»Ich war gerade bei dir zu Hause. Was ist los? Deine Mutter ist schon fast am Weinen und wartet auf dich, hörst du? Das kannst du doch nicht machen!«

Dabei steckte er den Schlüssel ins Schloss, drehte den Türgriff und öffnete mit angehaltenem Atem die Tür.

Da hielt er in seiner Bewegung inne.

Im Zimmer saß jemand mit dem Rücken zur Tür aufrecht und steif neben dem *kotatsu*. Es war eine Frau.

»Ryôko …«, murmelte er in sich hinein, ohne dass ein Laut nach draußen drang. Sie ruhrte sich nicht. Es war tatsächlich Takezawa Ryôko, die vor über einem Monat verschwunden und seitdem nicht wieder aufgetaucht war.

Da wurde ihm bewusst, dass er sie bis zu diesem Augenblick völlig vergessen hatte. Selbst als er das Licht gesehen hatte, war ihm nicht einmal der Gedanke gekommen, dass es Ryôko sein könnte. Nein, das stimmte nicht! Im selben Moment, da er das Licht wahrgenommen hatte, hatten ihm seine Sinne eine weißlich schimmernde Gestalt mit verschwommenen Umrissen vorgegaukelt, die nicht dem verschwundenen Schüler gehörte. Das musste natürlich Ryôko gewesen sein. Er hatte das nur nicht zugeben wollen. Vielleicht hatte er sich ja auch absichtlich der Überzeugung hingegeben, es sei sein Schüler, und ihn gerufen, weil er von diesem weißen Schatten gehört werden wollte.

Sein Blut, das bei ihrem Anblick siedend heiß aufgewallt war, kam wieder zur Ruhe. In seinem Innern wurde es ganz still und ihm ganz benommen zumute, als seien seine Gefühle ins Stocken geraten. Wortlos schloss er die Tür, bewegte sich ganz langsam, füllte wie immer Wasser in den Teekessel und stellte ihn aufs Feuer. Vom Gasherd aus blickte er gedankenverloren zu Ryôko. Von hinten wirkte sie starr und fehl am Platze, einfach nicht hierher passend, so als hätte sie keinerlei Beziehung zu diesem Raum. Neben ihr standen die ihm bereits vertraute Tasche sowie eine Einkaufstüte aus Papier mit Henkel.

Er sprach Ryôko nicht an. Ohne den blassesten Schimmer, wie er mit ihr umgehen sollte, hatte ihn zudem schlicht und einfach Verwunderung darüber erfasst, wieso Ryôko, ohne durch Schaden klug geworden zu sein, ein zweites Mal in seine armselige Wohnung gekommen war, der sich ja nicht einmal sein Schüler näherte, der keinen Zufluchtsort mehr hatte. Angesichts ihres Gepäcks, das im Vergleich zum letzten Mal deutlich an Umfang zugenommen hatte, hatte ihn vielleicht auch Angst davor ergriffen, dass sie erneut bei ihm einziehen könnte, ohne dass er verstand warum.

Aber noch etwas war genauso wie beim letzten Mal: Er konzentrierte sich einzig und allein darauf zu beobachten, was Ryôko tat.

Der Teekessel spie Dampf aus und pfiff. Mikio goss Kaffee für zwei ein, nahm die Tassen mit beiden Händen, um sich endlich zu einem Platz zu begeben, von dem aus er Ryôkos Gesicht sehen konnte, und seine Beine unter den *kotatsu* zu schieben.

Dort war es dunkel und eisig kalt. Er schaltete den *kotatsu* ein. Wann mochte Ryôko gekommen sein? Sie schien die ganze Zeit über in dem ungeheizten Zimmer gesessen zu haben, ohne sich zu rühren. Er blickte sie an. Sie war blass und ihre Lippen schimmerten violett. Als sie ihren Blick hob, tauchte in ihrem Gesicht, das halb so ausschaute, als würde sie gleich in Tränen ausbrechen, ein schwaches Lächeln auf.

Die Gefühle dieser Frau, die sich nicht die Freiheit genommen hatte, den *kotatsu* zu benutzen, obgleich sie ohne ein Wort in seine Wohnung eingedrungen war, waren ihm völlig unbegreiflich.

Ryôko hob an etwas zu sagen, verschloss jedoch unverrichteter Dinge wieder ihren Mund und streckte ihre rechte Hand nach vorn, die zusammengeballt auf ihren Knien geruht hatte, um im nächsten Augenblick einen Schlüssel – klack! - auf die Tischplatte des *kotatsu* zu legen.

Es war ein Nachschlüssel für seine Wohnung. Ihm wurde bewusst, dass er sich gar nicht darüber gewundert hatte, wie sie wohl in seine verschlossene Wohnung hineingekommen war. Nun war er doch fassungslos. Aber er wollte nicht fragen. Und auch keine Gefühle zeigen. Sowohl Worte als auch Gefühle waren unsortiert und chaotisch im Ausgang stecken geblieben.

Da fiel ihm ein, dass er früher einmal, als er aus dem Haus ging, einen Zweitschlüssel auf den *kotatsu* gelegt hatte, damit Ryôko es tagsüber etwas bequemer hatte. Da der Schlüssel nach seiner Rückkehr am selben Platz gelegen hatte, hatte er ihn vor Ryôkos Augen in die Schublade seines Schreibtisches gelegt. Das bedeutete selbstredend, dass Ryôko sich frei bedienen solle. Dieser Zweitschlüssel hatte, nachdem sie verschwunden war, immer noch in der Schreibtischschublade gelegen.

Sie hatte sich also einen eigenen Zweitschlüssel anfertigen lassen.

»… hast du jemanden gesucht?« öffnete Ryôko ihren Mund. Es kam zwar zögernd, doch klang es wie ein Verhör. Ihre Stimme war heiser.

»Mhm.«

»Ach so. Kann derjenige nicht zurückkommen, solange ich hier bin?«

»Vielleicht, ich weiß nicht.«

Amüsiert über das Missverständnis geizte er boshaft mit Erklärungen. Wenn hier jemand etwas zu erklären hatte, dann war es doch wohl zuerst sie. Er war wachsam und auf der Hut und würde unter keinen Umständen auch nur denken, dass Ryôko zurückgekehrt sei, weil sie ihn nicht hatte vergessen können. Verließe sie ihn noch heute Abend, schien es möglich, dass er sich in seinem Leben nie wieder an sie erinnern würde. Auch machte sie den Eindruck, dass sie sofort gehen würde, wenn er kurz und knapp zu ihr sagen würde: Geh! Ohne es sich im Geringsten bequem zu machen, saß sie die ganze Zeit stocksteif und mit gesenktem Blick da. Nachdem seine Zehen endlich warm geworden waren und er den Kaffee – solange er noch heiß war – ausgetrunken hatte, blickte er sie erneut unverwandt an.

Ryôko, die sich auf die Unterlippe biss und verkrampft dasaß, wirkte furchtbar klein und kindlich. Sie war nicht viel älter als seine Schüler. Ob wohl der verschwundene Schüler auch irgendwo gleichermaßen angespannt darauf wartete, dass ihn jemand ansprach? Kaum war ihm dieser Gedanke gekommen, breitete sich innere Ruhe in ihm aus. Die beiden haben ja nicht wie ich zehn Jahre lang allein gelebt, dachte er.

»Wenn du mir nichts erklärst, kann ich es auch nicht verstehen. Wenngleich, nun ja, gefühlsmäßig hat mich dein plötzliches Auftauchen schon mehr beruhigt als dein plötzliches Verschwinden. Wenn du jedoch allzu sehr im Alleingang handelst, irritiert es mich.«

Sie hob zwar ihr Gesicht, ließ aber ihren Mund geschlossen. Er schob den *kotatsu* näher an sie heran.

»Dir ist doch bestimmt kalt.«

Kaum hatte er das gesagt, nickte sie leicht, hob die Decke an und schob ihre Knie und beide Hände darunter. Sie saß nun vornübergebeugt, so als lehnte sie sich an den *kotatsu*, und hatte die Augen niedergeschlagen.

Als hätte er das alles nicht gesehen, begann er selbst mit seiner Erklärung.

Er sprach darüber, dass einer der Schüler, denen er Nachhilfeunterricht gab, noch nicht nach Hause zurückgekehrt sei, seine Mutter sich Sorgen mache, heute der Tag seiner Aufnahmeprüfung sei, er in dieser vermutlich nicht so gut abgeschnitten habe, sich wahrscheinlich irgendwo davon abgelenkt habe und jetzt um diese Zeit wahrscheinlich doch schon wieder zu Hause sei. Dieser Schüler wolle auf jeden Fall an die Uni gehen. Oder aber er denke, dass er gehen müsse. Nicht etwa, weil er von seiner Mutter dazu gedrängt werde, sondern weil er befürchte, es ohne Universitätsabschluss in seinem ganzen Leben zu nichts mehr zu bringen und als Versager zu enden. Er wisse auch, dass er ohne den Schutz seiner Eltern nicht an die Uni gehen könne. Für ihn sei es selbstverständlich, dass seine Eltern ihm sein Studium finanzieren. Er werde auf jeden Fall nach Hause zurückkehren. Ihm sei klar, dass ihm sonst ein noch viel grausameres Schicksal drohe, als nicht zur Uni gehen zu können. Und das fürchte jener Schüler mehr als alles andere. Sein einziger Wunsch sei es, mühelos und sorgenfrei durchs Leben zu kommen.

Mikio war regelrecht geschwätzig geworden, nur damit Ryôko sich ein wenig entspannte.

»Da magst du recht haben. Selbstmord wird er wohl nicht begehen«, sagte Ryôko, die ab und zu genickt hatte. »Wenn er begreift, dass es keinen anderen Ort gibt, an den er gehen kann, kommt er zurück. Und selbst wenn er das nicht tut, bist du doch nicht dafür verantwortlich.«

Verantwortlich? Er schwieg. Wieder senkte Ryôko ihr Gesicht. Schließlich sagte sie mit so leiser Stimme, dass er sie gerade noch verstehen konnte:

»Ich habe auch keinen Ort, wo ich hingehen kann. Weil ich hierher zu dir wollte, bin ich einfach hergekommen, aber du kannst mich auch wieder rausschmeißen. Offenbar verstehe ich jetzt nicht so recht, ob du ärgerlich bist oder ob du dich freust. Also … wenn du kannst, dann versuch es mir zu erklären!«

Er verspürte einen Schmerz in der Brust. Eine Zeit lang versagte ihm seine Stimme ihren Dienst. Nach einer ganzen Weile sagte er in barschem Ton:

»Wie auch immer, wenn du keinen Ort hast, wohin du gehen kannst, musst du wohl bleiben.«

Ohne ein weiteres Wort schob er das Bettzeug zu Ryôko hinüber, um sich selbst mit nur einer Decke unter dem *kotatsu* zu verkriechen. Warum er sich so verhielt, verstand er selbst nicht.

Ryôko hatte ihn unverwandt angeschaut, doch schon bald breitete sie das Bettzeug da aus, wo es immer gelegen hatte, und löschte die Lampe. Das rote Licht der Wärmelampe unter der Tischplatte des *kotatsu* sickerte sanft ins Zimmer und färbte die Dunkelheit. Still zog Ryôko sich aus und kroch unter die Bettdecke. Mikio beobachtete alles durch einen Spalt in seiner Decke.

Ryôkos Körper erhob sich wie ein runder praller Berg. Anzeichen davon, dass er lebte, drangen zu Mikio hinüber.

Als der Berg sich endlich in Bewegung versetzte, kam Ryôko von sich aus zu Mikio herüber. Kaum hatte er seinen Arm nach ihr ausgestreckt, lag sie auch schon in seinen Armen.

Er drückte ihren warmen Körper an sein Herz. Etwas Unglaubliches war passiert. Zum ersten Mal war jemand, der verschwunden war und eigentlich gar nicht hätte wiederkommen dürfen, zurückgekehrt. Die Freude darüber drang zusammen mit Ryôkos Körperwärme allmählich in ihn. Aber im Kopf war er seltsam wach und ihm kam der Gedanke, dass Ryôko bestimmt irgendwann wieder verschwinden würde. Im selben Hohlraum seines Kopfes dachte er an seinen Schüler.

Er war ein ganz normales Kind. Allerdings war für Mikio jeder, der beide Eltern hatte und unter ihrer Obhut lebte, wenn er nicht ein ganz extremer Sonderling war, ein normaler Schüler.

Er lernte viel, sein Eifer ähnelte dem eines Handwerkers. Seine Fähigkeiten erlangte er nur auf vorgegebenen Wegen, und seine Leistungen reichten nicht über die obere Mitte hinaus. Da er sich in dieser Position hielt, in dem er beim Lernen stets bis an seine äußersten Grenzen ging, fielen seine Leistungen schlagartig ab, sobald er nur ein wenig in seiner Aufmerksamkeit nachließ. Wenn er nun derart auf Hochtouren lief und aus irgendeinem Grund die Sicherungen durchbrannten, dann könnte möglicherweise … Ryôkos Andeutung vom Selbstmord ging Mikio nicht aus dem Kopf. Noch ganz andere Gedanken kamen ihm: Ob wohl auch Ryôko sich in einer Situation befand, in der sie an Selbstmord dachte? Vielleicht hatte sie ja auch diesen Gedanken wieder fallen lassen und war deshalb zu ihm zurückgekommen? Was hätte sie wohl tun wollen, wenn er sie hinausgeworfen hätte? So wallten einer nach dem anderen Zweifel in ihm auf und Unsicherheit überkam ihn. Kaum war Ryôko bei ihm, erging es ihm so. Ängste überfielen ihn. Ryôko brachte die Furcht davor mit, etwas zu verlieren.

Sie klammerte sich an ihn. Ohne wie früher die Fingernägel auszufahren, schmiegte sie sich, ihn weich umfangend, an seinen Körper. Er merkte, wie sie hin und wieder zu ihm aufblickte.

Als er fühlte, dass Ryôko seinen Körper gar nicht wieder loslassen wollte, kam ihm ein seltsamer Gedanke.

Wenn Ryôko Lust hatte, hier zu bleiben, dann könnte ja auch er sie verlassen und weggehen, wenn er das wollte. Was für ein Gesicht würde sie dann wohl machen?

Als sie einschlief und er ihren ruhigen Atem vernahm, genoss er mit klarem und nüchternem Kopf und mit Behagen die wundersam entspannte Ruhe dieser Nacht, in der er nicht wusste, was der morgige Tag bringen würde. Diese Ruhe schien vom Atem und der Körperwärme der schlafenden Ryôko auszugehen.

An der Tatsache, dass Ryôko für ihn ein unverständliches und unheimliches Wesen war, hatte sich nichts geändert, aber aus irgendeinem Grund war er zu der Ansicht gelangt, dass es ihm egal sei, was sie denken mochte. Auch er wollte ja auf gar keinen Fall, dass sie alles über ihn wusste. Im Gegenteil lag ihm daran, viel zu verbergen. Wenn er das nicht tat, könnte er einen anderen Menschen nicht lieben. Er hatte das Gefühl, die Hälfte seines Körpers verstecken zu müssen, wenn er jemanden lieb gewinnen wollte.

Er war sich dessen bewusst, dass er selbst dachte, dieses Mal würde es sehr schnell gehen bei ihm, weil er dadurch verschiedenen Unannehmlichkeiten aus dem Wege gehen konnte. Ich möchte Ryôko lieben, dachte er. Sie darf es aber nicht erfahren.

Sacht löste er sich von ihr.

Eine lange harmonische Stille folgte. Unversehens schlief er ein. Es war ein tiefer Schlaf.

Als er am Morgen des nächsten Tages erwachte, befanden sich direkt vor ihm in unmittelbarer Nähe die weit geöffneten Augen Ryôkos. Sie schien ganz und gar in einen Gedanken vertieft zu sein. Ohne ein Wort der Einleitung erklärte sie:

»Ich war im Mädchenwohnheim. Dort bin ich jetzt mit Sack und Pack ausgezogen. Auch an der Uni hab ich alle Formalitäten für zwei Freisemester erledigt.«

Mikio schwieg.

»Das wollte ich dir nur sagen. Aber, ich falle dir zur Last, stimmt's? Das interessiert dich sicher alles gar nicht. Sobald ich nur ein wenig zur Ruhe gekommen bin, suche ich mir eine Wohnung und Arbeit. Möglichst bald. Danke, dass ich diese Nacht hier schlafen durfte. Mit dem Schlüssel, das tut mir leid. Aber er hat mir das Gefühl vermittelt, allem gewachsen zu sein.«

Zwar nicht lächelnd, doch mit heiterer Miene erhob sich Ryôko. Sie war bereits fertig angezogen.

»Gehst du raus?«

Gehst du weg? hatte er eigentlich fragen wollen, sich aber sofort selbst korrigiert. Ryôko nickte leicht. Ihr Gesicht verriet, dass sie verstohlen auf seine Reaktion zu lauern schien.

Mit abgewandtem Blick sagte er:

»Zieh nicht einfach deine Schlüsse so, wie es dir in den Kram passt! Du solltest dich lieber um dich selbst kümmern! Aber tu nicht so, als hättest du meine Gefühle durchschaut!«

Er zog sich die Decke über den Kopf. Nach einem kurzen Schweigen erklang leise ihre Stimme: Bis später! Er hörte, wie die Tür aufging. Dann schloss sie sich wieder, und Ryôkos Schritte entfernten sich.

Bis später – das bedeutete, dass sie wiederkommen würde. Mit Schwung sprang er auf. Er hatte dreißig Minuten länger geschlafen als sonst. Als er sich umblickte, standen auf der Tischplatte des *kotatsu* Brot und Käse und eine auf den Kopf gestellte Kaffeetasse. Der Zweitschlüssel, den Ryôko gestern Abend dorthin gelegt hatte, war verschwunden.

Kaum hatte er sich Brot und Käse in den Mund gestopft, fühlte er sich seltsam zufrieden und schickte sich an, das Haus zu verlassen. Ryôkos Tasche stand ordentlich in einer Ecke seines Zimmers.

Von der Telefonzelle vor dem Wohnblock aus rief er bei dem Schüler von gestern an. Er sei immer noch nicht heimgekehrt, erfuhr er. Da ihm gleich am Anfang die schrille Stimme der Mutter ins Ohr sprang – Bist du's, ---?! -, wusste er gleich Bescheid, obgleich er noch gar nichts gefragt hatte.

»Übermorgen ist die nächste Aufnahmeprüfung!«

Mikio erklärte, er würde überall suchen, wo er meine, dass der Schüler sein könnte, und legte dann ziemlich eigenmächtig auf. Wie sollte er denn wissen, wo der Schüler war?! Angenommen er selbst hätte eine Mutter, würde er wohl keine Lust verspüren, zu solch einer Mutter heimzukehren, die nichts anderes konnte, als vor lauter Sorge herum zu plärren. Das war alles, was er dachte.

Ob es wohl gestern Abend geregnet hatte? Am Rand war der asphaltierte Weg auf beiden Seiten voll nasser Flecken, und ein feuchter Geruch nach Erde und Wasser hing in der Luft.

Am Vormittag hatte er nichts zu erledigen, was der Rede wert gewesen wäre. Er lenkte seine Schritte in Richtung Universität und verspürte nach langer Zeit einmal wieder Lust, am Gewächshaus vorbei und hinüber zum Lehr- und Versuchswald zu gehen. Es war jene Zeit des Jahres, in der die Prüfungen am Studienjahresende vorbei waren und die Aufnahmeprüfungen kurz bevor standen und man an der Universität das Gefühl hatte, die langen Frühjahrsferien hätten bereits begonnen. Mikio genoss es, den ungepflasterten Weg auf dem landwirtschaftlich genutzten Gelände entlang zu laufen und zu spüren, wie unter seinen Füßen die Eiskristalle des Raureifs knirschend zerbarsten. An den Stellen, die mehr in der Sonne lagen, glitzerte an der Erdoberfläche Wasser. Der Duft der Bäume sickerte in die Erde. Übergossen vom Sonnenlicht, hoben sich die Gestalten der blattlosen Obstbäume, deren Stämme mit Stricken umwickelt waren, wunderschön glänzend und kristallklar gegen den tiefblauen Himmel ab. Im Gegensatz zu den im Gewächshaus lagernden, verborgenen, unergründlichen und kränkelnden Pflanzen stachen sie geradezu ins Auge. Er empfand Sehnsucht nach Ryôkos Haut. Gleichzeitig wünschte er sich aber, dass sie so wortkarg blieb.

Als die Aufnahmeprüfungen seiner Schüler für die Universität einen ersten Abschluss gefunden hatten, erwog er, ganz wie es ihm sein Professor geraten hatte, möglichst bald in seiner zukünftigen Firma anzufangen zu arbeiten. Es ist doch besser, regelmäßig seine Wohnung zu verlassen, dachte er. Schließlich führt das ja auch zu einem Einkommen. Ich will zufrieden damit sein, dass es in meinem Leben eine Frau gibt, und alles Erdenkliche dafür tun, um unser Leben zu zweit zu sichern, ging es ihm durch den Kopf. Dieser Gedanke ließ sich in seiner Vagheit zwar ebenso wenig fassen wie der transparente eisige Luftzug, der zwischen den Bäumen hindurch strich und seine Wangen streifte, doch er glänzte verführerisch. Nur die Tatsache, dass Mikio in Ryôkos Augen nicht wie früher jene Funken wahrzunehmen vermochte, sowie ihre sehr verhaltene Mimik hatten ihn ein wenig verunsichert.

Als er am Abend dieses Tages nach seinem Nachhilfeunterricht in seine Wohnung zurückkehrte, empfing Ryôko ihn freudestrahlend mit der Nachricht, dass sie eine Stelle als Verkäuferin in der Buchhandlung am Bahnhof angetreten habe.

»Ich hab heute sogar schon gearbeitet! Ach ja, wenn du Bücher kaufst, bekommst du von mir zehn Prozent Rabatt.«

Statt einsam und verlassen auf ihn zu warten, hatte sie ein dickes Buch und ein Heft auf dem *kotatsu* ausgebreitet und blätterte in einem Wörterbuch. Sie habe einen Übersetzungsauftrag, erzählte sie. Aus dem Französischen.

»Mein Professor ist ein sehr verständnisvoller Mensch. Er sagt immer, dass er es selbst als Student sehr schwer gehabt hätte, und deshalb lässt er Studenten, die Probleme mit den Studiengebühren oder so haben, oft Rohübersetzungen anfertigen. Schließlich kann man dabei ja auch etwas lernen.«

Wahrscheinlich wollte Ryôko finanziell von ihm unabhängig sein, weshalb sie sich alle Mühe gab, ihr Leben mehr und mehr mit Arbeit auszufüllen. Mein Professor, hatte sie gesagt, jedoch den Namen der Universität nicht verraten. Auch Ryôko hatte sich offenbar ein paar grundlegende Gedanken über ihr Zusammenleben gemacht. Zumindest stand für die nächste Zeit ihr Tagesprogramm fest. Bis zum Schlafengehen arbeitete sie an ihrer Übersetzung. Er legte sich hin und las in einer Zeitschrift für Aufnahmeprüfungen.

»Ist er denn gefunden worden, der verschwundene Schüler?« fragte Ryôko, als sie zu Bett ging, so als hätte sie sich gerade daran erinnert.

»Noch nicht. Er ist ja auch kein kleines Kind mehr! Wenn er sich verstecken will, dann wird man ihn wohl nicht so einfach finden.«

»Machst du dir Sorgen?«

Irgendwie umwölkte sich ihr Gesicht, und sie schien weit in die Ferne zu schauen.

»Nicht besonders. Es würde ja auch nicht viel bringen.«

»Du, hör mal!«

»Ja?«

»Ich hab dir das zwar schon mal gesagt, aber es gibt niemanden, der mich sucht. Ungelogen!«

»Schon gut! Das ist ja wohl deine Angelegenheit.« Unwillkürlich war sein Tonfall hart geworden. Als sie daraufhin bedrückt schwieg, erklärte er:

»Ich hab doch nichts dagegen, dass du hier bleibst«, entfuhren ihm Worte, die wie eine Ausrede und zugleich auch wie seine wahren Gedanken klangen.

»Wenn du etwas erzählen willst, kannst du das von mir aus tun, aber eigentlich bringt es doch nichts, wenn ich es mir anhöre. Wenn es dich jedoch erleichtert, dann sprich dich ruhig aus! Wenn es denn etwas zum Erzählen gibt, meine ich.«

Kaum dass er sprach, versuchten seine Worte eigenmächtig, Ryôko behutsam beiseite zu drängen. Er schwieg und zog sie an sich. Gleichsam als umarme er etwas ihm sehr Wertvolles und als wolle er, dass sie das auch verstehe, drückte er sie mit seinen Armen noch stärker an sich.

Ab dem nächsten Tag machte er es sich zur Gewohnheit, beim Verlassen der Wohnung anzukündigen, wann er wieder zurück sein würde. Ryôko schien zwar keine Notiz davon zu nehmen, doch das kümmerte ihn nicht weiter. Er hatte sich daran erinnert, wie früher sein Vater, bevor er zur Arbeit ging, ihm immer wie im Selbstgespräch seine Tagespläne mitgeteilt hatte. Zwar hatte Mikio sie kaum einmal blindlings so hingenommen, noch hatte sein Vater jemals die versprochene Heimkehrzeit eingehalten, doch wenn er gelegentlich einmal ohne ein Wort das Haus verlassen hatte, war Mikio seltsamerweise innerlich nicht so recht zur Ruhe gekommen.

Wenn er jetzt unterwegs hin und wieder an die Uhrzeit dachte, zu der er nach Hause kommen würde, spürte er eine Beständigkeit, als hätte sein Leben begonnen, sich um die Achse dieses Zeitpunkts zu drehen. Diese Vorfreude hatte er im Leben mit seinem Vater nie empfunden. Kaum dass er daran dachte, dass noch jemand auf diesen Zeitpunkt wartete, entwickelte sich in jene Richtung, in die ihn Zeit und Füße trugen, eine mächtige gleichmäßige Strömung, so als hätte er bereits in dem Augenblick, da er seine Wohnung verließ, seinen Heimweg angetreten.

Auch Ryôko war, wenn er sie sah, immer ganz entspannt und kam ihm bei seiner Heimkehr glücklich lächelnd entgegen. Überdies beruhigte es ihn, dass sie nicht mehr jene ungezügelten, gleichsam die Augen ihres Gegenübers durchbohrenden Blicke abfeuerte, wie sie es früher oft getan hatte. Oder besser gesagt, hatte er sich lediglich an sie gewöhnt, so dass sie ihn jetzt nicht mehr störten. Außerdem hatte Ryôko aufgehört zu rauchen. Auch die Küche schien sie zu benutzen, denn wenn er nach Hause kam, war die Spüle nass. Früher war sie immer trocken gewesen. Brot und Obst lagerten nun auch gelegentlich neben der Spüle.

Eines Tages versuchte Ryôko ihm mit den Worten ‚Hab heut meinen Lohn bekommen‘ Geld zu geben.

»Was soll das denn?«

»Geld dafür, dass ich bei dir lebe. Ich hatte die ganze Zeit über ein schlechtes Gewissen.«

»Aber du kostest mich doch gar kein Geld! Das müsstest du doch wissen.«

Er beachtete sie nicht weiter, doch wurde ihm erneut bewusst, dass sie ihm in der Tat keineswegs finanziell zur Last fiel, was ihm irgendwie Unbehagen bereitete.

Ein verschämtes Lächeln war gerade im Begriff, sich auf ihrem Gesicht zu zeigen, als es auch schon wieder nach innen eingezogen wurde. Ryôko ließ den Kopf hängen. Da er nicht von dem Gefühl überwältigt werden wollte, jetzt sagen zu müssen, dass er doch froh darüber sei, dass sie bei ihm sei, wandte er ihr den Rücken zu, tat so, als sei er wütend auf sie, und ging vor ihr zu Bett.

Ryôko kehrte an die begonnene Arbeit zurück. Sie übersetzte schon wieder ein neues Buch. Aus ihrem Mund drang kein einziges Wort.

Er wollte dieser peinlichen Berührtheit entkommen und sich von Ryôkos Gesichtsausdruck vergewissern, doch um dieses innere Verlangen zu unterdrücken, dachte er an etwas anderes. Morgen würde er in der Firma anrufen und entscheiden, ab wann er dort arbeiten würde, beschloss er. Es schien so, als würde es ihm jetzt auf einmal leicht fallen, die Universität zu verlassen.

Lange Zeit hatte ihn das Gefühl beherrscht, Schule und Universität würden ihn beschützen und ernähren. Inzwischen kam es ihm nur noch so vor, als hätte er sich an sein Leben dort geklammert. Früher hatte er geglaubt, eine Bedrohung seines Schullebens würde direkt in eine Frage auf Leben und Tod münden. Felsenfest war er davon überzeugt gewesen, dass es selbstverständlich sei, dass Kinder in die Schule gingen, obgleich niemand ihm das beigebracht hatte. Die Sorge hatte ihn gequält, er könnte vergessen, selbst irgendjemandes Kind gewesen zu sein, wenn er nicht immer weiter zur Schule ging. Unversehens schien das zu seinem Lebensziel geworden zu sein. Nie hatte er sich Gedanken darüber gemacht, was für einer Arbeit er zukünftig nachgehen oder was für ein Mensch er werden könnte. Er war ein Kind, das sich lediglich dafür interessierte, dass es stets von den schützenden Wänden eines Klassenzimmers umgeben war und den ganzen Tag darin verbringen durfte. Jeder Tag war kettenförmig mit dem nächsten verbunden, bis sich schließlich eine Kette über den Zeitraum von neun Jahren gebildet hatte. Der Gedanke, sich die Welt zu erobern, war ihm nicht einmal gekommen, als er erwachsen geworden war. Sogar an der Selbsterkenntnis, erwachsen geworden zu sein, mangelte es ihm. Wie viel Zeit auch verstrich, blieb er doch immer das Kind, das seine Eltern verloren hatte.

In seiner unmittelbaren Reichweite befand sich nun Ryôko. Der Wunsch, sie zu erobern, hatte sich seiner bemächtigt. Wie könnte er es anstellen, dass sie mit seinem Körper verschmolz, ohne dass er mit allen anderen Lebensumständen in ihrem Hintergrund auch nur in Berührung kam?

Viele Menschen hatte er bisher kennengelernt. Von denjenigen, die seinen Tagesablauf aus dem Gleis zu bringen drohten, hielt er sich fern. Ohne je Interesse dafür zu hegen oder zu erfahren, was die vielen Menschen aus seinem Bekanntenkreis und jene ebenfalls zahlreichen Menschen, denen er aus dem Weg ging, dachten oder denken, traf er sie, um sich dann wieder von ihnen zu trennen. Sein Umgang galt nicht den Menschen in ihrer ganzen Persönlichkeit, sondern lediglich ihrem Einfluss oder ihrer Nützlichkeit für ihn. Auch die anderen zeigten kein besonderes Interesse für ihn. Und wenn doch einmal, dann nur dafür, dass er schon frühzeitig seine Eltern verloren hatte und sich selbst versorgte, oder dafür, dass er ein herausragender Student war.

Ryôko … Obgleich es ihm selbst nicht ganz geheuer war, dass seine Gedanken zu Ryôko zurückgerufen wurden, kam er doch nicht dagegen an. Ryôko war anders. Zuallererst war sie eine Frau. Wie eigenmächtig sie ihm auch gefolgt war, die Sache hätte sich nicht so entwickelt, wenn sie keine Frau, sondern ein Mann wäre.

Ryôko … Von sich aus hatte sie ihr Studium unterbrochen, sich ohne Bedenken an einen unbekannten Mann, dem sie zufällig auf einer Reise begegnet war, gehängt und war bei ihm eingezogen. Ihr ganzes Verhalten, das sie an den Tag legte, war ihm ein Buch mit sieben Siegeln. Sie würde in Zukunft Dinge unternehmen, die jetzt noch jenseits seiner Vorstellungskraft lagen, Gedanken hegen, zu denen er keinen Zugang würde finden können, und ein Großteil ihrer Energie würde durch Konflikte absorbiert werden, die sich in Lebensbereichen abspielten, die ihm fremd waren. So viel stand fest. Vielleicht wohnte sie ja auch nur einfach aus praktischen Erwägungen heraus bei ihm und hatte an ihm persönlich überhaupt kein Interesse.

Er kam nicht dagegen an, sich selbst ganz erbärmlich zu finden, und hatte das Gefühl, dies einfach nicht ertragen zu können. Er war eifersüchtig. Aber worauf eigentlich?

Plötzlich tauchte vor seinen Augen und Ohren die Erinnerung daran auf, wie jene Mutter, deren Sohn davon gelaufen war, die Beherrschung verloren hatte. Dass sie, obgleich sie sich dermaßen aufregte, ihn nicht suchen ließ, erklärte sie selbst damit, dass eine Suchaktion seinem Lebenslauf einen Makel hinzufügen würde. So sehr war ihr Urteilsvermögen bereits gestört.

Ob nicht auch in Ryôkos Familie bereits eine ähnliche Aufregung herrschte?

Wäre ich denn wirklich dazu bereit, auch mit diesem Wissen Ryôko bei mir zu verstecken? Könnte ich mit meiner Sturheit und Eifersucht das überhaupt?

Will Ryôko mich womöglich als Schild benutzen?

Oder ist sie einfach eine Frau, die aus einer Laune heraus jedem Mann hinterherläuft, wenn er ihr nur gefällt? Was würde ich wohl tun, wenn ich herausfände, dass sie solche eine Frau ist? Und wie würde ich mich verhalten, wenn ich das bis zum Schluss nicht wüsste?

Warum ist Ryôko hier bei mir?

Warum ist sie da? Warum verschwindet sie nicht? Die subtile Verschiedenheit dieser beiden Fragen lag ihm schwer auf der Brust, und schien ihn daran zu hindern, auch nur einen Laut hervorzubringen.

12

Über die Straße hinweg, auf der sich dicht an dicht die nach Hause eilenden Angestellten drängten, starrte er zur Buchhandlung auf der anderen Straßenseite hinüber. Hier am Fußweg auf seiner Seite gab es nur wenige Geschäfte und auch nur vereinzelte Passanten. Das abendliche Gedränge vor der Buchhandlung sowie die Belebtheit und Helligkeit der Geschäftsstraße schienen in weiter Ferne zu liegen. Hinter der Glastür der Buchhandlung war von Zeit zu Zeit eine Gestalt zu sehen, die Ryôko ähnelte. Sie lächelte.

Er überquerte die Straße, blieb vor dem Geschäft stehen und nahm eine Zeitschrift aus der Auslage zur Hand. Während er darin blätterte, schaute er ins Innere des Ladens. Es fiel ihm schwer hineinzugehen.

Mit dem heutigen Tag waren sämtliche Prüfungen seiner Schüler vorbei, er hatte erfahren, dass auch die Ergebnisse ganz passabel gewesen waren, was ihn in gute Stimmung versetzt hatte, weshalb er bei dieser Gelegenheit noch einmal das Haus jenes bewussten Schülers aufgesucht hatte. Gerade kam er von dort zurück. Er hatte sich überwunden und sich auf den Weg dorthin begeben, obgleich es ihm schwer fiel, nicht zuletzt, da er der Hysterie jener Mutter aus dem Weg gegangen war und sich diesem Haus längere Zeit ferngehalten hatte.

Als die Mutter, die vor die Tür getreten war, ihn erblickte, zog sie ein erschrockenes Gesicht. Dann erging sie sich plötzlich in jahreszeitlichen Begrüßungsfloskeln und seltsamen Ausflüchten. Mit ihrer Gestik gab sie ihm zu verstehen, dass sie wünschte, er möge schnell wieder gehen. Als er sie mit etwas mehr Nachdruck nach dem Stand der Dinge fragte, erklärte sie, offen gestanden wisse sie nun, wo ihr Sohn sei. Angesichts dessen wirkte sie allerdings ganz und gar nicht erleichtert.

»Wo ist er denn?«

»Ähm, …, das weiß ich nicht so genau, aber ich habe gehört, dass er eine Prüfung an einer Uni auf Hokkaidô abgelegt und auch bestanden hat. Dort scheint er jetzt zu sein.«

Mikio erfuhr, dass sich ihr Sohn gar nicht selbst gemeldet, sondern die in der Nähe wohnende »Oma« sich seltsam verhalten hatte, weshalb die Mutter sie mit ihren Fragen in die Enge getrieben habe, bis sie alles zugegeben habe. Es war ihre Schwiegermutter, die allein lebte.

Auf inständige Bitten ihres Enkels hin hatte sie ihm Geld gegeben und geschwiegen. Sie war diejenige gewesen, die sich dem Gedanken, ihren Enkel suchen zu lassen, hartnäckig widersetzt hatte, und auch der Vater, der irgendwie Wind von der Sache bekommen zu haben schien, hatte – Warte doch noch! – Beharrlichkeit an den Tag gelegt.

»Schon immer war sie einzig und allein ihrem Enkel gegenüber viel zu nachsichtig, und wenn sie es vor mir, ihrer Schwiegertochter verheimlichen konnte, steckte sie so oft sie konnte mit ihm unter einer Decke, und da sie ja auch schon ziemlich alt ist, weiß sie gar nicht mehr, was sie tut. Sie spricht zwar von einer Uni, es scheint aber eine Kurzuniversität zu sein. Da muss er doch nach zwei Jahren schon wieder einen Zulassungstest machen! … Und wenn er dann durchfallen sollte, schließe er sich einem Landerschließungstrupp an, hat sie gesagt. Jung und Alt verbrüdern sich und haben Spaß daran, die Erwachsenen zu betrügen …«

Ihr Sohn soll verkündet haben, dass er keine Lust habe zurückzukehren, selbst dann nicht, wenn er keine finanzielle Unterstützung mehr bekäme. Entweder habe die Großmutter ihm übermäßig viel Geld gegeben oder aber er plane, in den Ferien jedes Mal zu ihr zu fahren und sich Geld zu holen, erklärte die Mutter in einem bitteren Ton. Der Vater meine, dass man wohl nichts machen könne, wenn der Sohn denn sage, dass er nicht nach Hause komme. Weniger als dass sich der Vater dem Unvermeidlichen füge, zeige er sich verständnisvoll, gleichsam als gebe er seinem Sohn nachträglich seine Zustimmung.

»Obwohl er doch in seinem Alter eigentlich wissen müsste, wer sich wirklich ernsthaft Sorgen macht! Schließlich ist es kalt dort oben, er hat auch nicht genug Kleidung zum Wechseln mit!«

Mit dem Geld, das er seiner Großmutter abgeschwatzt habe, habe er sich doch bestimmt von oben bis unten neu eingekleidet, wollte Mikio gerade entgegnen, doch dieser Mutter gegenüber, die selbst vor dem Eingang ihres Hauses immer weiter herum zu lamentieren drohte, äußerte er schließlich doch nur ein paar passende nette Worte wie, ihr Sohn verhalte sich doch schon wie ein richtiger Mann und schlage sich doch ganz ordentlich durchs Leben. Dann ergriff er die Flucht aus diesem Haus, das er wohl nie wieder aufsuchen würde.

Auch er ärgerte sich über diesen Schüler, der nicht einmal eine Karte geschrieben hatte, obwohl er doch eigentlich seine Adresse hätte wissen müssen, zugleich verspürte er jedoch auch den Wunsch, ihm ein ›Gut gemacht!‹ zuzurufen, da er es wider Erwarten geschafft hatte, seine Mutter außer Gefecht zu setzen. Danach wollte Mikio plötzlich alles Ryôko erzählen und bekam auf einmal Lust, seine Schritte in Richtung Buchhandlung zu lenken, die er bisher völlig grundlos gemieden hatte. Dort hatte er auch die Landkarte von M gekauft, jenes Dorfes, in dem er Ryôko kennen gelernt hatte.

Seit damals sah er Ryôko zum ersten Mal wieder außerhalb seiner Wohnung. Sie wirkte fröhlich und schien sich in keiner Weise von anderen jungen Mädchen ihres Alters zu unterscheiden. Zweifellos handelte es sich um dieselbe Person wie jene Ryôko in seinem Zimmer, doch im Beisammensein mit ihm hatte sie noch nie solch ein unbefangenes heiteres Wesen an den Tag gelegt.

Im Gespräch mit den Kunden veränderte sich ihr Gesichtsausdruck erstaunlich oft, unablässig bewegten sich schelmisch ihre Augen und ihr Mund. Sie schien ein völlig anderer Mensch zu sein. Ihm allerdings war die stille Ryôko mit den zusammengezogenen Augenbrauen und den verschlossenen Lippen in seiner Wohnung lieber.

Er entfernte sich von der Glastür, durch die das lächelnde Gesicht Ryôkos, die mit den männlichen Kunden zu kokettieren schien, deutlich zu sehen war.

In dieser Nacht schlief er seit ein paar Monaten zum ersten Mal wieder auf dem Sofa im Institut der Universität. Bei der Gelegenheit ordnete er auch gleich seine privaten Dinge, machte im Institut sauber und versetzte den Assistenten, der am frühen Morgen des nächsten Tages auftauchte, in Erstaunen. Er trödelte noch eine Weile in der Universität herum, um die Zeit totzuschlagen, und wartete auf den Professor, mit dem er sich bezüglich seines ersten Besuchs an seiner zukünftigen Arbeitsstelle beriet. Vom Telefon im Lehrerzimmer aus rief er seinen künftigen Vorgesetzten an, um ihm mitzuteilen, dass er sich die Firma gern einmal anschauen und dabei auch gleich ein wenig mit Hand anlegen wolle.

Am Montag in drei Tagen, morgens um neun Uhr solle er in die Firma kommen, hieß es.

»Hast du denn einen Anzug?« fragte der Assistent scherzend. Als Mikio verneinte, wurde der Assistent plötzlich ernst.

»Kannst du dir von irgendjemandem einen leihen?«

»Nein, ach, ich weiß noch nicht …. Daran hab ich bisher noch gar nicht gedacht.«

»Für zwei, drei Tage könnt ich dir einen leihen, doch brauchst du schließlich ohnehin einen, da solltest du jetzt nicht geizig sein! Dir passt bestimmt einer von der Stange. Da solltest du dir fürs erste etwas aussuchen und dann vom ersten Gehalt einen ordentlichen Anzug nähen lassen. Anders als ich bist du bald ein Angestellter, da wirst du dein ganzes Leben lang Anzüge tragen.«

Ich krieg das schon irgendwie hin, murmelte Mikio als Antwort, doch eigentlich hatte er vor, bis zum 1. April, seinem ersten offiziellen Arbeitstag, mit einem abgetragenen Blazer vorlieb zu nehmen. Wie kann ich mir denn einen Anzug kaufen, wenn ich nicht einmal Umzugsgeld bekomme! dachte er.

Als er in seine Wohnung zurückkehrte, war es nach 14 Uhr. Er öffnete die Tür und schaute sich im Zimmer um, doch Ryôko schien noch in der Buchhandlung zu sein, denn sie war nicht da. Als er sah, dass auch kein Zettel dalag, schloss er die Tür ab und kroch unter den *kotatsu*. Ihn fröstelte ein wenig. Schließlich schlief er ein.

Wie lange mochte er wohl geschlafen haben? Als er wach wurde, war es um ihn herum dunkel. Draußen hörte er Stimmen. Ryôkos Stimme. Und die eines Mannes. Mikio konnte nicht verstehen, worum es ging, doch zum Schluss verabschiedete sich Ryôko mit einem Lachen.

Der Schlüssel drehte sich im Schloss, und er kniff überstürzt die Augen zu.

Das Licht ging an. Obgleich sie ihn eigentlich bemerkt haben musste, ließ sie, ohne ein Wort zu verlieren, Wasser in das Spülbecken rauschen. Lange Zeit war nur das Plätschern des Wassers zu hören. Ihm tat es um das Wasser leid, und das unsensible Verhalten Ryôkos, die das Wasser in vollem Strahl laufen ließ, machte ihn zunehmend nervös.

Sie hatte wohl geglaubt, dass er noch nicht zu Hause sei und daher sorglos mit dem Mann vor der Tür stehend geplaudert und gelacht. Aber weil er dann doch schon da war, als sie die Tür öffnete, reagierte sie nun eher trotzig. So empfand er es intuitiv.

Stell das Wasser ab! wollte er schreien, doch ihm war, als sei schon zu viel Zeit verflossen. Er öffnete seine Augen, verschränkte seine Arme unter dem Kopf und starrte an die Decke.

Plötzlich fiel ein Schatten auf ihn. Als er sein Gesicht in diese Richtung drehte, stand dort Ryôko und schaute mit ausdruckslosem Gesicht auf ihn herab. Sie hatte gewusst, dass er wach war. Das zeigte ihre Haltung. Da sie ihn allzu unverschämt anstarrte, wandte er sein Gesicht ab.

»Wenn du etwas sagen willst, dann sag es!«

Ich bin es nicht gewöhnt, mit jemandem zusammen zu leben,

dachte er. Er sehnte sich zurück nach der Ruhe seines Lebens, als er noch allein lebte und seine Gefühle noch nicht Achterbahn fuhren. Allein hatte er das Leben zur Genüge genossen. Wie etwas Wertvolles hatte er jeden einzelnen Tag – gleichsam in seine eigene Körpertemperatur eingehüllt – erlebt. Niemand war verletzt worden.

»Wer bist du?« fragte er plötzlich.

Er stellte fest, dass das Wasser aufgehört hatte zu rauschen, ohne dass er es bemerkt hatte. Sie nach allen möglichen Dingen auszufragen, entsprach einfach nicht seiner Natur.

Entweder du sagst mir jetzt alles auf einmal oder aber du lässt die Dinge bleiben, die Zweifel in mir aufkommen lassen.

Dieses Leben, in dem tagtäglich die Szenerie wechselte, belastete ihn. Er hielt das nicht mehr aus ...

Ryôko stand immer noch da und schaute ihn an. Ihr Blick war so sanft, dass es ihm nicht einmal bis ins Bewusstsein drang, dass er angeschaut wurde. Angesichts dieser übermäßigen Sanftheit spürte er, als er ihr in die Augen sah, einen starken inneren Drang zu rufen: Das ist nicht wahr!

Hin und wieder hatte er schon geglaubt, dass Ryôko stark kurzsichtig sei, doch bei der Arbeit an ihrer Übersetzung hatte sie mit genau diesen Augen die winzigen Schriftzeichen mühelos gelesen und geschrieben.

Er hatte zwar gehofft, dass sie sich irgendwie äußern würde, doch ruhig wandte sie ihren Blick ab und kehrte, als wäre nichts gewesen, an das Spülbecken zurück und ließ erneut das Wasser rauschen.

Als nach etwa fünf Minuten der Wasserstrahl abriss, erklärte sie mit leiser Stimme:

»Ich geh mal kurz raus.«

»Wohin gehst du?«

»Ach, nur ganz kurz. Halbe Stunde etwa.«

Als er seinen Oberkörper aufrichtete, versuchte Ryôko überstürzt durch die Tür zu schlüpfen, wobei sie sich etwas seltsam verhielt, so als hätte sie etwas zu verbergen. Er dachte an den Mann von vorhin.

»Wohin du gehst, hab ich gefragt!«

Sein Ton war jetzt grob. Es kam ihm so vor, als hätte Ryôko gelernt, ihn wie Luft zu behandeln. Das hab ich nun davon, dachte er und bitterer Groll ergriff von ihm Besitz.

Ryôko drehte sich zu ihm um. Ihm schien es, als lachte sie. In Wirklichkeit lachte sie ihn bestimmt aus.

»Ich geh nirgendwo hin.«

»Wenn du nirgendwo hin gehst, warum gehst du dann raus?«

»Darum«, begann sie, als stünde sie im Begriff mit ihm zu kokettieren, um dann aber innezuhalten. »Du bist doch genauso«, starrte sie ihn plötzlich mit verfinsterter Miene scharf an. Ihre Stimme war gerade noch zu vernehmen gewesen. Sie hatte in einer Art und Weise gesprochen, als stieße sie die Worte mit ihrer Zunge aus dem Mund und spuckte sie ihm einfach vor die Füße. Das war unverzeihlich. Oder aber … er könnte es ja überhören. Ein innerer Drang trieb ihn, genau das zu tun. Aber wenn er das jetzt überhörte, würde Ryôko ihn sicher nie mehr ernst nehmen und ihn verlassen. Wenn sie aber ging, dann sollte es nicht auf diese Weise geschehen.

So schnell, wie er es selbst nicht für möglich gehalten hätte, sprang er auf. Kaum hatte er Ryôkos Arm gepackt, schloss er mit der freien Hand die Tür.

Die Plastiktüte, die Ryôko in der Hand gehalten hatte, fiel auf den Boden, und getroffen von Mikios Fuß, der das Gleichgewicht verloren hatte, wurde der Inhalt empor geschleudert und überall verstreut. Es waren nasse Blusen und Unterwäsche von Ryôko. Sie hatte wohl damit zur Münzreinigung gehen wollen, um sie dort zu trocknen, begriff Mikio, aber das spielte inzwischen auch keine Rolle mehr.

Ryôkos Blick war jetzt unmissverständlich hasserfüllt, zu ihm hoch starrend hockte sie sich hin und sammelte umhertastend die verstreute Unterwäsche wieder ein.

»Genauso – was meinst du damit?«

Er spürte, wie seine Stimme vor Entsetzen über Ryôkos Blick und vor Wut, von der er nicht wusste, wohin damit, zitterte. Ihr schweigend den Rücken zuzuwenden und auf den Augenblick zu warten, in dem sie seine Wohnung für immer verlassen würde, schien ihm in diesem Moment der einfachste Weg zu sein.

Bis sie auch das letzte Kleidungsstück aufgelesen hatte, gab sie ihm keine Antwort.

»Wenn es um nebensächliche Dinge geht, wirst du immer gleich wütend oder erregt. Und wenn ich mir wünsche, dass du so reagierst, dann ziehst du ein teilnahmsloses Gesicht. Ein Gesicht, als hättest du schon mit dir selbst genug zu tun.«

Diese Worte Ryôkos, die sie so leise murmelte, als würde sie irgendetwas unterdrücken, kamen erst, nachdem bereits sehr viel Zeit verstrichen war und Mikio schon geargwöhnt hatte, dass Ryôko ihren Mund wohl kein zweites Mal öffnen würde. Sie schaute dabei nicht in seine Richtung. Vor der Tür hockend, drückte sie mit beiden Knien die Tüte mit der Wäsche an ihre Brust. Ihr Gesicht blieb hinter der Tüte verborgen.

»Das ist doch völlig normal!«

Wir kennen uns einfach zu wenig. Da geht's mir doch genauso wie dir.

Das war ja auch der Grund dafür, dass Ryôko ihn derart in Rage versetzen konnte. Er vergaß dann, dass sie einander wildfremd waren, und verspürte den Wunsch, seinem Missmut über die Unsensibilität und nebensächlichen Bemerkungen einer Partnerin, die seine eigenen Gefühlsbewegungen überhaupt nicht begriff, Ausdruck zu verleihen. Selbst wenn sie einander auch nicht mehr ganz fremd waren, wusste er doch so gut wie gar nichts über sie.

Zwar mochte er selbst nicht sprechen, wollte aber von ihr liebevolle Worte hören. Doch solange er nichts sagte, schwieg auch sie.

Wenn es ein Problem darstellte, dass er bei Nebensächlichkeiten derart überreagierte, dann sollte sie ihm doch sagen, worum es ihr eigentlich ging. Das heißt, wenn sie selbst es überhaupt wusste.

Er war schon glücklich, wenn Ryôko einfach nur da war. Das war eine Tatsache. Allein dadurch, dass Ryôko da war, verstand er, der schon sie nicht verstand, immer weniger, wer er selbst war. Nur jenes für ein Single-Leben gezähmte Ich kam zum Vorschein, und immer mehr verspürte er den Wunsch, in Erfahrung zu bringen, wie es ausgesehen hatte, bevor es gezähmt worden war.

Ob er nun noch einmal die Zeit bis zu seinem Aufenthalt in M zurückverfolgte und zur Sprache brachte, oder ob er noch weiter zurückging und die Zeit bis zum Tod seines Vaters zurückspulte, oder aber die Zeit auf Ryôkos Seite zur Gänze ausbreitete und ans Licht brachte, auf jeden Fall würde er nicht vom Fleck kommen, wenn er nichts dergleichen unternahm. Würde er alles so schleifen lassen und die nächsten Jahre oder sein ganzes Leben mit Ryôko zusammen verbringen, dann bestand die Gefahr, dass er irgendwann innerlich ausbrannte.

Aber er wollte nicht alles noch einmal aufwärmen. Auch reden wollte er nicht. Wenn irgend möglich, wollte er auch keine Fragen stellen.

Er fragte sich selbst sogar, ob er denn überhaupt zur Ruhe kommen könne, wenn er immer wieder auf dieselbe Weise ins Grübeln verfiel. Ihm war schon klar, dass er sich wohl nicht beruhigen würde, egal wie oft er diese Gedanken auch wiederholte. Aber er wusste keinen anderen Weg. Er hoffte nur, irgendwann des Grübelns überdrüssig zu werden und aus lauter Verzweiflung über sich selbst schließlich gar nicht mehr nachzudenken.

»Nachdem ich erfahren hatte, dass du keine Familie hast, hab ich mich plötzlich in dich verliebt. Sonst weiß ich gar nichts von dir. Trotzdem hast du mich aufgenommen. Du bist aber ein seltsamer Mensch, hab ich gedacht. Wann wirst du mich wohl an die Luft setzen und wann verführen? Es kam mir vor wie ein Spiel, als ich mit dir mitging.

Zum Neuen Jahr bin ich in meine Heimat zurückgekehrt und hab meinen Eltern eröffnet, dass ich mit einem Mann zusammenlebe. Daher kann ich auch nicht mehr zurück. Sie stellen die Zahlungen ein, haben sie gesagt, da hab ich mich an der Uni beurlauben lassen, und es gibt da auch noch ein paar andere Dinge, die dich jedoch nichts angehen, ja eigentlich nicht einmal mich selbst etwas angehen, jedenfalls ganz unbedeutende Nebensächlichkeiten, wie sie sich überall finden.

Dass meine Eltern beide zu Hause sind, das kommt nur zum Neuen Jahr vor. Weil die Menschen, die in der Stadt arbeiten, dann aufs Land zurückkehren. Obwohl sie einander eigentlich nicht ausstehen können. Und obgleich das alle rundherum wissen, versammelt sich nach langer Zeit einmal wieder die Familie, beglückwünscht einander und feiert das neue Jahr. Aber damit, dass ich hier bin, hat das doch eigentlich nichts direkt zu tun, oder? So etwas wie eine Familie brauche ich nicht. Du sollst mir hier auch keine Pseudofamilie vorspielen. Ich will einfach nicht allein sein. Wenn ich allein bin, laufe ich immer Gefahr, gegen irgendetwas Groll zu hegen, und komme nicht zur Ruhe. Ich glaube, dass ich dich vielleicht nur benutze. Seit ich hier eingezogen bin, fühle ich mich so ruhig und sicher, als sei ich in einem Atombunker. Ich bin aus der Welt verschwunden, hab alle Verbindungen abgebrochen und doch bin ich quicklebendig hier bei dir.

… sie haben einen kleinen Gasthof. Neujahr ist die beste Saison, daher ist es Brauch, dass alle Verwandten, ganz egal wo in Japan sie gerade sind, rechtzeitig in die Heimat zurückkehren und helfen … Als ich klein war, hab ich, um niemanden zu stören, heimlich die Luft angehalten. In der Grundschulzeit musste ich dann aber schon mit anpacken. Alle neigen dann dazu, gleich aus der Haut zu fahren und sind total beschäftigt. Sobald man ein wenig trödelt, wird man gnadenlos angefahren. Wenn man dann endlich eine Pause machen kann und ganz in Familie vor seiner Suppe mit Reiskuchen und Gemüse sitzt, sind alle bereits völlig erschöpft und am Ende und zu müde, auch nur ein Wort zu sagen ... Vater kam immer von einer Frau. Das war er wohl so gewohnt. Die Frau kam auch zum Helfen mit. Alle kennen sie, auch Mutter, aber weil sie gut arbeitet, schätzt man ihre Hilfe. Verrückt, was? Wenn ich sage, dass ich den Gasthof nicht übernehme, wird bestimmt ihr Kind zum Nachfolger ernannt. Da sie mir ja schon gesagt haben, dass sie nicht mehr meine Eltern seien und ich nicht mehr ihr Kind, wird es bestimmt so kommen. Das Kind sieht meinem Vater sehr ähnlich.

Über mich heißt es, ich könne nicht dafür sorgen, dass andere Menschen sich wohl fühlen, ja sie würden sich im Gegenteil sogar von mir gehemmt fühlen. Wenn ich an der Kasse säße, nähmen die Gäste Reißaus, sagt meine Mutter. Aber ich selbst bin aus ihrem Gasthof davongelaufen.

... ich bin schon die zweite. Vor fünf Jahren ist schon mein Bruder abgehauen.

Manchmal hab ich schon gedacht, dass du mich, als ich dich getroffen hab, wahrscheinlich an meinen Bruder erinnert hast. Da mein Bruder auf Abwege geraten und dann von zu Hause weg ist, ist es jedoch ganz anders als bei dir. Als mein Bruder verschwunden ist, waren Vater und Mutter nur wütend, sie haben nicht einmal nach ihm gesucht. Ohne auch nur mit der Wimper zu zucken, haben sie begonnen, mich auszubilden. Wenn ich verschwinde, wird es genauso sein, denke ich.

Du hast dir doch immer Sorgen gemacht, dass ich auf einmal nicht mehr da sein könnte, oder? Das war für mich neu. Verzeih mir, eigentlich versteh ich es nicht so recht. Ich will es auch gar nicht verstehen.

Seit mein Bruder weg war, habe ich mich wohl immer einsam gefühlt. Obwohl ich glaube, dass ich mich auch die ganze Zeit schon, als er noch da war, so gefühlt habe.«

Ryôko brauchte fast den ganzen Abend, um ihm das alles zu erzählen. Davor hatte sie zwei oder drei Stunden lang, die Arme um die Knie geschlungen, vor der Tür gehockt und geschwiegen. Besser gesagt, war sie wohl eher geistesabwesend gewesen. Oder hatte sie sich etwa den Kopf über das zerbrochen, was kommen sollte? Denn wenn er dem Glauben schenkte, was sie ihm später erzählte, hatte sie jedenfalls ihr Elternhaus verlassen, war von ihren Eltern so gut wie enterbt, war, um mit ihm zusammen zu leben, auch aus dem Studentenwohnheim ausgezogen, in dem sie bisher gewohnt hatte, und hatte sich an der Uni beurlauben lassen. Da war es nur folgerichtig, dass sie nun ratlos war und nicht wusste wohin.

Doch letztendlich hatte sie sich selbst in diese Situation hineinmanövriert. Ganz allein hatte sie entschieden, mit ihm zusammen zu leben, eine Angelegenheit, die gemeinhin nicht von einem allein entschieden werden konnte, hatte von Anfang bis Ende alle Vorkehrungen dafür getroffen, dass sie nicht mehr zurück konnte, und zum Schluss offenbar nun ihm auf den Zahn gefühlt.

Wie er es auch bedachte, ergab ihr abenteuerliches Vorgehen, bei dem sie Hals über Kopf alle Brücken hinter sich abgebrochen hatte, um bei ihm zu wohnen, für ihn keinen glaubhaften Sinn. War nicht vielmehr seine Existenz für Ryôko ein geeigneter Vorwand? Hatte sie sich nicht einfach nur eine Strategie ausgedacht, um ihrer Familie und ihrem Elternhaus zu entfliehen?

Da er in vollkommener Einsamkeit lebte, war ihre Wahl auf ihn gefallen.

»Je mehr Menschen mich umgeben und je lebhafter und fröhlicher es um mich herum zugeht, desto bedrückter werde ich. Je aktiver und beschäftigter meine Umgebung ist, umso weniger weiß ich mit mir anzufangen und die Zeit wird mir lang. Warum nur fühl ich mich so einsam und gelangweilt? hab ich immer gedacht. Aber wenn ich hier bin, hüpft mir das Herz vor Glück und ich hab das Gefühl, ich könnt Bäume ausreißen. Sobald ich dich sehe, fühl ich mich zu dir hingezogen, ich versteh das selbst nicht so recht, ich bin richtig gesund und munter und fröhlich geworden. Bei anderen Menschen funktioniert das nicht. Es muss jemand bei mir sein, der sich nicht um mich kümmert. Normalerweise ist das ja ein Widerspruch. Man tut sich doch nicht mit jemandem zusammen, der einen links liegen lässt. Aber so nach und nach bist du genauso geworden wie die anderen. Dass du auf einmal so viele Dinge wissen willst …, aber das lässt sich wohl nicht vermeiden, denk ich.«

Das, was er wissen wollte, war eigentlich ganz anderer Art. Doch auf die Frage, was es denn sei, schien ihm keine Antwort einfallen zu wollen. Gerade deshalb gelangen ihm ja auch keine guten Fragen. Irgendwie hatte er eine klarere und nüchternere Erklärung erwartet.

Gleich und Gleich gesellt sich gern, meinte sie etwa das?

Während Ryôko sich in Schweigen hüllte, blieb auch er hartnäckig stumm und wandte ihr den Rücken zu, gleichwohl erschüttert über seine eigene Beharrlichkeit und Schwermut.

Als zwei, drei Stunden verstrichen waren – oder waren es noch mehr? – brach Ryôko plötzlich in Tränen aus. Sie weinte hemmungslos wie ein Kind und schluchzte. Als er ihr den Rücken streichelte, stieß sie im Befehlston hervor »Umarm mich!«, schlüpfte einfach unter seinem Arm hindurch und verkroch sich an seiner Brust.

Dann begann sie mit nach Atem ringender, heiserer Stimme stockend zu erzählen. Während die Müdigkeit ihn halb im Griff hatte, hörte er zu, ohne auch nur zu nicken, ihr zuzustimmen oder einen Gedanken zu äußern. Obgleich sein Körper schon schlief, war sein Kopf zwar schwer, aber klar. Ringsumher herrschte Stille. Schließlich taten sowohl Schläfrigkeit als auch Totenstille ihr Übriges und hüllten seine Ohren ein.

Wie lange Ryôko danach noch erzählte und was sonst noch geschah, entzog sich seiner Kenntnis.

Am nächsten Morgen war Ryôko weg.

Ein Notizzettel lag da. Ryôko hatte ihn hingelegt. Dieser Zettel war zugleich das einzige Beweismaterial dafür, dass Ryôko mehrere Monate in seiner Wohnung gelebt hatte. Daneben lag ihr Zweitschlüssel.

»Ich gehe.
Von dem was ich dir gestern Abend erzählt habe, ist die eine Hälfte wahr und die andere ausgedacht. Glaub nur das, was dir gefällt! Ich kehre nach Hause zurück.

R«

Als er das las, war er gar nicht so erschrocken. Es kam ihm ein wenig zu früh und etwas zu plötzlich, doch dass es auf jeden Fall so kommen würde, das hatte er schon geahnt.

Genauso wie die näheren Umstände, die dazu geführt hatten, dass Ryôko bei ihm eingezogen war, hatte er, kurz gesagt, Ryôko selbst und auch ihre Situation überhaupt nicht verstanden. Trotzdem hatte er das Gefühl, dass dieser Zettel und diese Art zu verschwinden, zu Ryôko passten, und es huschte sogar ein Lächeln über sein Gesicht. Er fühlte sich befreit. Und verlassen. Immer wieder schaute er sich in seinem leer gewordenen Zimmer um.

Ich habe Ryôko gehen lassen, einsam und voll unklarer Gefühle, dachte er. Doch im Grunde genommen hatte Takezawa Ryôko sich in allem immer so verhalten, wie es ihr gefiel, und es hatte gar keinen Raum für ihn gegeben, sich einzumischen. Tat er es unvernünftiger

Weise doch einmal, machte sich sofort eine unbehagliche Befangenheit zwischen ihnen breit, genauso wie gestern Abend, was letztendlich zu nichts anderem diente als dazu, die Dauer ihres Zusammenlebens zu verkürzen.

Nachdem sie ihm erklärt hatte, dass die eine Hälfte wahr sei und die andere falsch, schrieb sie weiter, dass sie in ihr Elternhaus zurückkehre. Auch darin mischten sich wahrscheinlich je zur Hälfte Wahrheit und Fantasie.

Ihm blieb nur, sich an diese Tatsache zu gewöhnen.

Ich habe dich gemocht, es war schön, ich kann dich nicht vergessen, ich will dich wiedersehen … So stellte er sich ihre ungeschriebenen Worte auf dem weißen Papier vor und genoss die Erinnerung daran, wie es war, Ryôko zu spüren. Er mochte sie wirklich. Noch ehrlicher gesagt, liebte er das Gefühl, sie zu spüren, das sie in ihm zurückgelassen hatte, und die Erinnerung an sie. Es war gar nicht so, dass Ryôko sich nicht von ihm hatte trennen wollen, im Gegenteil, sie hatte nach einem Anlass gesucht, um sich von ihm zu trennen, wahrscheinlich um den Nervenkitzel bei der Trennung von jemandem zu genießen, von dem sie sich gar nicht trennen wollte. Für Ryôko war es bestimmt gar kein Problem gewesen, wer er war. Hauptsache sie hatte ein Dach über dem Kopf, und wenn es nur ein einzelner Baum war. Darin seien sie sich doch gleich, mochte sie gedacht haben. So war sie doch, oder? versuchte er immer wieder, sich selbst zu überzeugen.

Bald ging er zur Arbeit, und routinemäßiger Alltag, wie er ihn von früher kannte, hielt wieder Einzug. Er achtete darauf, überflüssigen Dingen außerhalb der sichtbaren Welt der Dinge nicht nachzugehen. Immer seltener suchte er auch bei Frauen, die an ihm vorbeigingen, nach Ryôkos Profil.

Gelegentlich kam es vor, dass er mit seiner Zeit nichts anzufangen wusste, da er keinen Nachhilfeunterricht mehr gab, dann hing er verträumt seinen Gedanken nach. Das war nicht zu vermeiden. Inzwischen machte es ihm sogar Spaß.

Er hatte das Gefühl, dass der Atem eines hin und wieder auftauchenden und dann wieder entschwindenden lebendigen Menschen immer noch in seinem Zimmer schwebte. Es gab Momente, da drehte er sich grundlos um. Er hielt es nicht aus, ohne sich zu vergewissern, dass niemand da war. Dann hatte er seltsame Sinneswahrnehmungen jener Art, dass alle Worte, die Ryôko hinterlassen hatte, auf einmal vollkommen in der Dunkelheit versanken, wo sie sich irgendwie in etwas verwandelten, das dreidimensionalen Schatten ähnelte, um dann wieder aufzutauchen. Diese Schatten glitten an seinem Gesichtsfeld vorbei, oder sie durchquerten seinen Körper, um schließlich wie ein Hauch wieder zu entschwinden.

An seinem neuen Arbeitsplatz schien man seiner ruhigen Art und seinem Fleiß mit Sympathie zu begegnen. Sie sehen ja ganz vergnügt aus, sagte man nun des Öfteren zu ihm. Früher hatte das ihm gegenüber niemand geäußert. Kurze Zeit später zog er in die Nähe seines Arbeitsplatzes um.

1 *Obon*-Fest: buddhistisches Totengedenkfest am 15. August.

2 Im japanischen Bildungssystem gibt es eine sechsjährige Grundschule, eine dreijährige Mittelschule und eine dreijährige Oberschule.

3 Balancierspielzeug: Mini-Gestalt (oft abstrakt), die auf dem Finger balanciert wird, benannt nach dem Lastenträger Yajirobee.

4 Shiiba bedeutet auf Deutsch Blatt des Zwergkastanienbaums und Mikio Stammmitte.

5 Elektro-*kotatsu*: niedriger Tisch, an deren Unterfläche ein elektrisches Heizgerät angebracht ist und unter dessen abnehmbare Tischplatte eine warme Steppdecke ausgebreitet ist, die an allen vier Seiten bis auf den Boden herunterhängt. *Kotatsu* dienen im Winter als Heizung. Man zieht sich eine warme Jacke an und steckt die Beine unter den *kotatsu*.

6 Das Schuljahr geht in Japan von April bis März. Da Mikio seine Schüler auf die Aufnahmeprüfungen für die nächsthöhere Schule vorbereitete, unterrichtete er sie nur bis Anfang März.

7 Kanda: Stadtviertel von Tokyo.

8 Schwarz-weiß längsgestreifte Vorhänge dienen dazu, einen Raum zu einem Trauerfeierplatz umzugestalten.

9 Es gibt japanische Namen, die zwar gleich ausgesprochen, aber mit unterschiedlichen Schriftzeichen geschrieben werden.

10 *Miso*: Paste aus vergorenen Sojabohnen. *Miso*-Suppe ist ein Grundbestandteil des traditionellen japanischen Frühstücks.

11 *hôji*-Tee: leicht gerösteter einfacher Tee.

12 Ryôko spielt hier mit dem Wort *tansaibô*. Es heißt »einfache Zelle, Einzeller«, wird aber auch als Synonym für »einfache Seele, einfältiger Mensch« verwendet.

Masuda Mizuko wurde 1948 in Tôkyô geboren. Über ihre Kindheit und Jugend erzählte sie selbst in einem Interview:

>»Seit meiner Kindheit denke ich darüber nach, was das ›Leben‹ eigentlich ist, und es kommt mir irgendwie seltsam vor, dass ich selbst lebe und dass ich ein Mensch bin. Um das zu ergründen, habe ich dann ja auch Biologie studiert.«[1]

Sie studierte Agrarwissenschaften und Biochemie an der Tôkyôter Hochschule für Agrarwissenschaft und Technik. In den späten 1970er-Jahren, während sie in einem Labor für Biochemie an der Nippon Medical University arbeitete, begann sie mit der Veröffentlichung von belletristischen Werken. Sie selbst versucht diesen Schritt so zu erklären:

>»Ich habe mir die verschiedenen Dinge um mich herum angesehen. Doch die anderen Menschen habe ich überhaupt nicht verstanden. Ich hatte das Gefühl, als sei ich vielleicht die Einzige, die auf dieser Welt lebt, und als seien all die anderen Menschen, die sich um mich herum bewegten, in Wahrheit so etwas wie Roboter, die nichts denken. So einsam war ich! Es scheint, als hätte ich in meinem Umkreis einfach keine Geistesverwandten gefunden und mich mit niemandem so richtig angefreundet. […] Das Bewusstsein, anders zu sein als die anderen, machte mich manchmal stolz und manchmal einsam, weshalb ich schließlich begann, über all diese Dinge nachzudenken. […] Das Gefühl, mit den anderen Menschen in meinem Umfeld nicht so gut klar kommen zu können, führte dazu, dass ich glaubte, selbst komisch zu sein, aber wenn ich Bücher las, entdeckte ich, dass dort Dinge beschrieben waren, die mir vertraut waren, weshalb mich dann ein Gefühl der Sicherheit überkam und ich immer mehr Bücher las. […] Und während ich ein Buch nach dem anderen verschlang, spürte ich, dass das dort Geschriebene letztendlich dann doch nicht mit meinen eigenen Gedanken übereinstimmte.«[2]

Dies führte dann schließlich dazu, dass Masuda selbst zu schreiben begann. Ihr Debüt, die Erzählung *Shigo no kankei* [1977, Verhältnis nach dem Tod] wurde für den Shinchô-Nachwuchspreis nominiert. Sie spielt während der Studentenunruhen, die Masuda selbst miterlebt hat. Es geht darin um die introvertierte Studentin Keiko, deren Kommilitone sie dazu zwingt, mit ihm Selbstmord zu begehen. Er stirbt, doch sie überlebt. Menschen aus ihrem Umkreis versuchen ihr die Schuld an seinem Tod zu geben. Sie jedoch verhält sich still und schweigt. Sie versucht nicht einmal, seine Beweggründe für den Selbstmord zu verstehen.[3]

Eine Gemeinsamkeit der Erzählungen aus Masudas Frühwerk besteht darin, dass die Protagonisten sich gänzlich ihrer Außenwelt verweigern. Deutlich wird das auch in der Erzählung *Futatsu no haru* [1979, Zwei Frühlinge]. Hier entwickelt sie das Thema der Apathie und des Desinteresses anderen gegenüber weiter. Eine Studentin, die zufällig eine bewusstlose Frau findet, bringt diese zum Krankenhaus und rettet sie dadurch. Sie glaubt, dass sie damit ihrer Verantwortung gerecht geworden ist. Doch merkt sie, dass von ihr nun erwartet wird, dass sie sich auch weiterhin um diese Frau kümmert. Gleichzeitig verändert sich zunehmend ihr Verhältnis zu ihren zwei Freunden.[4]

Die Problematik der zunehmenden Vereinzelung und Isolierung von als Single lebenden jungen Menschen spielt eine wachsende Rolle in Masudas literarischen Werken. Takakuwa Noriko schreibt darüber:

»Während beispielsweise Keiko aus *Shigo no kankei* in dem Einzelzimmer ihres völlig von der Außenwelt isolierten Selbst bleibt, projiziert sie ihre eigene innere Landschaft über kahles Wintergehölz. Man kann sagen, dass der Weg von Masudas Literatur in den letzten Jahren dadurch gekennzeichnet ist, dass ihre Protagonisten, die nicht mehr wissen, ob sie noch sie selbst sind, wenn ständig andere in ihr Ich eindringen, dann ein Gefühl der Leere in sich verspüren und deshalb versuchen die anderen aus ihrem eigenen Innern zu vertreiben, sowie, dass Masuda während ihres Schaffensprozesses ganz von selbst damit begonnen hat, diese Daseinsform noch einmal auf den Prüfstein zu legen. In ihren Werken finden wir zum einen die Haltung einer starken Ablehnung gegenüber anderen Menschen sowie andererseits die Leere im Innern des Ich und auch das dadurch hervorgerufene Fehlen eines ›Lebensgefühls‹. Masuda Mizukos literarische Erkundungen spiegeln die Sehnsucht nach diesem verlorengegangenen ›Lebensgefühl‹, und dabei finden offenbar drei Methoden Anwendung: die Methode des Familienromans, die Methode des Romans über die Singularisierung sowie die Methode der Metaphysik des Blickes. Selbstredend entwickeln sich alle drei in einem organischen Miteinander, doch lässt sich sagen, dass die Methode der Singularisierung in Resonanz zum Puls der Zeit stand und damit zugleich charakteristisch für die Literatur von Masuda wurde.«[5]

Im Mittelpunkt der Erzählung *Dokushin byô* [1981, Die Single-Krankheit] steht eine 33jährige in der Krebsforschung aktive Wissenschaftlerin, die entdeckt, dass sie selbst Brustkrebs hat. Sie grübelt darüber nach, ob ihr Leben ohne Brüste noch lebenswert sei und ob sie nun sterben wird, ohne ein einziges Mal Sex in ihrem Leben gehabt zu haben. Schließlich erfährt sie, dass der junge Arzt, der sie untersucht hat und auch als erster ihre Brust berührt hat, gestorben ist.[6]

In ihrem ersten Roman, *Mugibue* [1982, Strohflöte], schildert Masuda das Leben Okano Satokos, einer 27jährigen Sozialarbeiterin und ehemaligen Aktivistin der Studentenbewegung, die jetzt in einer Einrichtung für behinderte Jugendliche arbeitet. Es geht in diesem Roman um die Frage, wie die Studenten, die einst aktiv in der Studentenbewegung waren, nach deren Ende weiterlebten, was für Lebensentwürfe danach überhaupt möglich waren und wurden. Zunächst nur als Zufluchtsort gedacht, wird die Einrichtung für Satoko mehr und mehr zu einem Ort, an dem sie dem Sinn des Lebens auf die Spur zu kommen beginnt und sich in einen der Behinderten verliebt.

Ebenfalls auf der Suche nach dem Sinn des Lebens befindet sich die 36jährige Protagonistin des Romans *Jiyû jikan* [1984, Freie Zeit]. Im Alter von 16 hat sie ihr Elternhaus verlassen. 20 Jahre lang arbeitet sie in einem billigen Restaurant, wo sie unter Kost und Logis steht. Dann zieht sie in eine Hütte in den Wald, wo sie über ihr Leben nachdenkt. Sowohl in diesem Roman als auch in *Shinguru seru* [1986, Single Cell, dt. Der Einzeller] beschreibt Masuda immer wieder die Sehnsucht der Protagonisten danach, mit der Natur, mit den Pflanzen eins zu werden. In *Jiyû jikan* heißt es: »Diese Behaglichkeit ihrer Behausung, die Haruyo erfasst hatte und sie nicht losließ, lag erstens an dem Gefühl der Erleichterung, weit von den Menschen entfernt zu sein, und zweitens in dem Gefühl der Sicherheit, als sei hier, umgeben von dem Rauschen des pausenlos dahinfließenden Wassers sowie von wild und üppig wuchernden Pflanzen, ihre eigene Existenz ausgelöscht. Die Illusion, als würde ihr Körper sich allmählich in Wasser oder Pflanzen verwandeln, verschaffte Haruyo unendliche Entspannung.«[7] In *Shinguru seru* heißt es über den Protagonisten Shiiba

Mikio: »Er als Mensch betrachtete die Berge, beobachtete die Ameise und vergaß darüber die Zeit, und nicht nur das, in diesem leeren Leben fand er auch noch Erfüllung, zugleich aber sehnte er sich auch nach einem solch reinen Leben wie dem der Pflanzen und der Ameisen.«[8] und »Mikio reckte seine Hand ins Sonnenlicht. Sie schimmerte grünlich, wie er mit Genugtuung feststellte. Wenn er sich nun einfach eine Zeitlang überhaupt nicht rührte, konnte es dann nicht passieren, dass er, wieder zur Besinnung gekommen, auf einmal feststellte, als Pflanze wiedergeboren zu sein?«[9]

1991 sagte Masuda in einem Gespräch mit der japanischen Schriftstellerin Katô Yukiko unter der Moderation von Oka Nobuko:

»Am meisten beunruhigt mich die Andersartigkeit des Menschen als Lebewesen. Mich interessiert besonders, wie sich diese Lebewesen, die so seltsam geworden sind, sich wohl künftig verhalten werden. Unsere Vorfahren haben ja in Klassifikationen die Menschen als etwas Besonderes eingeordnet. Doch die besondere Richtung ihres Fortschritts sagt mir nicht allzu sehr zu, und mir wäre es lieber, wenn sie möglichst in den Kreis der Pflanzen und Tiere mit aufgenommen werden würden.«[10]

In *Shinguru seru* kommen diese Gedanken Masudas immer wieder zum Ausdruck. Das heißt aber nicht, dass die Pflanzenwelt nun als etwas überaus Friedliches dargestellt wäre: »Pflanzen waren gar nicht so still, wie man gemeinhin annahm. Sie waren auch weder ruhig noch bescheiden. Selbstredend tobten sie nicht so unsinnig wie die Menschen herum, wenn sie einmal außer Rand und Band gerieten. Doch in ihrer Lebensweise erwiesen sie sich eher noch wilder und unersättlicher als die Tiere, insbesondere unter der Erde kämpften sie ihr ganzes Leben lang um ihre Einflussgebiete.

Es war eine Schwäche der Menschen, beim Anblick der Pflanzen sanft und friedlich zu werden. Unbestritten waren die Pflanzen die herrschende Klasse in der Welt der Lebewesen. Instinktiv wussten die Menschen das, und irgendein Mechanismus sorgte dafür, dass sie Pflanzen gegenüber nie feindselige Gefühle hegten. Wenn es den Menschen doch einmal in den Sinn kommen sollte, sämtliche Pflanzen zu vernichten, dann wäre das der Zeitpunkt des Untergangs aller Tiere einschließlich der Menschen.«[11]

Immer wieder macht sich Masuda Gedanken über die Rolle des Menschen in der Natur und auf der Erde:

»Das, was das Besondere des Menschen ausmacht, ist doch wohl, wie er über das Leben nachdenkt, oder wie er arbeitet. Aber obgleich es gemeinhin eine gemeinsame Eigenschaft aller Lebewesen ist, nicht mehr zu töten als nötig, oder nur für die eigene Nahrung zu töten, haben sich die Menschen hingegen in vielerlei Hinsicht viel zu sprunghaft weiterentwickelt. Sie übertreiben es immer mehr, so dass es gar nicht mehr wieder gut zu machen ist, und handeln so unüberlegt, dass sie die Orte, an denen sie selbst leben, verschmutzen und zerstören, aus Emotionen heraus töten und Selbstmord begehen, weshalb ich einfach nicht anders kann, als ihre Orientierung als anormal zu empfinden. […] Sie haben seltsamerweise Gefallen am Zerstören gefunden. Sie erschaffen etwas, um es dann aber wieder zu zerstören.«[12]

Sowohl in *Mugibue* als auch in *Jiyû jikan* als auch in *Shinguru seru* steht ein junger Mensch im Mittelpunkt, der versucht, sich allein – als Single – durchs Leben zu schlagen. Masuda schreibt in ihrem Nachwort zu *Shinguru Seru*:

»Eigentlich hatte ich nicht die Absicht gehabt, an diesem Thema festzuhalten, doch irgendwie scheint in mir der Gedanke stark zu sein, dass man den wahren Charakter des Menschen nicht versteht, wenn man ihn nicht in der Gruppe, sondern als einzelnes Individuum betrachtet.«[13]

Dabei betrachtet sie aber nicht einfach nur einen Menschen, der allein lebt, sondern darüber hinaus auch noch Extremfälle, wie zum Beispiel in *Shinguru Seru* Mikio, einen jungen Mann, dessen Mutter bereits in seiner frühesten Kindheit und sein Vater in seiner Oberstufenzeit verstirbt. Von dieser Zeit an geht er völlig allein durchs Leben. Zwar helfen ihm ein ehemaliger Kollege seines Vaters und ein Schulfreund, doch entwickelt sich zu diesen keine engere Bindung. Auch an der Universität bleibt Mikio ein Außenseiter. Das Mädchen, das auf ziemlich eigenwillige Weise ohne jede Absprache einfach bei ihm einzieht, ist ein Einzelgänger wie er. Dass Mikio sich in seiner Masterarbeit zudem ausgerechnet mit dem Thema der Überlebensmöglichkeiten von aus komplexeren Lebewesen isolierten einzelnen Zellen beschäftigt, lässt den ganzen Roman wie ein Experiment wirken.

Auch in *Kinshi kûkan* [1988, Der verbotene Raum] ist der Protagonist Shizuo ein allein lebender junger Mann, dessen Eltern bereits gestorben sind. Sein Verhältnis zu seiner älteren Schwester ist nicht besonders gut. Kurz nachdem er aus seinem Elternhaus in ein kleines Appartement umgezogen ist, entdeckt er Unregelmäßigkeiten an einer Wand seines Schlafzimmers. Von Zeit zu Zeit schimmert sie plötzlich grünlich und scheint sogar zu leuchten. Während Shizuo fasziniert immer mehr Zeit vor dieser Wand verbringt, wird diese zunehmend transparenter. Die dahinter auftauchenden Schatten nehmen immer klarere Formen an. Shizuo zweifelt in zunehmendem Maße auch an seiner geistigen und emotionalen Verfassung, doch zugleich möchte er gar zu gern glauben, dass die junge Frau, die schließlich hinter der Wand auftaucht, doch Realität ist.

Wie auch in diesem Roman sind die zentralen Themen in Masudas Werken immer wieder die emotionale Isolation und die Einsamkeit einzelner Individuen in der Gesellschaft sowie auch der immer häufiger zutage tretende fehlende Rückhalt der Familien, hervorgerufen nicht zuletzt durch das formale, aber auch das emotionale Auseinanderbrechen der Familien. Masudas Protagonisten, die bereits in ihrer Kindheit keinen familiären Rückhalt genießen konnten, tun sich nun, erwachsen geworden, erst recht schwer damit, ein Verhältnis zu ihren Mitmenschen zu finden. Selbst wenn sie den Wunsch dazu verspüren, bleiben sie eher passiv und unternehmen nur selten etwas. Sogar das Nachdenken darüber geben sie irgendwann resignierend auf. Über Mikio in *Shinguru Seru* heißt es: »Als er vor neun Jahren seinen Vater verlor, war er erst sechzehn und noch Oberschüler. Damals hatte er, soweit er sich entsann, aufgehört nachzudenken. Besonders über seine Fähigkeiten und die Zukunft.

Er hatte sich damals sehr viele Gedanken gemacht, sich schließlich alles noch einmal gründlich durch den Kopf gehen lassen und dann beschlossen, nie mehr nachzudenken.«[14]

Da der Roman *Shinguru seru* [Single Cell in japanischen Silben] in einer Zeit erschien, als der Begriff und auch das Phänomen *Single* die japanische Gesellschaft eroberte, war der Roman sehr erfolgreich, hatte er doch den Nerv der Zeit getroffen.

In dem Roman *Hiyoru* [1998, Feuernacht] begibt sich Masuda auf die Suche nach ihren eigenen Wurzeln und wandelt auf den Spuren der Geschichte ihrer Familie. Dieser Roman »verfolgt die Geschichte einer Familie vom Ende der Ära Tokugawa (1603-1867) bis in die Gegenwart und beschreibt die Wanderungen der Seele einer einsamen Frau.«[15] Im Mittelpunkt des ebenfalls autobiografisch gefärbten Romans *Tsukuyomi* [2001, Tsukuyomi (shintoistische Gottheit)] steht die Beziehung der Schriftstellerin Momoko zu ihrer 87jährigen Stiefmutter Chiyo. Auch nach dem Tod ihres Vaters in der Mittelschulzeit hatte Momoko nie ein vertrauensvolles Verhältnis zu ihrer Stiefmutter aufbauen können. Jetzt, da diese alt und so krank geworden ist, dass sie ins Krankenhaus eingeliefert werden muss, kehrt Momoko zu ihr zurück und übernimmt deren Arbeit als Verwalterin eines Wohnblocks. Die vorsichtige Annäherung der beiden Frauen wird als ein zarter Versuch beschrieben, doch noch das Gefühl einer Familie zu erleben.

Masuda wurde für ihr literarisches Werk mehrfach mit Preisen geehrt. Für den Roman *Jiyû jikan* wurde ihr der Noma-Kunst-Nachwuchspreis verliehen, und für den vorliegenden Roman *Shinguru Seru* der Izumi-Kyôka-Preis. Desweiteren erhielt sie im Jahre 2001 für *Tsukuyomi* den Itô-Sei-Literaturpreis. Außerdem wurde sie wiederholte Male für den Akutagawa-Preis, den bedeutendsten Literaturpreis Japans, sowie für zahlreiche andere Preise nominiert. Masudas Werk ist bisher im deutschen Sprachraum noch fast unerschlossen.[16] Die vorliegende Übersetzung kann daher nur ein Schritt in die Erschließung ihres reichen Werks für den deutschen Leser sein. Es bleibt zu wünschen, dass weitere Übersetzungen folgen.

Heike Patzschke

ANMERKUNGEN (ZUR AUTORIN)

1   Dieses Zitat wurde aus einem Interview mit Masuda Mizuko entnommen, das in folgendem Buch abgedruckt ist: Masuda Mizuko: *Mugibue* [Strohflöte]. Fukutakeshoten Verlag, 1986, S. 290.

2   Ebenda, S. 290-293.

3   Vgl. a. Takakuwa Noriko: *Masuda Mizuko ron – sei no imêjitorêningu* [Über Masuda Mizuko – Das Leben – Imagebildung]. In: Hasegawa, Izumi (Hg.): *Joseisakka no shinryû* [Neue Strömungen bei den Schriftstellerinnen]. Shibundô, Tôkyô 1991, S. 42.

4   Vgl. a. ebenda.

5   Takakuwa Noriko: *Masuda Mizuko ron – sei no imêjitorêningu* [Über Masuda Mizuko – Das Leben – Imagebildung]. In: Hasegawa, Izumi (Hg.): *Joseisakka no shinryû* [Neue Strömungen bei den Schriftstellerinnen]. Shibundô, Tôkyô 1991, S. 43.

6 Vgl. a. Shibata Schierbeck: *Masuda Mizuko*. In: Shibata Schierbeck, Sachiko: *Postwar Japanese Women Writers*. East Asian Institute, University of Copenhagen 1989, S. 68/69.

7 Zitiert ebenda, S. 52.

8 Masuda Mizuko: *Der Einzeller*. Abera Verlag, Hamburg 2013, S. 9.

9 Ebenda, S. 160.

10 Zitiert aus einem Gespräch mit Katô Yukiko und Oka Nobuko. In: Hasegawa, Izumi (Hg.): *Joseisakka no shinryû* [Neue Strömungen bei den Schriftstellerinnen]. a.a.O., S. 13.

11 Masuda Mizuko: *Der Einzeller*. a.a.O., S. 24.

12 Zitiert aus einem Gespräch mit Katô Yukiko und Oka Nobuko, a.a.O., S. 14/15.

13 Masuda Mizuko: *Shinguru seru* [Der Einzeller]. Nachwort. Fukutakeshoten Verlag, Tôkyô 1990, S. 266.

14 Masuda Mizuko: *Der Einzeller*. a.a.O., S. 28.

15 Verlagsankündigung in: http://www.amazon.co.jp/%E7%81%AB %E5%A4%9C-%E5%A2%97%E7%94%B0-%E3%81%BF% 3%81%9A%E5%AD%90/dp/410333004X/ref=sr_1_1?ie=UTF 8&qid=1341228718&sr=8-1

16 Bisher lagen nur folgende zwei Übersetzungen von Werken von Masuda Mizuko in deutscher Sprache vor: Masuda Mizuko: *Das neue Leben* [1984, Atarashii seikatsu]. In: Miyazaki, Noboru (Hg.): *Wohlgehütete Pfirsiche oder Über die Traurigkeit*. Japanische Literatur der letzten Jahre. Konkursbuch Verlag Claudia Gehrke, Tübingen 1992, S. 161-181; Masuda Mizuko: *Blumen* [1989, Hana]. In: Saitô, Eiko (Hg.): *Erkundungen. 12 Erzähler aus Japan*. Verlag Volk und Welt, Berlin 1992, S. 175-197.